新潮文庫

侍

遠藤周作著

新潮社版

3626

侍

第一章

雪が降った。

夕暮、雲の割れ目からうす陽を石ころだらけの川原に注いでいた空が暗くなると、突然、静かになった。雪が二片《ふたひら》、三片、舞ってきた。

雪は木を切っている侍と下男たちの野良着《のらぎ》をかすめ、はかない命を訴えるように彼らの顔や手にふれては消えた。しかし人間たちが黙々と鉈《なた》を動かしていると、もう無視するように周りを駆けまわりはじめた。雪とまじりあって夕靄《ゆうもや》がひろがり、視界は一面に灰色となった。

やがて侍と下男たちは仕事をやめて木の束を背負った。間もなく訪れる冬に備えて薪をつくるのである。蟻《あり》のように一列になり、川原にそって谷戸《やと》に戻る彼らの額にも雪がふれた。

枯れた丘陵にかこまれた谷戸の奥に三つの村がある。村のいずれの家も丘を背に、前を畠《はたけ》にしているが、それは見知らぬ者が谷戸に入ってきた時、家から窺《うかが》うことができるためである。きるためである。押しつぶされたように並んだ藁《わら》ぶきの家は、天井に竹で編んだ簀《す》の子《こ》を張り、そこに薪や茅《ちがや》を干している。家畜小屋のように臭く、暗い。

侍は三つの村のことを知りつくしていた。父の代に殿からこの村とこの土地とを給地として与えられたからである。今は総領となった彼は公役《くやく》の命令がくれば百姓たちの何人かを集め、万が一、戦《いくさ》がはじまれば供をつれて寄親《よりおや》の石田さまの館《やかた》まで駆けつけねばならぬ。

彼の家形《やかた》は百姓たちの住む家よりはまだ良かったが、それでも藁ぶきの建物を幾つか集めたものにすぎぬ。百姓の家とちがうのは、幾つかの納屋《なや》や大きな馬小屋があり、周囲に土塁をめぐらしていることである。土塁をめぐらしても、もちろん家形は戦うための場所ではなかった。谷戸の北方の山に、むかし、この土地を支配して殿に滅ぼされた地侍の砦《とりで》の跡があったが、日本中の戦が終り、殿が陸奥《みちのく》一の大名となられた今は、そんな備えも侍の一族には要らなくなった。その上、ここでは身分の上下はあっても、侍も畠で働き、下男たちと山で炭を焼く。彼の妻も女たちと牛馬の世話をする。

三つの村から殿におさめる年貢《ねんぐ》は惣高《そうだか》、六十五貫、そのうち田からは六十貫、畠からは五貫出さねばならない。

雪は時折、吹雪《ふぶ》いた。侍と下男たちのつけた足跡が長い道に点々と染《し》みをつけた。誰もが無駄口もたたかず、温和《おとな》しい牛のように歩いた。二本杉とよばれる小さな木橋まで来た時、侍は自分たちと同じように髪を雪で白くそめた与蔵が野仏のように立っているのを見た。

「分家さまのお出《い》でなさりました」

侍はうなずくと肩から木の束をおろして与蔵の足もとにおいた。この土地の百姓と同じように彼の顔も、眼がくぼみ、頬骨がとび出て、土の臭《にお》いがした。百姓と同じように彼も口数が少なく、感情を外に出すことが少なかった。一族の総領であったが、彼は分家さまとよばれるこの年とった叔父が来るとやはり気が重くなる。父が死んだあと彼が長谷倉《はせくら》の本家をついだものの、なにごともこの叔父と談合してとり決めてきた。叔父は殿がなされた幾つかの戦いに父と一緒に出陣してきたのである。子供の頃、叔父が囲炉裏のそばで酒で顔を真赤にし、

「見い、六」

といって太腿《ふともも》にひきつった茶褐色の傷痕《きずあと》を見せてくれたことがある。それは葦名《あしな》一族と殿とが磨上原《すりあげはら》で戦われた時に受けた弾痕《だんこん》で、叔父の自慢の種だった。だがその叔父もこの四、五年、めっきり弱り、時折、彼の家形にあらわれては酒を飲みながら、

しきりに愚痴をこぼすようになった。愚痴をこぼしてから、傷ついた右脚をひきずり、帰っていく。

下男たちを残し、侍は一人、家形までの坂路《さかみち》をのぼった。灰色の大きな空に雪片が動きまわり、母屋《おもや》や納屋などの建物が黒い城塞《じょうさい》のように浮びあがっている。馬小屋の前を通りすぎた時、藁と馬糞《ばふん》とのまじりあった臭いが鼻をつき、主人の足音に気づいた馬が床を蹴《け》った。母屋の戸口までくると侍はたちどまって丁寧に野良着についた雪をはらって家に入った。正面の囲炉裏端で叔父がわるい右脚を投げだして火に手をかざし、十二歳になる長男がその傍に畏《かしこま》って坐《すわ》っていた。

「六か」

囲炉裏の煙にむせたのか、拳《こぶし》を口にあてて咳《せ》きこみながら叔父は侍をよんだ。長男の勘三郎は父の姿を見ると救われたように一礼して厨《くりや》のほうに逃げていった。煙は自在鉤《ざいかぎ》にそって煤《すす》でよごれた天井にたちのぼっていく。父の代も彼の代もすすけたこの囲炉裏端がさまざまのことを決める談合の場所となり、村人の争いを裁くとり決めの場所となった。

「布沢《ぬのざわ》に行き、石田さまにお目にかかった」

叔父はまた少し咳きこんで、

「石田さまは、黒川の土地のことでな、城中からまだ何の御返事もないと言われておった」

侍は無言のまま傍につみ重ねてある囲炉裏の枯枝を折った。その鈍い音を耳にしながら、叔父のいつもながらの愚痴に耐えていた。黙っているのは、彼が何も感じず、何も考えないからではなかった。土の臭いのするその顔に感情を出すのに馴《な》れていないからだったし、人に逆らうのが嫌いだったからでもある。だがそれよりも、いつもながら、過ぎ去った出来事にしがみついている叔父の話はやはり彼の心には重かった。

十一年前、あたらしい城郭と町とを作られ、知行割《ちぎょうわり》を行われた殿は、侍の家に、先祖代々住みなれた黒川の土地のかわりにこの谷戸と三つの村とを与えられた。むかしの所領地より貧しい荒地に移されたのは荒蕪地《こうぶち》の開発という殿の御方針だったが、侍の父はその理由を自分勝手に考えていた。関白秀吉公が殿を帰順させられた時、その仕置きに不満を持った連中が、葛西《かさい》、大崎の一族を中心に反乱を起したが、遠縁にあたるものでそれに加わった何人かがいた。そして自分が戦に敗れた彼らをかくまい逃がしたため、殿はそれを憶《おぼ》えておられて、このような荒野を黒川の土地のかわりに与えられたのかもしれない。そう父は思ったのである。

放りこんだ枯枝はこの仕打ちにたいする父や叔父の不平や不満のように囲炉裏のな

かで音をたてた。厨の戸をあけ、妻のりくが酒と乾《ひ》かしわ《かしわ》にした朴《ほお》の葉に味噌《みそ》をのせて二人の前にそっとおいた。彼女は叔父の表情と無言で枯枝を折りつづける夫とを見て、今夜も何が話題になったかを感じたようである。

「なあ、りく」

と叔父は彼女をふりむいて、

「これからもな、この野谷地に住まわねばならぬ」

野谷地とは土地の言葉で見棄《みす》てられた荒野を指した。石だらけの川が流れ、わずかな稲麦のほかは蕎麦《そば》と稗《ひえ》と大根しかとれぬ畠。ここはその上、ほかの在所より冬の来るのが早く、寒さもきびしい。やがてこの谷戸は丘も林もふかぶかと純白の雪に埋まり、人間は暗い家のなかで息をひそめ、風のすれあう音を、長い夜、耳にして春を待たねばならぬ。

「戦があればのう。戦さえあれば、功をたてて加増もあるものを」

痩《や》せた膝《ひざ》をしきりにさすりながら叔父は同じ愚痴をこぼしつづける。だが殿が戦であけくれておられた時代はもう終っている。西国はともかく、東国は徳川さまの勢威に服し、殿のように陸奥一の大名でさえも勝手気儘《きまま》に兵を動かすことのできぬ時なのだ。

侍と妻とは枯枝を折り、やり場のない不満を酒と独り言とおのれの手柄話とでまぎらわす叔父の話をいつまでも聞いている。その手柄話も愚痴も、もう幾度となく耳にしたものだが、それはこの老人だけが生きるために食べている黴《かび》のはえた食物のようだった。

真夜中ちかく二人の下男に叔父を送らせた。戸をあけると、珍しく月の光にそまった雲の割れ目が出て、雪はやんでいる。叔父の姿が見えなくなるまで犬が吠《ほ》えた。

谷戸では戦よりも飢饉《ききん》が怖《おそ》れられている。むかしここを襲った冷害をなまなましく憶えている老人たちがまだ生きていた。

その年の冬は奇妙なほど暖かく、春のような気配が続き、北西にある山がいつも霞《かす》んではっきりと見えなかったという。だが春が終り梅雨の季節が来ると雨も長く、夏が来ても朝晩は裸ではいられぬほど冷えびえとした毎日だった。畠の苗は一向に生長せず、枯れるものが多かった。

食べ物がなくなった。谷戸の村人たちは山からとった葛根《くずね》や、馬の飼料である糠《ぬか》や藁や豆がらも食べた。それも無くなると、何よりも大事な馬を殺し、飼犬を殺し、樹皮や雑草で飢えをしのいだ。すべてを食べ尽したあと、親子も夫婦も別れ別れに食べ物を求めて村を棄てた。飢えて道に倒れる者があっても、肉親、縁者さえ世話もできずに見棄てていった。やがてその死体を野犬や烏《からす》が食い散らした。

侍の家がここを知行地にしてからは、さすがにそんな飢饉はなかったが、父は村の家々に橡《とち》や楢《なら》の実、穂からおろしたままの稗の実を叺《かます》に入れさせ、梁《はり》の上に貯蔵するように命じた。今、侍はどんな家にも保存してあるこの叺を見るたび、一本気な叔父よりも、もっと賢かった父親の温和しい顔を思いだす。

だが、その父さえ、

「黒川ならば、凶年が来ても凌《しの》げるものを……」

と地味の肥えた先祖伝来の土地を懐《なつ》かしんだ。あそこは手入れさえすれば、麦の豊かにとれる平野がある。だがこの野谷地では、蕎麦、稗、大根がおもな作物で、その作物も毎日食べるわけにはいかぬ。年貢を殿におさめねばならぬからである。侍の家でも大根の葉を麦や稗の飯に入れたものを口にする日があった。百姓たちは、野びる、浅つきなども食べているのである。

だが侍は父や叔父の愚痴にもかかわらず、この野谷地が嫌いではなかった。ここは父が死んでから彼が一族の総領としてはじめて治める土地だったが、彼と同じように眼がくぼみ、頬骨が突き出た百姓たちは黙々として早朝から夜がくるまで牛のように働き、喧嘩《けんか》も争いもしなかった。地味のうすい田畠を耕し、自分たちの食べ物を減らしても年貢は遅れずに出した。そんな百姓と話をしている時、侍は身分の違いを忘れ、自分と彼らとを結びつけているものを感じる。自分のただ一つの取柄は忍耐づよいことだと考えていたが、百姓たちは彼よりも、もっと従順で我慢づよかった。

時折、侍は長男の勘三郎をつれて家形の北方にある丘陵に登ることがあった。かつてここを支配していた地侍が築いた砦の跡が雑草に埋もれて残り、灌木《かんぼく》にかくれた空濠《からぼり》や枯葉をかぶった土塁からは、時折、焼米やこわれた茶碗《ちゃわん》の出てくることもある。風のふく山の上からは谷戸と集落とが見おろせる。悲しいほどあわれな土地。押し潰《つぶ》されたような村。

（ここが……わしの土地だ）

侍は心のなかでそう呟《つぶや》く。もう戦がないならば自分は父と同じように、生涯、ここで生きるだろう。自分が死んだあとは長男も総領として、同じ生き方をくりかえすのだろう。ここから自分たち親子は一生、離れることはないのだ。

彼はまた、その山の麓《ふもと》にある小さな沼に与蔵と釣りに行くこともあった。晩秋、暗い葦《あし》の茂ったその沼に褐色の水鳥にまじって、三羽、四羽、首の長い白い鳥が羽ばたきをしているのを見ることがあった。しらどりと言われるその鳥は、寒気のきびしい遠い国から海を越えて来たのである。渡り鳥はまた春になると大きく羽を動かし谷戸の空を舞いながら去っていく。その鳥を眺めるたび侍は、彼らが自分の生涯訪れぬ国を知っているのだなと、ふと思うこともあったが、羨《うらや》む気はあまりなかった。

寄親である石田さまからお呼び出しがあった。話したきことがあるゆえ布沢までまかり越すように、とのことである。

石田さまのお家はその昔、殿の御先祖にたびたびはむかわれた一族だが、今は御一門衆として扱われている御大身である。

朝早く与蔵を連れて谷戸を発《た》ち、昼近く布沢に到着した。氷雨《ひさめ》がふり、石垣をめぐらした館の濠水に雨の輪が無数に浮んでは消えている。控えの間でしばらく休息したのち、石田さまにお目にかかった。

小肥《こぶと》りの石田さまは羽織を着て着座されると、黒光りのする板敷に両手をついて畏《かしこま》っている侍に笑顔を見せ、叔父の様子をたずねられ、

「先日もここでいろいろと愚痴をこぼしおった」

と愉快そうに笑われた。侍は恐縮して頭をさげた。父や叔父が今日まで黒川の土地に給地改《きゅうちあらため》をして頂きたいと願い出るたびに、この方はその嘆願書を城中にまわしてくださった。だがその後、侍はその石田さまから、こうした嘆願書が給人たちから次々と出され、御評定所に山積していることを聞いた。よほどのことがない限り、殿がその嘆願をとりあげられることはないだろう。

「老人の気持、ようわかるが」

石田さまは、笑顔をふっと顔から消されると、

「戦など、もうないぞ。内府さまは大坂を大事になされるお気持であり、殿もその御意向に従うておられる」

と少し強い声で言われた。それをわざわざ言いきかせるために呼び出されたのかと侍は考えた。嘆願書をこれ以上、差し出しても無駄であることを石田さまはお教えになりたかったのであろう。

あふれる水のように悲しみが胸中に拡《ひろ》がっていく。彼自身はあの谷戸に愛着があったが、しかし先祖たちの汗と思い出とが染みこんでいる土地を一日も忘れたわけではなかった。今、はっきりと石田さまから諦《あきら》めるように言われた時、まぶたに亡父の寂しそうな顔が浮んだ。口惜しげな叔父の表情も甦《よみがえ》った。

「難儀であろうが、老人を納得させるがよい。老人は世の移り変りが、どうしても呑《の》みこめぬものだ」

真実、気の毒そうに石田さまはうつむいている侍に眼をやって、

「だが御評定所はお前の家だけに諦めよと申しているのではないのだ。召出衆《めしだししゅう》のなかには同じように昔の土地を戻してくれと願い出ている者が多く、ために御評定所の御重臣がたもいたく頭を悩ましておられる。だが一人、一人の我儘《わがまま》を聞き入れては定まった知行の割当てが次々と乱れる」

両手を膝におき、うつむいたまま侍は石田さまのお言葉をきいていた。

「ところで、今日よんだのは、ほかの用である」

と石田さまはこれ以上、黒川の土地の話を続けるのを避けるように不意に別の話題を口にされた。

「近く、公役《くやく》の御指図がある。それにつき、お前に特に申し渡すことも起るかもしれぬ。このこと、忘れるな」

なぜ急にこんな話を教えてくださったのか侍にはわからなかった。やがて頭をさげて退《さが》ろうとすると石田さまは、まだ良い、と言われ江戸の盛んな模様を語ってくださった。昨年から将軍さまの江戸城普請《ふしん》を諸大名が受け持ったため、殿もその一部をお

引きうけなされ、このところ石田さま、亘理《わたり》さま、白石さまのような御一門衆が交代で江戸にのぼっている。

「江戸では切支丹《キリシタン》の御探索が厳しゅうなってな。たまたまここに戻る折、その引きまわしを見た」

将軍の父である内府さまが今年、幕府直轄領《ちょっかつりょう》に切支丹の教えを禁じられたことは侍も知っていた。そのため追放された信徒たちが禁制のない西国や東北に移住し、殿の御領内の金山などで働いていることを彼もたびたび耳にしていたのである。

石田さまが御覧になった囚人たちはいずれも紙を切って作った小旗をつけた駄馬に乗せられ、町中を大通りを通って刑場に連れていかれる途中だった。囚人たちは馬上から見物人の顔みしりと話をかわし、別に死を怖れている様子もなかった。

「南蛮伴天連《バテレン》もそれにまじっておった。これまでに切支丹の者やバテレンに会《お》うたことがあるか」

「ございませぬ」

石田さまのお話をうかがっていても、侍には切支丹の囚人に何の興味も起らない。切支丹そのものにも関心がなかった。それは自分の住む雪ぶかい谷戸には関係のないことだった。谷戸の者は、江戸から逃げてきた信徒も、一生、見ずに死ぬのである。

「雨のなか、戻るのは苦労であろう」

退出する侍を石田さまは父のように優しくいたわってくださった。館《やかた》の外ではつめたい雨にぬれきった蓑《みの》をまとって与蔵が犬のように従順に侍を待っていた。彼より三つ年上のこの下男は生れた時から侍と同じ家で育ち、侍の家のために働いてきた。馬に乗りながら彼は今から戻る夜の谷戸を思いうかべる。数日前の雪が凍《し》み雪になって闇《やみ》のなかにしろじろと浮びあがり、百姓の家は死んだように静かだろう。妻のりくと三、四人の者だけが起きて自分を待っている囲炉裏端。足音を聞きつけて犬が吠え、湿った藁《わら》の臭《にお》いのする馬小屋で、眼をさました馬が足踏みをするだろう。

湿った藁の臭いは宣教師の坐《すわ》っている牢獄《ろうごく》にも充満していた。その臭気には今までここに入れられていた信徒たちの体臭や尿の臭いも入りまじり、それが時折つよく鼻を刺した。

昨日から彼は自分が処刑される率と、釈放される率とを計算してきた。二つの皿に分けた砂金のいずれが重いかを調べる商人のように冷静な気持で考えていた。助かるとすれば、それはまだ、彼がこの国の為政者たちに役にたつためである。今日までこの国の権力者たちはマニラから使節がくるたびに宣教師を通辞として使ってきたが、実際、彼ほど日本語に巧みな宣教師はもう江戸にはいなかった。貪欲《どんよく》な日本人たちが、今後、マニラや太平洋の彼方《かなた》のノベスパニヤ（メキシコ）と有利な貿易を続けたいならば、その交渉の橋わたしのできる自分を棄てる筈《はず》はないのだ。（主がお望みならば、死にもいたしましょう）宣教師は鷹《たか》のように傲然《ごうぜん》と首をあげた。（しかし、私がこの日本の教会のために必要なことをあなたはよく御存知です）

そうだ。この国の権力者と同じように主さえも自分を必要とされている。そう思うと得意の微笑がおのずと顔に浮んだ。宣教師は自分の能力に自信を持っていた。ポーロ会の江戸管区長である彼は、今日までの日本での布教の失敗は、自分の会とことごとに対立してきたペテロ会の過失によるものだといつも考えてきた。ペテロ会の司祭たちは些事《さじ》にはいつも政治的なくせに、本当は政治というものを知らない。彼らは六十年も布教した揚句、長崎に施政権も裁判権も持った教会領を持ち、そのために日本の権力者たちを不安にさせ、疑惑の種をまいてしまったのである。

（私が司教なら、そんな愚かな真似《まね》はさせなかったろう。私が日本の司教なら……）

心のなかでそう言いかけ、さすがに彼は少女のように顔を赤らめた。自分の心にまだ世俗的な野心や虚栄心が形を変えて残っているのに気づいたからである。日本での布教をすべてローマ法王庁から委任される司教になりたいというこの気持には、彼の個人的な野心もやはりふくまれていた。

セビリヤの有力な市参事会議員を父に持つ彼の一族にはパナマ諸島の総督がいた。宗教裁判所の長官もいた。祖父もまた西印度《にしインド》諸島の征服に従事した。そんな政治家の血を受けた自分に普通の司祭たちとちがう才能のあるのを発見したのは、日本に来てからである。それは内府や将軍の前に伺候《しこう》しても、卑屈になることなく、狡猾《こうかつ》な老中たちの心をつかむ術《すべ》や説得力を持っていることでもわかった。

口惜しいのはペテロ会の圧迫のために、自分の一族の持っているこの才能を発揮する大きな舞台がまだ与えられぬことだった。ペテロ会の会士たちが秀吉や内府をたくみに操縦することもできず、江戸城に食いこんでいる仏教の高僧たちを懐柔さえもせず、逆にそれら要職者の反感と疑惑の種をまいたことを知っているだけに、彼は一方では自分の野心を恥じながらも司教になりたいという気持を抑えることができなかった。

（この国での布教は戦いだ。戦いでは、無能な指揮者がいれば、それだけ兵士たちの

血が無駄に流れる）

だから宣教師はこの国で生きのびねばならぬと思った。彼が匿《かく》れていた間、五人の信徒が捕縛されたことを知ってはいたが、あえてその者たちと同じ運命をえらぶことを避けたのもそのためだった。

（だが、もし主が私を必要とされないなら）痺《しび》れた足をさすりながら彼は呟いた。（いつでもお召しください。私が決して自分の生命に執着していないことは、あなたが一番よく御存知です）

さすっている足のそばを黒い柔らかなものが通りすぎた。牢内に巣くっている鼠《ねずみ》である。鼠は彼が昨夜、眠っている間も、細かな音をたてながらこの狭い一角のどこかを齧《かじ》っていた。その音で眼をあけるたびに、彼はおそらくもう処刑場で殺されたにちがいない五人の信徒たちのために主禱文《しゅとうもん》を小声で唱えた。唱えることで彼らを見棄《みす》てねばならなかった良心の痛みを鎮《しず》めようとした。

遠くで足音がしたので宣教師はいそいで投げだした足をなおし、居ずまいを正した。食事を持ってくる牢番にさえだらしない恰好《かっこう》を見せたくはなかった。こうした牢獄のなかでも日本人から馬鹿《ばか》にされるような態度をとることを自分に許さなかった。

足音が次第に近づいてくる。笑顔をみせねばならぬと考えて、鍵穴《かぎあな》にさしこまれる鍵の音を聞きながら宣教師は頰に微笑をつくった。死の直前でも笑顔をみせようと彼は平生から思っていたのだ。

軋《きし》んだ音をたてて戸がひらき、錫《すず》をとかしたような光が湿った地面に流れこんだ。眼をしばたたきながら笑顔をそちらに向けると、牢番ではなく黒い着物を着た二人の役人が覗《のぞ》きこんでいるのが見えた。

「出ろ」

一人が威張った声で命じた時、釈放という言葉が悦《よろこ》びと一緒に宣教師の頭をかけまわった。

「どこに参るのですか」

笑顔を保ちながら宣教師は余裕のある声をだしたが、足が少しよろめいた。役人たちは不機嫌そうに黙ったまま両肩をふって歩いていた。その日本人特有の体裁ぶった歩き方は、今や釈放に自信を持った宣教師には滑稽《こっけい》な子供の仕草のように思われた。

「見い」

突然、役人の一人がたちどまりふりかえって廊下の窓から見える中庭を顎《あご》で示した。陽の引きはじめた中庭には筵《むしろ》が敷かれ、水桶《みずおけ》が置かれ、床几《しょうぎ》が二つ並べられている。

「何かわかるか」

もう一人の役人が馬鹿にしたような笑い声をたて、指をのばした掌《てのひら》で自分の首を切る真似をした。

「これよ」

彼は体を硬直させた宣教師を楽しむように眺め、

「震えておるぞ、この南蛮人」

と言った。

宣教師は両手を握りしめ、こみあげてくる恥ずかしさと怒りとに耐えた。この二日間、日本人の小役人のこうしたおどし方は彼をたびたび傷つけたが、今の場合は一瞬でも自分の怯《おび》えた表情を彼らに見られたことが自尊心の強い宣教師には我慢できなかった。膝頭《ひざがしら》の震えは牢の外に連れだされて向い側の建物に入れられるまで続いた。

夕暮の建物は虚《うつ》ろで人の気配もない。黒光りのするその一室のつめたい床に彼を正座させて役人が姿を消すと、宣教師は釈放される悦びを、盗み食いをする子供のようにむさぼり嚙《か》みしめた。

（みろ。私が考えていた通りだ）

さきほどの屈辱感は消え、そのかわり、おのれの見通しに狂いのなかったことで彼は持前の自信をとり戻して呟《つぶや》いた。

（日本人たちの考えは手にとるようにわかる）

日本人が、おのれの好き嫌いにかかわらず利用価値のあるものは、生かしておくことを彼は知っていたし、彼の通辞としての能力は、貿易の利益に眼のくらんだこの国の権力者たちにまだまだ必要だった。内府も将軍も切支丹を嫌いながら宣教師をこの町に住まわせているのはそのためである。内府は長崎に劣らぬもうひとつの遠国《おんごく》との取引きをする港を欲しがっていた。とりわけ遠い海の向うのノベスパニヤとの通商を望み、今日までそのための手紙を幾度もマニラのエスパニヤ（スペイン）人総督に送っている。それらの手紙を翻訳し向うの返事を日本語に直させるために、宣教師はたびたび江戸城に呼ばれたのである。

　だがその内府を見たことは一度しかない。江戸城にマニラからの使節と伺候した時、暗い謁見室《えつけんしつ》でビロウドの椅子《いす》に大儀そうに腰かけた老人を見た。老人は口を開かず、そのかわりに老中たちと使節との会話を無表情に聞き、使節が持参した珍奇な品物も無表情な眼で眺めた。しかしその無表情な顔と眼とはその後も宣教師の記憶に甦り、一種、怖《おそ》れに似た感情をひき起した。その老人が内府で、あれが政治家の顔だと彼は思ったのである。

　廊下で足音がした時、頭をさげた宣教師の耳に衣服の動く乾いた音が聞えた。

「ベラスコ殿」

顔をあげると、顔みしりの通商顧問官（御金銀改役）の後藤尚三郎が上座に坐り、さきほどの二人の役人が板の間に並んでいた。後藤は日本人特有の重々しい顔で彼をしばらく見つめ、それから溜息《ためいき》と共に、

「出られるがよい。これは役人の手ちがいであった」

「わかっております」

宣教師は得意だった。彼は満足げな眼を自分に屈辱を与えた二人の役人に向けた。それは信徒たちの告悔《コンヒサン》に許しを与える身振りによく似ていた。

「だが、ベラスコ殿」

ふたたび衣服の乾いた音をたてて立ちあがりながら、後藤は苦い顔で吐きすてるように言いわたした。

「そこもと、切支丹の神父《パードレ》として江戸に住んでおるのではなかろうが。このたびも、ある方のおとりなしがなければどうなったかわからぬぞ」

通商顧問官は暗に宣教師がひそかに信徒たちをたずねていることを指摘したのである。他の大名の領地ならばともかく、今年から内府の直轄領では教会を建て、切支丹を奉ずることをきびしく禁じている。彼はこの大きな町で、司祭としてではなく通辞

として住んでいるのだった。

後藤が姿を消したあと二人の役人は露骨に不満の色を顔にみせて宣教師に顎で別の出口を示した。既に夜になりかかっている。

駕籠《かご》に乗せられ、浅草の住居に戻った。夜空に黒くみえる林が住居の目じるしである。このあたりには癩者《らいしゃ》の群れが集落を作っており、二年前までその癩者のために宣教師の所属するポーロ会の小さな病院が作られていた。病院はとりこわされたが、彼はその残った小屋に年下の司祭ディエゴと一人の朝鮮人と住むことを許されていた。

驚いた表情で突然の彼の帰りを迎えたディエゴと朝鮮人とにかこまれ、彼は米と干した魚とをむさぼるように食べた。近くの林で鳥が鋭く鳴いた。

「あなたでなければ日本人はこう早く釈放しなかったですね」

給仕をしながらディエゴが呟いた時、宣教師はその顔に微笑を浮べただけだったが、心のなかでは満足と得意とをゆっくりと味わっていた。

「日本人が私を釈放したのではない」彼は謙虚とも傲慢《ごうまん》とも見わけのつかぬ表情をうかべてディエゴに教えるように、「主は私に何かを望んでおられる。それを果すために主が私を釈放してくださったのだ」

（主よ）と宣教師は食事をしながら口のなかで祈った。（あなたがなされることに無駄はありませぬ。だからあなたは……私を生かされました）彼はその祈りに司祭には似つかわしくない傲《おご》りの気持がふくまれていることに気がつかなかった。

三日ほど間をおき、釈放の礼をのべるため宣教師は朝鮮人を伴い、通商顧問官の屋敷に出かけた。日本人の高官は葡萄酒《ぶどうしゅ》を好むのでミサ用のものを数本持参することを忘れなかった。

顧問官は折から来客中だったが、別室で待たせることなくすぐに自分の部屋に通させた。宣教師をみると彼は軽くうなずいただけでそのまま自分たちの会話を続けたが、それはあきらかにこの話を宣教師に聞かせようとしているようである。

話にはツキノウラとかシオガマという地名がたびたび出た。ツキノウラが長崎に勝る港になるが、と顧問官と小肥《こぶと》りの年とった男とはゆっくりと話しあっている。眼をさりげなく部屋の前の庭にやりながら宣教師は注意ぶかく会話に耳をかたむけた。この三年、通辞として得た知識で、この話題の背後にあるものを彼はおぼろげながら摑《つか》めるような気がした。

内府はここ数年、長崎と同じほどの良き港を日本の東に欲しがっている。内政的には長崎が内府の支配する東日本からあまりにも隔たり、万が一、九州の有力な大名が反乱を起した場合は容易に奪われるし、その上、その有力な九州の大名のなかには、島津殿、加藤殿のように内府がまだ手をくだせぬ大坂の豊臣家に心寄せている者がいるためだった。外交的には内府は、長崎だけにマニラやマカオの船が集まることを悦ばなかった。彼はマニラを経てではなく、その貿易の背景となっているノベスパニヤと直接、取引きをしたがっている。そしてそのノベスパニヤと取引きできる良き港を、彼の勢力が及ぶ東国のどこかに探していた。関東には浦賀という港があるが、潮の流れが速いせいか今までここに近づこうとした船はいつも難破している。そのために内府は日本では黒潮に一番近い東北のある有力な大名に港を探すように命じたことがある。ツキノウラやシオガマはその候補にのぼった地名なのかもしれない。

(だが、なぜ、顧問官は私にこの会話を聞かすのであろう)

宣教師は上眼づかいに二人の日本人の顔をぬすみ見た。その視線に気づいたように、後藤は体をこちらに向け、

「石田殿は御存知か。通辞として江戸滞在を許されておるベラスコ殿だが……」

と小肥りの男に紹介した。男は微笑《ほほえ》んで上体を少しまげ、

「東北に行かれたことはおありか」

宣教師は手を膝においたまま首をふった。こういう時の日本人の礼儀や作法を彼も長年の間に心得ていた。

「石田殿の御国では江戸とちごうて」顧問官は少し皮肉っぽく、「切支丹《キリシタン》はお咎《とが》めがないそうだ。あそこならベラスコ殿も大手をふって歩ける」

もちろん、宣教師もその事実を知っていた。内府は自分の直轄領《ちょっかつりょう》では切支丹を禁じてはいたが、改宗した信徒や武士が一揆《いっき》を起すことを怖れて他の大名にはそれをきびしく強《し》いなかったし、江戸を追われた信徒が西国や東北に逃亡するのも黙認していた。

「ベラスコ殿、塩釜《しおがま》や月ノ浦と申す名を耳にされたことがおありか」

急に顧問官は話を元に戻してさきほどの地名を口にした。

「東北では、格別すぐれた入江である」

「浦賀のような港になされるのでございますか」

「それもある。その入江にて南蛮船と同じような大船を造るやもしれぬ」

宣教師は、一瞬、息をのんだ。彼が今日まで知っている限り、この国ではせいぜいシャムや支那《しな》の帆船を真似た朱印船しか持っていない。ひろい海を自在に渡るガレオン船を造る場所もなければ能力も持っていなかった。たとえ、そんな船が造れたとしてもそれを動かす技術も知らぬ筈《はず》だった。

「日本人の手でお造りになるのでございますか」

「あるいはな。塩釜や月ノ浦は海に面して、しかもよき木材をあまた切り出せる」

宣教師はこのような秘密を顧問官がなぜ自分の前ではっきりと口にしたのかと思った。彼は素早く二人の表情を見くらべ、答えを探った。

(と、すると、あの船の船員たちを使うのであろう)

去年、彼が通辞として江戸城で立ちあったマニラからのエスパニヤ人使節の船が、途中の嵐《あらし》で紀州に漂着し、補修さえ不可能なまま浦賀の港に抑留された。使節も船員たちも迎えの船が来るまで江戸で辛抱づよく待っている。その船員たちを使って日本人たちはガレオン船と同じ彼らの船を造ろうと考えているのかもしれぬ。

「それはもう、お決りになったのでございますか」

「いや、いや。そういう考えもあるというのだ」

それから顧問官は庭に眼をやった。宣教師は顧問官のこんな時の心理を知っていた。それは退出せよという合図でもあったから、彼はすぐに釈放の礼を言葉少なにのべて部屋を出た。

体をかがめ控えの間にいる家来たちに挨拶《あいさつ》をしながら、彼は日本人たちが遂《つい》に自力で太平洋を渡り、ノベスパニヤに赴く計画を立てはじめたのかと思った。

（蟻《あり》のような人種だ。彼らは何でもやろうとする）

宣教師はこの時なぜか、水溜《みずたま》りにぶつかると、その一部が身を犠牲にして橋となり仲間を渡す蟻を思いだした。日本人はそんな智慧《ちえ》を持った黒蟻の群れだ。

数年前からノベスパニヤとの通商を熱願している内府は、マニラの総督からその希望の申し出を婉曲《えんきょく》に断られていた。エスパニヤ人たちはひろい太平洋での貿易を自分たちだけで独占したいからだった。

だがもし、抑留されているエスパニヤ人の船員たちをその造船のために使うとすれば、日本人はその交渉の通訳のために自分をどうしても必要とするであろう。四日前、なぜ自分が後藤の手で牢《ろう》から出されたかが、次第に宣教師にはわかりはじめた。あの時、後藤はある方のお口ぞえのあったことをほのめかしたが、その方とはこの計画を立案した老中かもしれぬ。ひょっとするとさきほどの石田という年寄りかもしれぬ。

神《デウス》はなにものも使われるが、日本人は役にたつものだけを徹底的に使う。日本人は宣教師をこの計画に有用だと考えればこそ、一度、脅しておいて、ふたたび助けたのであろう。これも日本人がよく使う手だった。

彼はディエゴにも朝鮮人にも今日の話を詳しくは話さなかった。同じ聖職者であり、共にマニラのポーロ会から渡日した兎《うさぎ》のような赤い眼をしたこの年下の同僚を宣教師はひそかに馬鹿にしていた。神学生の時代にも彼は純真で無能な友人に出会うと、軽《けい》蔑《べつ》の感情を心から消すことができなかった。彼はそれを自分の嫌な性格と知っていたが、どうしても治すことができないのである。

「大坂から手紙が来ていますが」

ディエゴは古びた修道服のポケットからロザリオと一緒に開封した手紙をとり出した。それから、泣きはらしたような眼をむけて、

「ペテロ会が、また、我々を非難しています」

宣教師は蛾《が》のようにはばたいている蠟燭《ろうそく》の炎の下で、黄色く雨の染《し》みが残りそのためにインキがにじんだ手紙をひろげた。それは大坂にいる彼の上司のムニョース神父が二十日ほど前に書いた手紙で、この上司は、大坂では江戸の内府にたいする憎しみがますますつのり、関ヶ原の戦いに敗れた大名たちの家来が次々と召しかかえられている情勢を伝えていた。

そんな前置きの後にムニョース神父は、ペテロ会の近畿管区長が自分たちポーロ会の布教方法について非難する手紙をローマに送ったことを知らせていた。

「江戸における布教禁止令にかかわらず、ポーロ会が日本人信徒と接触を続けることは内府や将軍の無用な怒りをひき起し、やがては現在、宣教の自由を認められている

各地にまで迫害をもたらす、とペテロ会の会士たちは訴えている」

こみあげる不快感を抑えて宣教師は手紙をディエゴにつき返すように渡した。

「思いあがっている」

感情が昂《たかぶ》る時、宣教師の首と頬とはいつも赤くそまる。自分たちにたいするペテロ会の非難は今がはじめてではなかった。彼らはいつも陰にまわってローマにポーロ会の悪口を書いてきた。それはみな妬《ねた》みによるのだ。フランシスコ・ザビエルが六十三年前にはじめて日本に上陸してから、この国の伝道はすべてザビエルの創設したペテロ会の独占するところとなっている。それが十年ちかく前に法王クレメンテ八世の勅書「オネローサ・パストラリス」で他の修道会の日本での布教も認められると、ペテロ会は躍起になって他会の悪口を言うようになったのだ。

「ペテロ会はこの日本での基督教《キリストきょう》の迫害の原因を自分たちが作ったことを忘れている。誰があの死んだ太閤《たいこう》を怒らせたかを考えてみるといい」

ディエゴはおどおどと、あかい眼でこちらを見あげた。その眼を見ながらこの無能な同僚に何を相談しても無駄だと宣教師は思った。日本に来てから三年にもなるのにこの国の言葉を満足に話せず、上司に言われたことだけを羊のように従順に守るのがディエゴの毎日だった。

数十年間、ペテロ会は長崎にほとんど植民地にひとしい土地を得て、その収益から布教費を作りだしていた。彼らは軍事権こそもたなかったが収税の権利も裁判権もその土地で行使していた。九州を占領した太閤がこの事実を知った時、布教に名を借りた侵略だと激怒して、禁教令を布《し》いたことは誰でも知っている。あれが日本の布教をすべて暗くする切っ掛けになったのだが、ペテロ会は、今はそれを都合よく忘れてしまっている。

「しかし」ディエゴは当惑して、「大坂に……どう返事を書きますか……」

「ペテロ会には……もう、私について心配するな、と書けばよい」宣教師は肩をすくめ、吐きすてるように答えた。「私は間もなく江戸を去り、東北に行くのだから」

「東北に？」

驚いた同僚に宣教師は答えもせず、背をむけて部屋を出た。聖室とよんでいる物置小屋に入ると、手に持った蠟燭の炎を吹き消して、固い板敷に跪《ひざまず》いた。セビリヤの小神学校の時から、自尊心を傷つけられこみあげる怒りを抑える時、彼がいつもとる苦行の姿勢である。焼けた蠟燭の芯《しん》の臭《にお》いが鼻をさし、闇《やみ》のなかで油虫の這《は》いまわるかすかな音がした。

（誰が私を非難しようが、あなたは私の能力を御存知です）額を手で支えながら彼は呟《つぶや》いた。(だからこそ、あなたは私を必要とされ、牢から出してくださった。あなたは律法学士やパリサイ人《びと》の讒言《ざんげん》や悪口にも怯《ひる》もうとはされなかった。私もペテロ会の中傷を何とも思いますまい)

油虫は無遠慮に泥でよごれた彼の裸の足を這いまわった。林で鳥がまた鋭い声でなき、朝鮮人が小屋の戸をしめる音がする。

(日本人がガレオン船を造る)

餌《えさ》を求め水溜りをわたる黒蟻の大群のイメージがまた、まぶたに浮んだ。日本人はノベスパニヤとの貿易の利を求めて遂に太平洋を黒蟻が渡るように渡ろうとしている。だがこの日本人の貪欲《どんよく》さを布教のために利用すべきだと宣教師は考えた。

(彼らには利を与え、我々には布教の自由をもらう)

その取引きをたくみに行うことができるのはペテロ会の連中ではない。ドミニコ会やアウグスチヌス会の会士たちでもない。ディエゴのような無能な修道士たちでもない。自分一人だけがそれをできるのだという自信が宣教師にはある。それには日本人たちの偏見をとり除くことだ。ペテロ会が犯した過失を二度と繰りかえしてはならぬ。

(私がもし司教ならば……)

いつも恥じているあの野心の囁《ささや》きが耳の奥に聞えてくる。自分がもし日本の布教をすべて立案し実行できる司教に任命されたなら、この数十年間にペテロ会が行った失敗をとりかえしてみせる、と彼は恥じながらも思わざるをえなかった。

茶褐色に枯れた谷戸《やと》の山では晴れた日に、炭を焼く煙がたちのぼった。長い冬を前にして百姓たちは一日中、働いた。稲と稗《ひえ》とを地味のうすい田畠からとり入れると、女と子供とが籾《もみ》を叩《たた》いて箕《み》でふるう。それは年貢《ねんぐ》にさしだすためで、自分たちの食べ料《しろ》ではなかった。仕事の合間に刈った枯草は、その場所に干しておく。馬小屋に敷くためである。生藁《なまわら》はここでは飢饉《ききん》の時の食糧にもなった。きざんで石臼《いしうす》にかけて粉にするのだ。

侍は百姓たちと同じようにハンギリとよぶ野良着《のらぎ》をつけて谷戸を見まわった。百姓たちに声をかけて立話をすることもあれば、共に薪を家形《やかた》の周りに塀のように並べる作業もした。谷戸ではこのように並べた薪の塀をキジマと言った。

楽しいこともあれば悲しいこともあった。この秋も村で二人の年寄りが死んだが、貧しい農家ではこうした死人は山近い田畠に埋め、その上に石を置くだけである。死人が生きていたとき使っていた古い鎌《かま》を柄のまま地面に突きさしたり、欠けた茶碗《ちゃわん》を石の横に残しておくのもこの谷戸の風習だった。欠けた茶碗に子供が草花を放りこんでいるのを侍はたびたび見たが、そうして埋めてもらうのは飢饉がない年に限られていた。凶作の年に年寄りが急に姿を消し、消えた年寄りのことを誰も訊《たず》ねなかった、と彼は父に聞いたことがある。この季節、大師講といって塩気のないだんごに茅《ちがや》をさし、鍋《なべ》で煮て食べる行事もある。この日は家形に百姓たちが次々と腰をかがめて挨拶に来ると、振る舞われただんごを食べて帰った。

晴れた日、石田さまが洩《も》らしておられた公役《くやく》のお達しが来た。谷戸から二人の者を差し出せとのことである。お達しを受けると侍は与蔵をつれて叔父の村をたずねた。

「聞いておるぞ。聞いておるぞ」

叔父は喜色を顔にみせて、

「雄勝《おがつ》の山々から杉を切り出し、軍船を造るという噂《うわさ》だ。おおかた、大坂との合戦が近づいたのであろう」

「軍船を」

「そうよ」

叔父にはまだ石田さまのお言葉を伝えてはいなかった。いつもの夜のように落胆した叔父の際限のない愚痴を聞くのはやはり気が重かったからである。だが戦なども はや起らぬ御時勢ならば、一体、何のために殿は軍船を造られるのであろう。侍もふしぎでならなかった。城の御評定所では彼などが知らぬ何かがひそかに思案されているのかもしれぬ。

「六、これはひとつ、雄勝まで行って、何が始まるのか聞いてこねばならぬぞ」

叔父はもう合戦が始まるかのように声をはずませた。一日半もかかる雄勝まで出かけるのは気が進まなかったが、父にもこの叔父にもいつも従順だった侍はこの時もただ黙ってうなずいた。自分の眼ですべてを確かめてくるほうが、世の移り変りを呑《の》みこめぬ老人を諦《あきら》めさせられるかもしれぬと思った。

公役にさしだす二人の若者を村から選んで、彼は翌日また馬に乗った。雄勝は陸前の海ぞい、鋸《のこぎり》の歯のように切りこんだ入江の一つである。早朝、谷戸を出て、夕暮、海近くまで来た時、曇り空から雪が頬にあたった。水浜というわびしい漁村で宿をかりた。海鳴りの音が一晩中聞えるので、連れてきた若者たちは心細げに侍の顔を見る。漁師たちの話では、雄勝の山々では既に公役の人夫たちが集まり、木を切りはじめているそうである。

翌朝、水浜を発《た》った。晴れてはいたが、風が強く、沖は冷たそうで波浪が白く泡立ちながら荒れていた。馬のうしろから、若者たちは寒そうに従《つ》いてくる。やがてその海が島にさえぎられると、静かな入江が見えてきた。そして片側の山には人夫小屋が幾つも既に作られていて、木々を伐採する鋭い音が遠くから聞えてきた。荒れた外海とは違って、島と山とが風を遮った入江には既に筏《いかだ》があまた浮いている。

役人衆の番小屋に出頭して、連れてきた若者の名を書きこんでもらっていると一人の小者があわただしく駆けこんできて、御重臣の白石さまが間もなく御到着になる、と知らせてきた。俄《にわ》かに番小屋は騒がしくなり、役人たちは威儀を正して浜まで迎えに出た。

彼らにまじって侍も御一行を待っていると、間もなく馬に乗った十数人の行列がゆっくりとこちらに近づいてくるのが見えた。驚いたことにそのなかには侍が初めて目撃する南蛮人が四、五人、加わっていた。彼は頭をさげるのも忘れ、ひたすらその異様な人間たちを見つめた。

南蛮人たちはみな自分たちと同じ旅装束を着けていたが、その衣服は日本で与えられたものであろう。だが顔は酒を飲んだように赤く栗色《くりいろ》の頬髯《ほおひげ》をはやし、いずれも物珍しげに木々の倒れる音のする山に眼をやっていた。そのなかに一人、日本語ができる南蛮人がいて、これは左右の供の者に話しかけていた。

行列が役人衆の列の前を通りすぎた時、

「五郎左衛門の息子ではないか」

と父の名を口にされた方がいた。白石さまだった。侍が恐縮して頭をさげると、

「石田殿からも色々と聞いておるぞ。お前の父とは郡山《こおりやま》や窪田《くぼた》の合戦で共に苦労した」

侍はひたすら畏《かしこま》って白石さまのお声を聞いていた。役人衆の半分が行列につき添い、山かげに消えていくと、残った者たちは口々に白石さまから格別のお言葉を賜わった侍を羨《うらや》ましがったが、それはこの方が御一門衆のお一人だったからである。

侍も身にあまる倖《しあわ》せを嬉《うれ》しく嚙《か》みしめて帰り支度をした。ここに来てわかったことは、入江で造る大船は軍船ではなく、去年、紀州に漂着した南蛮人の船員たちを国に戻すための朱印船だということだった。さきほどの南蛮人たちはその船員で、彼らの指図によって朱印船は異国風に建造されるのである。

来た時と同じように水浜で一泊し、翌日、谷戸に戻った。待ちかねていた叔父は甥《おい》の話を聞くとやはり失望の色をその肉の落ちた顔にみせたが、白石さまの格別のお言葉にまた希望を持ったのか、何度も何度もその模様を話させた。

こうして秋が終り、冬が来た。谷戸は雪に覆《おお》われ、その雪の上を一晩中、風が吹く。日中、囲炉裏をかこみ使用人たちは縄ないをする。モトヅといって馬の荷鞍《にぐら》に通し、荷をゆわえる縄、馬の腹帯、手縄等をなう。その囲炉裏端で妻のりくが次男の権四郎にお伽噺《とぎばなし》を聞かせてやることもあった。侍はそんな時、枯枝を折りながら黙って聞いていた。それは彼も幼い折に、死んだ祖母や母から聞かされた狐《きつね》退治の話や狐にだまされた男の話だった。なにもかもが、この土地では少しも変らない。

元旦《がんたん》が来た。谷戸では年神さまに餅《もち》を供え、平生は食べぬ小豆餅を作る。この年の元旦は雪こそ降らなかったが、夜になると悲しい音をたてて風が吹きわたるのも毎年と同じだった。

ほの暗い広間の上座に殿の御重臣たちは一列に並んで着座していた。重々しく無表情なこれら日本人の顔はむかし京都の寺院で見た仏像を宣教師に思い出させたが、長年この国に住んできた彼はこの無表情な顔が何も考えていないのではなく、狡猾《こうかつ》な策略を底に匿《かく》しているのだとよく知っていた。

傍には江戸から連行されたエスパニヤ人の技師長が特に許されて床几《しょうぎ》に腰かけていた。この男は宣教師と違って日本流に坐《すわ》ることができないのである。二人から更に離れて城の書記係が両手を膝《ひざ》においたまま身じろぎもせず正面の一点を見つめている。長たらしい挨拶《あいさつ》が交互にとりかわされ、宣教師がそれを通訳したあと、話は本題に入った。

「まずその船の長さ、十八間にございます。幅は五間半、高さは十四間一尺五寸にございます」

重臣たちは何よりも、やがて建造されるガレオン船の形を知りたがった。

「親柱は二本にて十五尋《ひろ》、子柱は十三尋。船腹は漆塗りにいたします」

技師長の言葉をそのまま伝えながら宣教師は日本人たちがこの船をどう利用するつもりかを考えた。重臣たちは更に日本の朱印船とこのガレオン船との違いを知りたいと言った。ガレオン船は長さと幅との比率を三・三対一にしているが、これは帆走速力を強めるためであり、帆も横帆のほかに三角帆を使うのは風の向きによって早く方向を変えるためである。技師長のそうした答えがひとつ、ひとつ通訳されると、重臣たちは——とりわけ真中に着座されている白石さまは——好奇心にかられたように聞き耳をたてておられたが、説明が終るとその顔はふたたび深い沼のように無表情になった。

殿は既にこの大船を造るために二百人の大工、百五十人の鍛冶《かじ》工を御領内から雄勝に集めておられたが、完成を急ぐためにはその二倍に近い職人が必要だった。人夫の数もまだまだ足りないと技師長は訴えた。

「秋にはよく嵐《あらし》がございますゆえ、御当地よりノベスパニヤまで二カ月の船旅を考えれば、夏のはじまりには船出が望ましいと申しております」

殿の御重臣たちは大洋の広さを呑みこめていなかった。海は長い間、日本人にとって夷狄《いてき》から守る大きな濠《ほり》であった。ノベスパニヤがどこにあるかも理解していない。だが今は彼らもこの海の遠くにひろい富んだ土地があって、さまざまな人間が住みついているのだと知りはじめた。

「殿にはよく申しあげておく。人数のことも案ずることはない」

他の重臣たちは沈黙を守っていたが、白石さまは寛大に技師長の訴えを聞き入れられた。技師長がその好意に厚く感謝の言葉をのべると、

「礼には及ばぬ。かねて申した通り、ただ当方も大船を造るからには望みがある」

と白石さまは皮肉っぽく笑われた。

その望みとは、殿の御領内に、今後、末長くノベスパニヤの船が来ることをかの地の総督に約束してほしいということだった。殿は内府さまの御許可を得て、九州の長崎に匹敵するような貿易港を作ろうと考えておられる。殿のその御意志をノベスパニヤの総督に伝達することが帰還船員たちに托《たく》するただ一つの条件だという。

技師長は自分たちは悦《よろこ》んで斡旋《あっせん》すると答えた。それだけでなく彼は日本の産物、とりわけ銅や銀、またこの領内で採取できる砂金などはきっとノベスパニヤを悦ばし、それらを乗せた日本の朱印船が来ることを歓迎するだろうと世辞を言った。問題はただガレオン船を停泊させられる良き港を建設することだが、幸い自分たちがこの一週間にわたって測量した気仙沼《けせんぬま》、塩釜《しおがま》、月ノ浦の入江は、充分それに値するとも説明した。白石さまも重臣たちもその言葉にいたく満足したように肯《うなず》いてみせ、更に話はノベスパニヤの気候や人種に及んでいった。

今日もまた雪が舞っている。用談を終えた技師長が暇《いとま》を乞《こ》い、床几から立ちあがって日本流にふかぶかと頭をさげると、廊下で待機していた小姓が襖《ふすま》をあけた。

「ベラスコ殿は今しばらく残られよ」

と重臣の一人が声をかけた。

技師長が小姓に連れられて広間から消えると白石さまは、

「苦労であった」

と宣教師の通訳をねぎらい、先程とは違った寛大な笑顔を見せて、

「あの言葉、まことか」

と言った。どの言葉かと宣教師が答えかねていると、

「ノベスパニヤも日本の船の来ることを望むと申したが、あれはまことと思うか」

と今度は急に笑いをその顔から消し、重ねてたずねた。

「白石さまはいかがお考えでございます」

宣教師が相手の真意を探るために聞きかえすと、

「我らは信じてはおらぬ」

「なぜでございます」

わざと訝《いぶか》しげに宣教師はこの重臣を見あげた。日本人が駆引きをする時は本心とは違った表情をつくることを彼はよく知っていた。

「当然であろうが。ベラスコ殿の国だけがゆたかな利を占めて参ったのも、この広い海を渡る船を持ち、それを動かす術《すべ》を知っておればこそであろう。その利を異国の者にやすやすと分ける心はあるまい。ノベスパニヤは日本の船が広い海を渡ることを悦びはすまい」

そこまで見抜きながら、さきほど技師長が心にもない世辞を口にした時、これら日本の重臣たちは皆わざとその返事に満足げなふりをしてみせた。それが日本人の相手に対する扱い方だった。

「そこまで御承知ならば申し上げることはございませぬ」宣教師は思わず苦笑して、

「しかし御承知の上で、何故、大船をお造りでございますか」

「ベラスコ殿、われらはまこと、ノベスパニヤと取引きがしたい。ルソン、マカオ、南蛮の国々から参る船はことごとく長崎に集まり、この陸前はもとより内府さまの江戸にも参らぬからだ。殿の御領地、陸前にはあまた良き港のあるにもかかわらず、ノベスパニヤの船はルソンを経ねば日本を訪れぬ。ルソンを経れば船は潮の流れのため、どうしても九州に着くと聞く」

「さようでございます」

「どうしたものかな」

白石さまは困ったように右指でゆっくりと自分の左手を叩《たた》きながら、

「陸前とノベスパニヤとが商いをなすためによき思案はないか、パードレ」

パードレという意外な言葉に宣教師は思わず眼をそらせた。心の動揺を見られたくなかったのである。彼は江戸では決して神父《パードレ》とは呼ばれなかった。江戸に居留を許されたのは司祭としてではなく、通辞として働くためだった。だが、今、白石さまは故意に彼をパードレと呼んだ。外は雪が舞い、静かだった。

重臣たちも沈黙したまま、じっと彼を見つめている。その日本人たちの視線を痛いほど受けとめながら、

「思案など、ございませぬ。私は……江戸でもここでも……通辞にすぎませぬ」

「江戸では知らぬ。だがここではベラスコ殿は通辞ではあるが、また神父《パードレ》でもある」

と白石さまは静かに答えた。「殿の御領内では切支丹《キリシタン》は禁じられてはおらぬ」

その通りだった。江戸と幕府直轄領《ちょっかつりょう》から追放されたあまたの信徒たちは糧《かて》と祈りの地とを求めてここ東北や蝦夷《えぞ》に逃げてきている。その多くは殿の知行地の金山でも働いていた。ここ御領内ではもはや江戸のように司祭たちが身をかくす必要はなかった。信徒たちが自分を偽る必要もなかった。

「のう、ベラスコ殿、ノベスパニヤから更に多くの神父《パードレ》たちをここに呼びたくはないかのう」

白石さまの声はこの時、優しく、誘惑的だった。その優しい声に宣教師は負けまいとして汗ばむほど手を握りしめた。自尊心の強い彼は日本人からこういう風にからかわれるのはやはり不愉快だった。

「おからかいになりますか。信じられませぬ」

「ほう、なにゆえ」

「いずれは内府さまの御命令でこの御領内も切支丹を御禁制になさいましょう」

宣教師の怒ったような声に、白石さまは重臣たちと楽しげに笑い、

「案ずることはない。内府さまはこの御領内だけには末長く切支丹を許された。我らが申すことは内府さまと殿との御意向でもある」

「御領内では切支丹をお認めになり、神父《パードレ》たちの参るのをお許しになる。その代りノベスパニヤは商いを承知せよ、という御意向でございますな」

宣教師はさっきより腹だたしさを感じて居ずまいを正した。腹だたしいのはこれら日本人にではなく、自分の迂闊《うかつ》さにたいしてだった。彼はこの白石さまの巧みな言葉の駆引きに次々とはめられている自分が口惜しかった。

「その取引きではノベスパニヤ、得心はせぬかな」

「わかりませぬ」

宣教師はこれら重臣たちの眼に不安の色を起させたかったたし、彼らを一瞬でも狼狽《ろうばい》させたかったから、わざと首をふった。

「おそらく、無駄でございましょう」

宣教師は寺院の暗い内陣の仏像のように並んだ重臣たちの気を窺《うかが》いながら、彼らの心の動揺を楽しんだ。

「江戸の切支丹たちが処刑されましたことは、ペテロ会の口から既にルソン、マカオよりノベスパニヤにも伝わっております。今更、この御領内だけに切支丹を許すと仰《おお》せられましても、かの地でそれをやすやすと信じるとは思えませぬ」

宣教師はペテロ会の悪口を言うのも忘れなかった。弱味をつかれた日本人たちは沈黙している。さっきの沈黙は駆引きのためだったが、この沈黙は不意に一撃をうけた者の狼狽だと宣教師は思った。

「ただひとつ……」

彼は打撃を与えた相手に立ちなおる希望をくれてやるように、

「本国のエスパニヤにこの取引きを認めさすために……そのエスパニヤの王を動かすことができますのは……ただローマの法王《パッパ》さまのみでございますが……」

白石さまのお顔が急に強張《こわば》った。この東北の国に育った重臣たちにはあまりにも縁の遠い話である。切支丹の世界に疎《うと》い彼らはローマ法王の存在もその法王の絶対的な権威もほとんど知らない。宣教師は法王と欧州の諸王との関係は京の天子と諸侯とのそれに似て、それ以上のものだと説明せねばならなかった。

「だが京の天子さまよりも……はるかに我らが法王《パッパ》さまは崇《あが》められております」

説明を受けながら白石さまは右手の指で左手を叩きながら黙然と眼をつぶっている。外の雪が広間の静寂を更に深め、重臣たちは時々、咳《せき》をしながら白石さまの決断をじっと待っている。

日本人たちの当惑を宣教師はじっと味わっていた。自分を手玉にとろうとしたこの連中が今、当惑しきっている。その当惑を利用して彼も有利な切札を出さねばならぬ。

「われらの会は……」宣教師は自信ありげに言った。「今の法王《パッパ》さまの御信頼を格別に得ております」

「それで」

「されば、われらの会を通して、殿の御書状を差し出されるのが宜《よろ》しゅうございましよう。殿の御領地のみが切支丹をねんごろに扱い、神父《パードレ》の集まるのを悦び、あまたの教会《イグレシア》を建てることを認め……」

そしてこの私を日本における司教にするよう願い奉《たてまつ》る、と宣教師は言いかけて口をつぐんだ。一瞬、彼はこの野心を恥じたが、同時に無意識のうちに心に言いきかせていた。私は私欲で地位を得ることを望んではいない、と。私は切支丹を禁じようとす

ることの国で最後の強力な防衛線を作るために司教の地位がほしいのだ、と。私だけが
これら狡猾《こうかつ》な異端の日本人たちと戦うことができるのだ、と……。

第二章

三月廿日
天気わるし。雨ふり申候《そうろう》。御具足試めさせられ候。御鷹屋《たかや》にて御鉄砲薬つつませられ候。
三月廿一日
天気雨少。中御三軒の普請《ふしん》御座候。
三月廿二日
天気わるし。白石殿、藤田殿、原田左馬助《さまのすけ》殿も御参候。南蛮国へ船を渡さるべき御談合あり。
三月廿三日
白石殿、藤田殿、南蛮人べらすこ、於大広間御対面。勢高く、顔赤く、鼻高く、四十余歳と見る。白縮たる手拭《てぬぐい》を以《もつ》て口の廻りを度々拭《ふく》なり。
三月廿五日

天気よし。朝に御風呂《ふろ》へ御入候。御談合あり。白石殿、石田殿、参候。

（御城内泊記）

三月廿六日

天気よし。石田殿、罷帰られ候。

お城の御談合に加わられた石田さまが、明日、お帰りの途中この谷戸で御休息になるという知らせが急にあった。知らせがくると谷戸では村人たちが総出で凍《し》み雪の上に土をまき、泥濘《ぬかるみ》を埋め、家形《やかた》の雪搔《ゆきか》きに精をだした。侍の妻のりくも女たちを指図して部屋部屋を掃除するなど上を下への騒ぎようである。

翌日、有難いことには天気は晴れで、侍は叔父と共に谷戸の入口まで石田さまとその供とのお迎えに出た。石田さまがお城からのお帰りに、侍の知行地をお通りになることなど父の代からあった例はない。それだけに如何《いか》なる出来事があったのかと、侍は言いようもなく不安だったが、いつか雄勝《おがつ》で甥《おい》に賜わった白石さまのお言葉を忘れぬ叔父が、知行替《ちぎょうがえ》の願いが聞き入れられたのではあるまいかなどと、一人で浮き浮きしているのが侍には恨めしかった。

谷戸の入口で出迎えを受けた石田さまは機嫌よく叔父と侍とに声をかけられ、出迎

えた者たちを先導にされて家形に入られたが、用意した部屋ではなく、囲炉裏のそばに坐《すわ》ることを望まれ、

「火が何よりの馳走《ちそう》だ」

などと皆々の緊張を解かれるためか、冗談を言われた。やがてりくが差し出した湯づけをうまそうに召し上られたあと、この谷戸の模様を色々と訊《たず》ねられ、湯をうまそうにすすりながら、

「今日は良き土産を持って参ったぞ」

と急に言われた。だがその良き土産というお言葉に眼をかがやかせた叔父に、

「戦《いくさ》の知らせではないぞ。戦などあると思うな。戦で働きをなして黒川の土地に戻る夢は棄《す》てたがよい」

と念を押されてから、

「だがな、別の御奉公もあるのだ。戦よりももっと大手柄をたてる道を開いて参った」

と侍をじっと御覧になった。

「殿が雄勝の入江で大船を造られていることは知っておろう。あの船は紀州にうちあげられた南蛮人たちを乗せてノベスパニヤと申す遠い国に行く。昨日、御城中で白石

さまが、ふとお前の名を口に出され、殿の御使者衆の一人として、そのノベスパニヤまで赴くよう御指図があった」

侍は石田さまが何を仰《おお》せられているのか、理解できなかった。ただその顔を茫然《ぼうぜん》と見上げていた。考えもしなかった出来事が不意に我が身に襲ってきたようで、息もつけず、言葉もでない。茫然としている叔父の膝頭《ひざがしら》が小刻みに震えはじめている。それだけが侍にも伝わってきた。

「いいか。ノベスパニヤと申す国に参るのだ」

ノベス、パニヤ、と侍は心のなかで、今まで聞いたこともなかったその名を繰りかえした。ノ、ベ、ス、パ、ニ、ヤ、と一文字、一文字が太い筆で頭のなかに大きく書かれていく気がした。

「白石さまは、先頃、雄勝でお前にお言葉をかけられたそうだな。御評定の折も、悪いようにはせぬと仰せられておったぞ。それゆえ、もしこのお使いに手柄をたてれば、帰国の暁にはあるいは黒川への知行替のこと、御勘考になられるかもしれぬ」

叔父が震えている。膝頭が震えているのがよくわかる。侍も両膝に手をおき、頭をさげたままだった。その叔父の膝の震えがとまった時、

「夢のようであろうが」

と石田さまは声を出して笑われ、急にその笑いを顔から消されると、

「夢うつつのことではないぞ」

と強い声で言われた。

大船のこと、ノベスパニヤのことを話される石田さまのお声を侍は遠い世界から来るもののように聞いていた。憶《おぼ》えているのは、大船には南蛮人の船員たち三十余人のほか、日本人の使者衆四人とその従者たち、そしてまた日本人の水手頭《かこがしら》など十数名、商人たち百人以上が乗り組むことである。船は千石船よりも大きい船で、ノベスパニヤまで二カ月の船旅をする。別に通辞として南蛮人のバテレンもこれに加わり、かの国に着いてから使者衆のためのさまざまな仕儀手配を行う。ノベスパニヤとはエスパニヤ国の領地であり、殿は内府さまのお許しを得てその国と商いを取りかわし、塩釜、気仙沼を堺、長崎にも劣らぬ港となす御所存である。

年とった叔父がこうしたお話をどこまで摑《つか》めたか、侍にはわからない。彼にもまた、それらすべてが夢のようにしか聞えない。小さな狭いこの谷戸で生き、ここで死ぬつもりだった侍には、自分が大船に乗って長い船旅をなし、南蛮人たちの国に参るなど一度も考えたことはなかった。どうしても実感が湧《わ》かない。

やがて石田さまがお帰りになるため立ちあがられた。供の者たちがあわただしく馬

を引き、ふたたび谷戸の出口までお送りする間、侍も叔父もほとんど口もきかず、茫然として従った。一行のお姿が視界から遠ざかったあとも二人は無言のまま家形に戻った。さきほど厨《くりや》で話を聞いていた妻のりくも蒼《あお》ざめた顔で姿を消した。そして石田さまが坐っておられた囲炉裏のそばにはまだ、そのお姿が残っているような気がした。叔父はその場所ちかくに胡坐《あぐら》をかき、長い間、黙っていたが、やがてふかい溜息《ためいき》とも吐息ともつかぬものを洩《も》らした。

「何のことだ、何としてもわからぬが……」

ぽつんと呟《つぶや》いた。

侍にも何もわからない。遠い国に差し出されるそのような大事な使者衆なら城中には格式のある家来の方々があまたおられる。殿の御家来には御一門衆、御一家のような御大身を頭にして着座、太刀上《たちあげ》、召出衆《めしだししゅう》の序列があるが、侍の家はその召出衆と呼ばれる身分にすぎぬ。そんな格式ひくい家臣を特に抜擢《ばってき》して御使者衆のなかに加えられた理由が彼にはまったく理解できない。

(白石さまが特にお計らいくださったのであろうか)

もし、そうだとすると、それは白石さまが郡山や窪田《くぼた》の戦で父の働きぶりを憶えていてくださったからにちがいないのだ。今更のように侍は父の顔を思いだした。

厨からりくがふたたび蒼ざめた顔をしてあらわれ、囲炉裏の片隅に坐ると、叔父と侍との顔を見つめた。

「遠い南蛮の国にな……六が参る」

と叔父はりくにではなく自分自身に言いきかせるためか、

「忝《かたじけ》ないことだ。忝ないことだ」

それから急におのれの不安をうち消すように呟いた。

「その大役をつとめれば、あるいは黒川の土地はお返し頂けるかもしれぬと……、そう石田さまは仰せられておったぞ」

りくは立ちあがって厨に姿を消したが、侍には妻が泣くのを懸命に怺《こら》えているのがよくわかった。

闇《やみ》のなかで侍は眼をあけた。次男の権四郎とりくとが静かな寝息をたてている。彼はさっき見た夢をまぶたの裏にはっきりと憶えている。それは冬の日に兎狩《うさぎが》りをしている夢である。雪原の上に与蔵の撃った銃声が、つめたい大気を引き裂き、小波《さざなみ》のようにゆっくりと拡《ひろ》がっていった。渡り鳥が数羽、青空に舞いあがる。青空のなかで渡り鳥の翼は白かった。冬が来るたびに侍は自分の知行地にやってくるその白い鳥を見たが、その鳥が何という国から訪れたのかは知らない。知っているのはその鳥が遠い土地、遠い国から来るのだということだけだった。その鳥はあるいは自分が赴くノベスパニヤという国から来たのかもしれなかった。

だが、自分はなぜ使者衆の一人に選ばれたのだろう。疑問は闇のなかで、また頭に水泡のように浮んでくる。わが家は召出衆と呼ばれる地侍に属し、殿の御父上の頃から御奉公申し上げてはいるが、格別の働きをしたわけではない。そんな家の総領が人をぬいて、なぜ選ばれたのか、どうしても分らない。単純な叔父はすべて白石さまのお計らいだと言うが、才もなく、弁もたたぬ自分がこの大役に向いているかどうか、石田さまがよく御存知の筈《はず》である。（俺の取柄は）と侍はぼんやりと考えた。（父や叔父に従順であったことだけだ。何事にも逆らわず、百姓たちのように忍耐できるのが、ただ一つの才だといつも思ってきた。その忍耐づよさを石田さまは考えてくださったのかもしれぬ）

子供が寝がえりをうった。彼はこの家族やこの谷戸から離れることは嫌だった。谷戸はいつの間にか彼にとって蝸牛《かたつむり》の殻のようなものになっていた。その殻から今、自分は無理矢理に引き剝《は》がされるのだ。ひょっとすると――ひょっとすると俺はその長旅に倒れて、ふたたびこの谷戸に戻れぬかもしれぬ。子供たちや妻を見ることができぬかもしれぬという不安が不意に彼の胸をかすめた。

山影をうつした朝の波静かな入江にあまたの筏《いかだ》が浮んでいる。おびただしい材木も岸に積みあげられている。馬のいななきがあちこちから聞えてくる。筏や材木には入江の背後にある硯上山《けんじょうさん》から切り出した欅《けやき》があり、牡鹿《おじか》半島から舟に乗せて集めてきた杉もあった。欅は大船の竜骨に使うのだが、親柱に用いる檜《ひのき》は江刺《えさし》、気仙沼から運んできたものである。

釘《くぎ》を打つ音、材木を切る響きは入江の三方から絶え間なく聞え、船腹に塗る漆の樽《たる》をつんだ牛車が幾台も軋《きし》んだ音をたてて宣教師の前を通りすぎていった。浅瀬で風化した獣の骸《むくろ》に似た船の骨組みに大工たちが蟻《あり》のようにとりついて、懸命に働いている。

宣教師はたった今、エスパニヤ人の船員と日本人の水手頭との果てしない議論の通訳をしてきたばかりである。エスパニヤ人の船員たちは日本人の水手頭を馬鹿《ばか》にしてその意見を端《はな》から受けつけようとはしない。水手頭たちは船を進水させるために斜面を利用して人力で海に押し出す方法を言い張った。宣教師は日本語には巧みだったが、こうした特殊な議論の用語になると言葉を知らなかった。

ようやく意見がまとまって疲れ果てた彼は一人、小屋を出た。もうすぐ昼が来る。他の者たちはそれぞれ陽溜《ひだま》りを見つけて体を休めることもできるが、宣教師はこの時間を利用して、ひとつ、ひとつの作業場をたずねまわらねばならなかった。

そう、それらの作業場には人夫として雇われている信徒たちが十人以上いる。宣教師が彼らのためにミサをあげ、聖体を与え、告悔《コンヒサン》を聴いてやるのはその昼休みだった。信徒たちはすべて切支丹《キリシタン》を禁じている江戸の住人だったが、江戸の迫害がはじまったのち、この東北に逃げてきたのだ。身寄りのないこの土地の金山で働いていた。彼らは蟻が食べ物の臭《にお》いを遠くから知るように宣教師が来たという噂《うわさ》を嗅《か》ぎつけてこの雄勝に集まってきた。

空は晴れているが風はつめたい。江戸では既に柳は青い芽をふいているだろうが、ここではまだ遠い山々を残雪が覆《おお》い、山林の色は生気がない。春はまだ来ないのだ。

彼は作業場のひとつに立って信徒の一人が仕事を終えるのをじっと待っていた。やがて手拭《てぬぐい》で顔を包み、木屑《きくず》のついた襤褸衣《ぼろぎれ》をまとった男が近づいてきた。

「パードレ」

と男は彼をそう呼んだ。そう、今、ここでは自分は日本人たちの通辞ではなく、この哀れな信徒たちの牧者なのだと宣教師は思った。

「パードレ、告悔《コンヒサン》のことお願い致します」

材木に風が遮られていた。その陰に男を跪《ひざまず》かせて宣教師は告白の祈りをラテン語で唱え、相手の臭い口から洩れる言葉を眼をつぶって聴いた。

「異教徒《ゼンチヨ》の仲間たちが切支丹の信心を嘲《あざけ》るのを聞きながら言い返しもせず、皆が神《デウス》や切支丹を馬鹿にするに任せました。そのゼンチョたちに仲間はずれにされたくないゆえにございます」

「お前はどこから来たのか」

「江戸から」と男はおずおずと答えた。「江戸ではもう信心は許されませぬゆえ」

宣教師は一人、一人の切支丹が皆に神《デウス》を証《あかし》する証人でなければならぬと教えはじめた。だが男は悲しそうに海に眼をやってその言葉を聞いていた。

「安心するがいい」木屑がついた男の襤褸衣に手をおいて宣教師は励ました。「もうすぐ誰もがお前の信心を笑わなくなる日が来るだろう」

許しの祈りを唱えてやり、宣教師は材木の陰から立ちあがった。男は礼を言い、自信なさそうに去っていった。彼がまた同じような罪を犯すことは宣教師にはわかっていた。この土地まで逃れてきてもやはり切支丹の信徒たちは人夫仲間から白眼視されるのだ。昔のように武士や町人までが争って洗礼を受けた時代はこの国からとっくに去ってしまった。それはすべてペテロ会のせいだと彼は思う。ペテロ会が図にのって日本の権力者たちに楯《たて》つくような行動をとらなかったなら、あの良き状態はまだ続いたに違いないのに……。

(私がもし司教だったら)

入江を見おろせる石に腰をおろし、宣教師は自分の夢をまた嚙《か》みしめた。それはかくしていた食べ物を寝床のなかでゆっくり味わう少年に似ていた。(私がもし司教だったら、ペテロ会の連中のようにこの日本の権力者たちを怒らせはしない。彼らが悦《よろこ》ぶような利益を与え、その代りに布教の自由を、充分、もらうだろう。この国での布教はゴアやマニラのように単純には運ばない。術策や駆引きがいるのだ。その術策や駆引きも、それが哀れな信徒たちに誇りを与えてやるためならば、私は進んで行うだろう）彼は政治家や枢機卿《すうきけい》だった伯父や親類のことを思いだし誇りを感じた。自分の体内にもその一族と同じ血が流れていることを宣教師は一向に恥ずかしいとは思わなかった。

(狡猾《こうかつ》な日本人たちには……)

日本を相手にするためには布教の方法もまた狡猾でなければならなかった。筏と材木とで埋められた入江に海鳥が鋭い声をあげて高く飛び、水面をかすめている。宣教師は司教の赤い帽子を着けて赤い祭服をまとった自分の姿を空想したが、その司教になる夢は決して世俗的な野心からではなく、すべてこの日本に神の教えを広めるための自分の義務なのだと思おうとした。(主よ、もし)と、潮風を吸いこみ、眼をつぶり、彼は祈った。(それがあなたのために役立つのでしたら……)

この雄勝で宣教師が役人から与えられた小屋は大工や人夫たちの飯場からかなり離れた入江の先端にあったが、それは他の小屋と同じように丸太をつみ重ねただけのものだった。納屋《なや》のようなその部屋は彼の寝室であり同時に一人で祈る場所も兼ねていた。神学生の時から、眠る時、彼は自分の手首を縛って横たわる習慣を持っていたが、それは彼の頑健な体を襲ってくる烈《はげ》しい性欲に負けないためでもあった。一生、放棄した筈のこの性欲は、若い頃ほど彼を烈しく苦しめなくなったけれども、今もいつ暴れるかわからぬ馬を縛りつけるように宣教師は夜の祈りを一人、すませ、床の上に棒のように転がる前に、手首を縄でくくる習慣をここでも棄《す》ててはいなかった。

海鳴りが今夜はいつもより烈しい。宣教師は役人たちの番小屋で手渡された江戸のディエゴ神父の手紙を持って真暗な浜をつたい、その海鳴りを聞きながら先程この小屋に戻ってきたのだ。火打石を叩《たた》き、蠟燭《ろうそく》に火をつけると、炎はゆらゆらと動き、黒いひとすじの煙をたてて彼の大きな影が丸太にうつった。その炎の下で彼は縛った手を使いディエゴの手紙の封を切ったが、その時、いつも泣きはらしたような眼をしたあの若い無能な同僚の顔が眼に浮んだ。

「あなたが江戸から去って一カ月になります。情勢は悪くもならない代りに一向に良くもなりません」ディエゴの字はまるで子供のように下手糞《へたくそ》だったが、その単純な性格をあらわすように紙いっぱいにぎっしり書きこんでいた。

「布教の自由は相変らず認められず、我々がここに住むのを黙認されているのは癩病《らい》人たちの面倒を見る者が我々のほかにはいないことを奉行所が知っているからでしょう。だがいずれは我々もここを追われ、あなたのように東北に逃げていかねばならないでしょう。

ところで、今日、また、決して愉快ではないことを知らせねばなりません。長崎のペテロ会がふたたびあなたを非難する手紙をマニラとマカオとに送ったのです。彼らの言うところによると、あなたは日本での基督教《キリストきょう》迫害をよく知りながら、我らのローマ法王に日本とノベスパニヤとの貿易を促進するよう運動している。その運動は日本の布教にとっては危険きわまりない冒険であり、行きすぎれば、この国について何も知らぬマニラやマカオの若い司祭たちを駆りたててあまた渡日させ、内府や将軍の怒りを買うというのです。ペテロ会は既にあなたにたいする弾劾文《だんがいぶん》をマカオに送りました。どうぞ、その点を含んで慎重に行動してくださるよう……」

蠟燭の炎が歪《ゆが》んだ宣教師の顔を更に醜くした。彼は自分の性欲は抑えることができたが、生来の激しやすい性格だけは今でも治せなかった。一族が持っている強い自尊心は時として彼を苦しめ傷つける。四十二歳という年齢よりはずっと若く見えるその顔は怒りのために赤く染まった。

(ペテロ会は自分たちが内府や将軍に遠ざけられ、歓心を買うことができなかったから、私を嫉妬《しっと》している。彼らはこの国の布教権を私たちに奪われたくないのだ)

同じ神を信じ同じ教会に属する聖職者でありながら、ただその所属する会が違うだけで醜い嫉妬を抱き陰口と讒言《ざんげん》をとばすことは彼にはどうしても許せなかった。ペテロ会が自分やポーロ会にたいしてとるやり方は男らしく堂々と戦う戦士の争いかたではなく、中傷と陰謀を使う中国の宦官《かんがん》のやり方に似ていた。

海鳴りは彼の怒りを煽《あお》るように先程よりも強く聞えてくる。宣教師はディエゴの手紙の端に蠟燭の炎を近づけた。稚拙なその字を書いた紙が炎になめられながら褐色に変色し、蛾《が》のように羽ばたいて燃えつきる。怒りを起すものをこうして消してしまっても心はまだ平静にはならぬ。手を組みあわせ、祈りの姿勢をとりながら彼は、（主よ）と呟《つぶや》いた。（主よ、あなたは、彼らと私とのどちらが、この国であなたのために役立つか御存知です。あわれな日本人信徒のために私を石にしてください。あなたが一人の弟子を石と呼ばれたように）しかし宣教師はそれが祈りではなく、自尊心を傷つけた者への罵《のの》りだとは気づいていなかった。

「パードレ」

闇のなかで彼を呼ぶ声がして、宣教師が眼をあけると、小屋の戸口に一人の男が影のように立っていた。まとっている襤褸衣には見憶《みおぼ》えがある。今日の昼、風を遮る材木の陰で罪の許しを与えてやったあの男だった。その時と同じように彼は悲しそうな顔をして宣教師をじっと見つめていた。

「入りなさい」

宣教師は膝《ひざ》に散った手紙の灰を払って立ちあがった。男の悲しそうな顔はディエゴのいつも泣きはらしたような眼を思いださせた。戸口に靠《もた》れたまま男は、もしあの大船に日本人の衆が乗ることができるなら、仲間と共に自分を雑役として使ってほしいのだと、くどくどと頼んだ。江戸から追われてこの土地に来たが、切支丹であるばかりに皆から嘲られ働く場所も多くないことを訴えた。

「それはわしら皆々の心にございます」

宣教師は首をふった。

「乗ることはならぬ。もしお前たちがこの国を見棄てたならば、やがて来る司祭たちは誰を頼りとする。誰が司祭たちの世話をする」

「パードレたちはこの国にもう長いこと、参られませぬ」

「いや間もなくあまたの司祭が殿の御領地にノベスパニヤから来るだろう。お前たちはまだ知るまいが、殿はきっとそのようになさるだろう」

（やがて私がこの男と自分とのために、あまたの司祭たちを連れてここに帰国してくるだろう）と宣教師は心のなかで呟いた。（その時、その司祭たちの上に私が司教として任命されているだろう）

男は戸口の柱を片手でさすりながら、先程よりももっと悲しそうに宣教師の言葉を聞いていた。蠟燭がみじかくなり、その炎が一段と強くなってうしろ向きになった男の背中を照らした。

「帰りなさい。帰って、私がそう言ったと皆に話すがよい。しかし辛抱も間もなく終る。それは私が約束する」

男の肩と背中とには昼間と同じように作業場の木屑がついている。その姿が闇《やみ》に消えると宣教師は気をとりなおしてはずした自分の両手首をきつく縛った。たとえ悪魔が性欲を煽ろうとしても縛った手がそれに応じないために……。


土間には数人の百姓たちが、侍が姿を見せるのを待っていた。彼らはそれぞれ谷戸の三つの村の代表者たちだったが、時折、咳《せ》きこんだり鼻をすすりあげながら辛抱づよくうずくまっていた。

やがて奥の間から与蔵を従えた叔父と侍とがあらわれる気配がすると、咳や鼻をすする音がいっせいにやんだ。

囲炉裏の横座に侍は坐《すわ》って百姓たちを眺めた。百姓たちの顔は彼と同じように眼がくぼみ、頬骨が飛び出し土の臭いがしみこんでいた。長い歳月の間、風雪に耐え、粗食に耐え、労働に耐えてきた顔だった。忍耐することと諦《あきら》めることに馴《な》れきった顔だった。彼はこの百姓たちから、大きな海を渡り、夢にも見たことのないノベスパニヤに連れていく従者を選ばねばならなかった。城中からの御指図では使者衆はそれぞれ四人まで供を連れることが許されたからである。

「悦んでもらいたいことがあるぞ」

侍が話をはじめる前に、叔父が満足げに口を開いた。

「雄勝の大船のこと、皆もうすうす聞いてはおろう。あの大船、殿の御指図で遠い南蛮の国に赴くが」

それから叔父は得意気に甥《おい》をふりかえって、

「その船に六右衛門が乗ることになった。殿の御使者衆としてな」

だが百姓たちは感動も驚きもない鈍い眼で二人を見あげていた。それはまるで人間たちのやることを無関心に眺めている老犬のようだった。

「六右衛門の供として」

と叔父は、百姓とは別格に土間ではなく囲炉裏部屋の隅に坐るのを許されている与蔵を顎《あご》でさして、

「この与蔵には既に話しておいた。あと三人の者をそれぞれ村から一名ずつ連れて参ることにするが」

と、うずくまった百姓たちが一瞬、硬直したように顔を強張《こわば》らせた。それは今日だけのことではなかった。毎年、公役《くやく》のため誰かを差し出さねばならぬ時にも、ここに集まった百姓たちは侍の読みあげる名に一瞬、体をかたくするのだった。

「長旅ゆえ、女房、子供のある者は迷惑であろう。そこのところもよう考えてな、お前たちで選んでくれい」

叔父のそばで侍は三つの村から選ばれる三人の男たちの辛《つら》さを思った。自分と同じようにこの連中も蝸牛《かたつむり》とその殻のように谷戸と固く結びついている。だが彼らは雪まじりの風に顔を伏せて耐えるように、やはりこの御指図を諦めながら受けるだろう。

百姓たちは籠《かご》のなかの鶉《うずら》の群れのように顔と顔とを突きあわせて小声で相談しあっていた。抑えつけた低い声の話しあいが長く続き、その間、侍は叔父と黙ったまま彼らを無表情に眺めていた。谷戸の三つの村からそれぞれ女房、子供のない清八、一助、大助という三人の若者が選ばれた。叔父はうんうんとうなずいて、

「だがな、六右衛門が戻るまではこの三名の身寄りはわしらがしっかりと見るであろうぞ」

百姓たちはむしろ自分が名指しされなかったことにほっとしたようだった。彼らはふたたび鼻をすすり、咳きこみ、それぞれ頭をさげると土間から出ていった。野良着《のらぎ》にしみついた土と汗とのまじったその臭《にお》いがいつまでもそこに残った。

「やれやれ」

と叔父はわざと陽気を装《よそお》いながら拳《こぶし》で肩を叩いた。

「こういうことを申し渡しするのは辛い。だがこれは戦と同じだぞ。黒川の土地が戻るか戻らぬかが掛っておる。りくも今日からは旅支度と荷づくりとで大変であろう。使者衆はいつ殿のお城に集まるのだ」

「十日のちにございます。さまざまの御指図を伺います」

「なあ、六」叔父は急にしんみりとして、「旅のあいだ体をいとうてくれよ」

うつむいていたが、侍はやはり少し恨めしかった。叔父の念頭には失った先祖伝来の土地しかない。生きている間にその土地がふたたび手に戻ることだけが叔父の今の生き甲斐《がい》なのだ。だが侍自身はさっきの百姓たちと同じように、今更、あたらしい場所を得て、そこに移りすむ気持はあまりなかった。この谷戸でこのまま生き、このまま死にたかった。

「馬を見て参ります」

侍は与蔵に眼くばせをして土間におり、外に出た。馬小屋では主人の近づく気配を感じた馬が足を踏みならす音が聞えた。湿った藁《わら》の臭いを嗅《か》ぎながら、侍は棚に靠れ、この小者頭をふりかえった。

「苦労だがの」と侍はしんみりと与蔵に言った。「供をしてくれるか」

一本の藁屑《わらくず》を指先でいじりながら与蔵はゆっくりとうなずいた。侍より三つ年上のこの与蔵は既に髪に白いものがまじりはじめていたが、その髪を見ていると、少年の頃の侍に馬の扱い方や兎《うさぎ》の罠《わな》のかけかたを教えてくれたことが不意に思い出された。そういえば、戦の折の銃の手入れの仕方や水泳ぎを手ほどきしてくれたのもこの下男である。他の百姓と同じように土の臭いのするくぼんだ眼ととがった頬骨とを持っている与蔵は、幼い時、共に草を刈ったり、冬に備えて林の木々を切る時も、いつも侍にあれこれと教えてくれたのだ。

「なぜわしが使者衆に選ばれたのか、まだわからぬ」

侍は顔を出した馬の鼻をなでながら呟いた。それは与蔵よりも自分に言いきかせるような呟きだった。

「どのような難儀な旅なのか、どのような国に参るのかもわからぬ。それゆえ……お前が供をしてくれれば心強いのだ」

侍は自分の意気地ない言葉を恥じたように笑った。与蔵はこみあげる感情を怺《こら》えて眼を横にそらし、馬小屋に入って黙ったままよごれた藁を隅に集め、乾いた藁を床に敷き、旅への不安や怖《おそ》れをまぎらすかのように体を動かしていた。

十日後、侍は与蔵を連れ、馬に乗って殿のお城に出かけた。白石さまから使者衆に召された面々に申し渡しがあるからである。谷戸から殿のお城までは一日半の道のりで、二人は自分たちの村と同じように貧しい村を幾つも経てひろびろとした平野に出た。平野はもう春の気配であたたかい陽がさし、雑木林にはこぶしの樹《き》が点々と白い花をつけ、まだ土を掘り起していない畠《はたけ》では、子供たちがれんげの花で花飾りを作って遊んでいた。その光景を見た時、侍の胸に見も知らぬ遠い国に行くのだという思いがはじめて起きた。

平野の向うには殿のお城が軍船のように、黒く、高く、鋭く、浮びあがっていた。城山の麓《ふもと》には城下町が春の光に霞《かす》んで拡《ひろ》がっていた。城下町の入口にくると、ちょうど市《いち》が立ち、鍋《なべ》、釜《かま》、油から塩や綿や器までを地面に並べた商人たちが雑踏する人々に大声で呼びかけていた。谷戸の静かな生活に馴れた侍たちはこの人ごみに驚くだけである。白鷺《しらさぎ》の飛ぶ川を渡り、城山に入ると、厚い鉄の城門の前に槍《やり》を持った警備の足軽が立っていた。そこからは下馬して入らねばならぬのである。

召出衆にすぎぬ侍は許しなく本丸に登城する資格はない。教えられた城内の建物に行くと中庭には既に使者衆が到着していた。床几《しょうぎ》に腰かけていた松木忠作、田中太郎左衛門、西九助の三人で、いずれも侍と同じ召出衆である。たがいに名乗りあったが、皆々、緊張と不安との色を顔からかくせない。

庭にはあと六つの床几が並べられていて、一同、お待ち申しあげていると、間もなく足音がして役人が異様な服装をした南蛮人たち三人を連れてきた。いずれも烏《からす》のような顔だちをしており、彼らは使者衆と向きあって床几に腰をおろした。この時、白石さまが建物の奥から重臣二人を伴われて着座された。

着座の前に白石さまは畏《かしこま》った侍の顔をちらと御覧になり満足げに肯《うなず》かれた。それから重々しく一同に南蛮人たちを引きあわされた。南蛮人たちは二年前に紀州に漂着したエスパニヤ船の重だった船乗りたちだったが、端に腰かけた南蛮人には侍も見憶えがあった。あの日、雄勝の浜で白石さまの御一行にまじり日本人と話していた通辞である。

「殿の御体面を傷つけぬためノベスパニヤにては見苦しからぬよう、槍、指物の類《たぐい》、供の者の衣服までも充分、持参すること。かの国に到着のあとは」と白石さまは通辞のほうに眼をやられ、「このベラスコ殿の指図に万事従うこと」

ベラスコと呼ばれた南蛮人は口のあたりに自信にみちた微笑を浮べながら侍たちを見おろしていた。その微笑はこれら日本人の使者衆も自分がいなければノベスパニヤでは何も出来ぬのだということを日本人に教えているようだった。

使者衆と供の者とは出発の五月五日の二日前には月ノ浦に集まることを命じられた。大船は月ノ浦まで曳航《えいこう》され、そこから出航するのである。

こうして、ひとつ、ひとつの御指図を承ったあと、別室でお酒を賜わることになったが、白石さまは一同が中庭を退出しようとすると、

「六右衛門」

と侍だけに声をかけられ、一人、残るよう合図をされた。

「六右衛門、大儀であろうがこの役目、果してくれよ。お前を使者衆に選ぶのは石田殿とこの白石とが考えたことだ。黒川の土地のこともある。使者の役目を果して帰国すれば評定所も改めて勘考するやもしれぬ。だが、このこと、叔父にはあらわに申すな」

侍は畏ってそのお言葉を承った。白石さまの御厚志が身にしみて有難く、両手を地面についてお礼申し上げたい衝動に駆られた。

「南蛮の国では」と突然、白石さまはふしぎなことをおっしゃった。「その暮しぶりも日本とは違おう。役目のためならば、日本のしきたりを押し通すわけにはいくまい。

日本で白きものが南蛮で黒きものならば黒と思えよ。心で納得いかずとも納得した顔をするのが今度の役目だ」

その日、城をさがって城下町を与蔵にゆっくりと見物させた。城近くには御大身の方々の屋敷が並び、大町、南町、肴町《さかなまち》、荒町には商家が集まり、あまたの寺が町の至るところにある。与蔵はそのひとつ、ひとつの寺で懸命に手を合わせていた。手を合わせている与蔵の気持が侍にはよくわかった。

子供たちには馬の玩具《おもちゃ》を、そして妻には櫛《くし》を買った。その櫛を買った時、りくの顔がふと、まぶたに鮮やかに浮び、与蔵の前で侍は思わず顔を赤らめた。

一日が去り、次の日が来るたびに侍の心は石をつめられたように重くなる。長い船旅、見も知らぬ南蛮人の国に渡る思いは、今は避けられぬものとして胸をしめつける。しかしここの百姓たちと同じように彼にはこの谷戸から離れて生きるのが何よりも辛い。しかしそのたびごとに彼は白石さまのお言葉を思いだして気遅れする心を抑えた。

春の気配が感じられた。土筆《つくし》が土の間から槍のように芽を出し、蕗《ふき》のとうがあちこちにのぞきはじめた。子供の時から馴染《なじ》んだこの谷戸のひとつ、ひとつを自分は船の上できっとなつかしく思い出すだろうと侍は考えた。その風景をこれから長い間、見ることができぬだろう。

夜、囲炉裏のそばで彼は妻や子供の顔を見ながら同じことを思った。次男の権四郎を膝《ひざ》にだいて、

「父は遠い国に参るのだ」

と言いきかせても幼い子には何も理解できぬ。

「遠い遠い国に参ってな、勘三郎にも権四郎にも土産、買うて帰ろうぞ」

昔、母から教えてもらった物語を膝の上の権四郎に話してきかせる。

「むがし、あったぞん」膝をゆすぶりながら自分自身に言いきかせるように、「この地の村の蛙《びっき》と山陰の村の蛙《びっき》が、春になり雪の解ければ野遊びすべしとて、山の頂《てんぺこ》に登った。山の頂《てんぺこ》にな」権四郎は眠りはじめる。それでも彼は話しつづける。「むがし、あったぞん。あるところの蛙《びっき》が上方を参るべしとて、博労《ばくろう》の後へ着いて参った……」

「鷹《たか》の間」と呼ばれるこの広間は暗く、寒い。眼をひくものといえば、鋭い眼をした鷹の絵を描いた四枚建ての襖《ふすま》だけである。今日まで宣教師は江戸城や他の権力者の邸《やしき》でもここと同じような陰気で冷えびえとする広間に幾度も通されたが、この暗さにはなにか日本人の持つ陰謀が翳《かげ》のなかにこもっているようにいつも感じるのだった。

「全世界の聖主、羅馬《ローマ》法王パウルス五世陛下に呈す」

城の右筆《ゆうひつ》を務めている老人が御書状の草稿を読みあげた。その老人は、上座にこの前と同じように白石さまを真中にして坐《すわ》っている重臣たちとは違って、坊主《ボンズ》のような黒い衣服をまとい、頭を丸めていた。

「そもそもポーロ会の僧ベラスコの我国に来て耶蘇教《ヤソきよう》を講述するや、弊州を過訪せられ、余に説くに耶蘇教に関する秘訣《ひけつ》を以《もっ》てせり。是に由《ここより》て、余は初めて該教の旨《むね》を了知、断然之《これ》を奉ずることに決意したり」

右筆は自分が用意したその御書状を、時々つかえながら読みつづけた。

「蓋《けだ》し、余はこの教会の僧を愛敬せるを以て、寺院を設立し、力を極めて仁徳を附与せんとす。陛下もしなお聖務拡大のため必要と断定せる事あらば、幸に之を我国に設置施行せられよ。その費用と寺領とに至ては、余、優に之を寄附供合すべきに因《よ》り、陛下の憂慮を煩《わずら》わさざるなり」

嗄《しわが》れた声の朗読を聞きながら宣教師は白石さまや重臣たちの顔を窺《うかが》ったが、彼らの重々しい表情は何を考え、何を思っているのかはわからない。

「余はまたノベスパニヤは我国より隔ること遠くにありと雖《いえど》も交際を通せん事を切望する由に、此に併て陛下の威によって其《その》志を遂げしめられん事を懇願す」

右筆はゆっくりと御書状の草稿を膝におろし、判決を待つ被告のように首をあげた。

白石さまは拳を口にあてて二、三度咳《せき》をすると、

「ベラスコ殿には、異存はないかな」

「結構にございます。ただ二つ、申しあげます。ひとつは、パッパさまに御挨拶《あいさつ》申しあげます際、仕来《しきた》りのお言葉をお附けくださること。これはパッパさまの御足を謹んで口すい申しあげますと書きます」

「殿がパッパの足に口すい申すと書くのか」

「仕来りに、ございます」と宣教師は強いきびしい声を出した。怒ったように重臣たちは顔をあげたが、白石さまは頰を苦笑でゆがめた。

「ばてれん衆を御領内に渡海せしめる箇条についてでございますが」と宣教師はその白石さまの一瞬の気の弱さをみせた表情にたたみかけた。「これはポーロ会のパード

レのみ、とお書き添え頂きますよう。さもなければ、我らの会はこの御書状、パッパさまにお取りつぎできませぬ。ペテロ会を日本から締め出すよう、この国での布教はポーロ会だけが独占すること、と言いたかったが、宣教師はさすがにそこまでは露骨に口に出せなかった。

「大事にございますぞ、これは」

「書き加えよう」

白石さまは肯《うなず》いた。他の日本人と同じように彼には、ペテロ会士もポーロ会士もすべて切支丹《キリシタン》のパードレ達で、その違いには何の興味もないようだった。

「この御書状たしかにパッパに届くか」

と白石さまは宣教師の機嫌をとるように訊《たず》ねた。たしかにこの宣教師がいなければこの目的のために重臣たちは何もできなかった。大船がノベスパニヤに着いたあと、言葉にも習慣にも通じぬ使者衆たちは手も足もでない。宣教師一人が彼らを助けることができるのである。

「届きます。場合によりましては、私がローマに参り、パッパさまにお渡しいたします」

「一人で行かれるのか」

「御使者衆のうちどなたかをお連れいたします」

「ノベスパニヤからか」

「はい。そのほうが皆々さまも御安心でございましょう」

宣教師はこの書状を所属するポーロ会から法王庁に送らせるよりは、自ら日本人たちを連れてローマに乗りこむほうが得策だと前から考えていた。ひそかに考えていたそのことを今、口に出した時、自分の心が決ったような気がした。そう、日本人を連れてローマに行く。市民たちは物珍しさにこの遠い国から来た連中に眼をみはるだろう。それによって自分がいかにこの日本で働いてきたかが、法王庁の聖職者たちに立証されるだろう。自分が司教になるためには……。

「そうか」と白石さまはまた拳を口に当てて咳をした。咳をしながら彼は何かを考えこんでいるように、「その場合は……使者衆のなかの長谷倉六右衛門と申す者を伴われるがよい」

「長谷倉殿でございますか」

宣教師はその時、この前、城の中庭で対面した使者衆の一人の顔を思いだした。百姓と同じように眼がくぼみ頬骨が少し出て、すべてを諦《あきら》めて受け入れる忍耐づよい顔。なぜかしらぬが、その顔の男が長谷倉六右衛門だという気がした。

白石さまは更に宣教師に阿諛《あゆ》するように、既に完成間近の大船のみごとさを褒めたたえ、そして自分がもし若ければその船に乗り、ノベスパニヤを見物したいものだと笑った。

話が終った。廊下で待っていた小姓に連れられて退室する宣教師を、重臣たちは口もとにうす笑いを浮べてじっと見送り、その足音が消えると白石さまは右筆に皮肉な眼をむけて、

「臭《にお》うな、南蛮人の体は」

「食べ物のためと思われます」

「いや、あれは色欲を抑えている男の臭いだ。あの男、この日本に何年、住んでおる」

「十年とのことでございます」

右筆が恭《うやうや》しく答えると、

「十年か。あの男、我らを手玉にとったつもりであろうか……」

彼は黙って右手で左の掌《てのひら》をなで続けた。

出発の日が近づいた。数日前から谷戸はかつての父や叔父たちの出陣の日のようにあわただしくなった。総領である彼の家形《やかた》には谷戸から離れた村に住んでいる縁続きの者たちまでが次々と別れを惜しみに訪れ、百姓たちも入れかわり立ちかわり手伝いにあらわれた。幾つもの荷が作られて土間に並べられた。

この朝、早くから家形の庭には騒がしい物音がした。馬小屋から引き出された馬に荷がくくられ、元旦《がんたん》のように馬小屋にも門にも松が飾られ、部屋には勝栗《かちぐり》が置かれた。支度をすべて整えた侍は囲炉裏のそばで、妻のりくがついだ茅《ちがや》の葉をそえた御神酒《おみき》を三口飲み、その盃《さかずき》を叔父に渡した。叔父からりくに、りくから長男の勘三郎にまわったその盃を叔父は土間に投げて砕いた。侍の家では出陣の朝、このように行うのが習わしだったからである。

馬が外でいなないている。侍は叔父に頭をさげ、りくの眼をじっと見つめた。見つめながら二人の子供の頭にそっと手をおいた。外では既に旅支度をした与蔵が侍の槍《やり》を持ち、村の年寄りたちが選んだ清八、一助、大助の三人の若者が、荷をくくった三頭の馬のそばに立ち、門から道には百姓たちが見送りに集まっている。

馬にまたがると侍は叔父に再び頭をさげた。うしろにこみあげるものを怺《こら》えきつい顔で立っている妻の顔がある。侍は、下女に抱かれた権四郎と、そばにいる勘三郎に笑顔を作って大きく肯いた。その瞬間、遠い国から谷戸に戻って来る日、二人の子供がどれほど変っているかと、ふっと思った。体をいとえよ、と叔父が大声で叫んだ。侍は手綱をひいた。

晴れている。谷戸は既に春。雑木林には白い花が咲き、畠《はたけ》では雲雀《ひばり》が鳴いていた。これから長く眼にすることのないこの光景を忘れじと、侍は馬上から眺めた。あの日、雄勝《おがつ》に行った時と同じ路《みち》をとった。既に大船出発のことは御領内に知れわたっていたから道の途中で人々の挨拶を次々と受けた。湯を振る舞い、労をねぎらってくれる者もいる。あの時はまだ冬景色だったこの路も今はいたるところに花々が咲き、田畠では百姓が牛をゆっくりと動かしている。翌日、遠くに春の海が見えたが海にはあたたかい陽がさし、空の雲も綿のように柔らかく浮んでいた。やがて侍たちは水平線に大船の浮んでいるのを眼にした。

「おお、おお」

彼らは叫び、思わず浜に足をとめた。船は褐色で巨大な砦《とりで》を思わせた。二本の高い親柱には鼠色《ねずみいろ》の帆が風にふくらんでいた。鋭い槍にも似た竜骨の先は青空を刺し、船の周りを波が泡立っていた。

一同は沈黙したまま長い間、大船に視線を向けていた。今日まで知っている殿のいかなる軍船よりもそれは力強く男らしい船である。その船が明後日、自分たちを乗せ、自分たちのすべての運命を決めるのだという実感が侍の胸を烈《はげ》しく襲った。谷戸での静かな人生が今、剝《は》がされていくのを強く感じた。戦に出陣する時と同じように侍は心の昂揚《こうよう》と興奮とをおぼえた。

（ようも、ようも……このような船を造られた）

召出衆《めしだししゅう》の侍はあの本丸の奥におられる殿を遠くから幾度か見ただけである。殿はいつもは彼の手の届かぬ遠い場所におられた。だがこの大船を眼にした瞬間、御奉公という三つの文字が頭に黒々と浮ぶのを感じた。侍にとってこの大船は殿であり、殿の御力だった。従順な彼には殿に身を尽す悦《よろこ》びがこみあげてきた。

月ノ浦の入江にはいつかの雄勝と同じように人々が集まっていた。三方が山に囲まれた小さな谷底のような海岸に人夫たちがあまたの船荷を小舟まで運ぶ作業を続け、数人の役人が杖《つえ》を持って彼らに指図していた。侍たちがその人ごみの間を通りぬけると、役人たちは会釈《えしゃく》して労をねぎらってくれた。

侍の宿所に当てられた寺では足軽たちが警護に当っていた。既に松木忠作、田中太郎左衛門、西九助の他の使者衆が到着していて、あのエスパニヤの船員たちは近くの村の寺に宿泊していることを足軽たちから聞いた。使者衆たちにあてがわれた部屋の真下が入江である。大船は山にかくれてここからは見えぬ。ざわめく入江では荷をつんだ小舟が次々と大船のかくれている岬の端に進んでいく。

「おびただしい荷でございますな」

一番年若い西九助が、

「この船には百名をこえる商人、金掘り衆、職人たちも乗ると聞きました」

西九助がしたり顔で御壮挙の真意を話すのを侍と田中太郎左衛門とは気おくれしながら聞いていた。松木忠作は皆から離れて腕組みしながら入江を見おろしている。商人たちを大船に乗り組ませたのは、かの国にて日本の品々や道具類を売らせ、今後の取引きを行うためであり、金掘り衆や鍛冶師《かじし》、鋳物師《いものし》には南蛮の採鉱技術や鋳造の方法を学ばせるためだと西は得意そうに語った。侍も御領内に金山があり、鉱石が埋れていることは勿論《もちろん》知っていたが、こうした者たちが乗るとは初耳だった。だが彼は自分の目的はそんなこととは関係なく殿の御書状をノベスパニヤの太守にお届けすることなのだと心に言いきかせてその夜は床についた。波のざわめきと昂《たかぶ》った心のため、なかなか眠れなかった。

出航の朝、入江に張られた紋所入りの幔幕《まんまく》が海風に音をたてて鳴っていた。塩釜から武者船に乗ってこられた白石さまほか二人の御重臣たちに使者衆たちは礼をして小舟に乗った。着座された白石さまはその一人、一人に励ましの言葉をかけられたが、最後に侍が与蔵以下四名を連れて頭をさげると、

「六右衛門」

と床几《しょうぎ》から立たれて金襴《きんらん》の布で包んだ箱を両手に持たれ、

「御書状ぞ」

と強い声でお手渡しになった。侍は体の震えるのを感じながら、ずっしりと重い箱を押し頂いた。

使者衆たちをのせ、小舟はゆっくりと岸を離れ、入江の切りたった崖《がけ》にそい静かに沖に進んでいく。金襴の包みをかかえた侍以下五人は何も言わず何も言えず、白い幔幕とその両側に一列に並んだ役人衆、足軽たちを見つめた。何年か後に自分たちが生きて帰国し、この入江にふたたび戻って来た時、これと同じほどの人数が出迎えに来るだろうか、とふと思った。

入江を出た瞬間、一昨日はじめて見た大船がふたたび眼に飛びこんできた。それは侍が今日まで見たすべての和船などと比べられるものではなかった。城塞《じょうさい》の石垣のように船首は眼前にそびえ、船首の先に槍のような竜骨が青空を刺し、無数の帆綱をつけ、十字架状に組まれた親柱に大きな帆がしっかりと巻かれていた。そして既に乗船

しているエスパニヤ人の船員や日本人の水手《かこ》たちが甲板の上から一列になって、集まってくる小舟を見おろしている。

ゆれる縄梯子《なわばしご》を伝って一同は次々と甲板に上る。甲板は三層になっていて上甲板では蟻《あり》のように日本人の水手たちが動きまわっている。二層目の甲板に、胴の間に入る入口があった。そこから皆はそれぞれ割り当てられた船室におりるのである。使者衆たちは船首にちかい春慶塗りの小室が与えられた。漆の臭いがその部屋にこもっている。供の者たちは商人たちが寝起きする大部屋に行かねばならない。そこは船荷を積んだ天井柱のむき出した場所だった。

使者衆たちは部屋に入ると、しばらく黙りこんだまま甲板の物音を聞いていた。彼らに続いて、昨夜、牡鹿《おじか》で一泊した商人たちが騒ぎながら乗りこんできた。船室の小窓からは小さな島が見える。田代《たしろ》、網地《あじ》の島々である。だが入江はここからは眺められない。

「御重臣がた、既にお引きあげになられましたでしょうか」

と西が小窓に顔をあててたずねた。そしてその西が甲板に出ていこうとすると他の三人はあわててその後に従った。何もかも初めての船内に自分だけ残るのが不安だったからである。

侍もあまたの商人たちにまじり与蔵、清八、一助、大助の供の衆と肩をならべ、これから別れねばならぬ牡鹿の山々を見つめた。五月の樹木は既に色濃く、山を覆《おお》っていた。これが彼が当分は見ることのできぬ最後の日本の風景である。突然、まぶたに谷戸の丘陵、村々、そして自分の家形、馬小屋、りくの顔がひとつ、ひとつ甦《よみがえ》り、子供たちは今、何をしているのかとせつなく思った。大きなどよめきが上甲板から起った。エスパニヤ人の船員たちが妙な節まわしで唄《うた》のようなものを歌っている。親柱に日本人の水手が数人のぼり、エスパニヤ人の船員の指図を受けて今、大きな旗にも似た帆をおろす瞬間だった。帆綱が軋《きし》み、白い海猫が猫のような声をあげた。やがて誰もが気づかぬうちに大船はゆっくりと船の向きを変えていた。波が船腹にぶつかる音で侍は、運命が今、はじまる、と思った。

第三章

五月五日、牡鹿《おじか》の小さな港、月ノ浦を出航。日本人たちが「ムツ丸」と称し、エスパニヤ人の船員たちが「サン・フワン・バプティスタ号」と呼ぶこのガレオン船は、つめたい太平洋《オセアノ・パシフィコ》を北東に向ってゆれながら進んでいる。弓なりに帆はふくらんでいる。出航の朝、私は甲板で、十年の間、住みなれた日本の島々をいつまでもながめた。

十年――口惜しいが日本には神は遂《つい》に根をおろさなかった。私の知る限りヨーロッパのいかなる国民にも劣らぬほど、智慧《ちえ》と好奇心とに富んだ日本人だが、我々の神に関わるとなると、眼をつぶり、耳に指を入れる。時には私にはこの国が「不幸な島《イゾーレ・インフォルトゥナーテ》」に見えることさえあった。

だが私は挫《くじ》けてはいないし、神の教えの種は日本にはまかれたが育て方が悪かったのだと思っている。長い歳月の間、布教権を独占してきたペテロ会はこの国の土質も考えず、適した肥料も選ばなかった。そのペテロ会の失敗から私は逆に教訓を学んだし、何よりも日本人を知ったのだ。私がもし司教に選ばれれば、失敗は二度と繰りかえさぬであろう。

三日前から、日本の島影は見えない。だがふしぎなことにどこからともなく海猫が飛んできて波濤《はとう》をかすめ、帆柱にとまる。船は北緯四十度線を目指して進んでいるが、おそらく今は日本の蝦夷《えぞ》からも遠くないのだろう。風向きは順調で、潮流がサン・フワン・バプティスタ号の旅を助けてくれている。

外海に出るとさすがに海が多少は荒れた。といっても十三年前、私が東洋に向う時に襲われた嵐《あらし》や印度洋《インドよう》の荒れぐあいにくらべると物の数でもないのだが、船室にいる日本人たちはすべて船酔いに苦しみ、哀れにも食事も受けつけぬのである。あれほど海に四面を囲まれながら、日本人たちはこの海を日本を守る水の要塞《ようさい》にして、自分たちは土の人間として生きてきたのだ。彼らの知っている海は手近な近海だけだ。

使者たちにも船酔いに苦しんでいる者がいる。長谷倉六右衛門と田中太郎左衛門の二人は今日まで海に出た経験はなかったと見え、私が彼らの船室を訪れると、くるしげに微笑を顔に作るのが精一杯のようである。

使者たちは殿の家臣のなかでは中級の侍《カバリエーロ》たちではあるが、それぞれに小さな所領を山間部に持った地主たちでもある。殿が城の有力な重臣のかわりにこれら中級武士を今度の使節に選んだのは、使者を重くみない日本の貴族たちの習慣によるのかも知れぬが、そのほうが逆に私には都合がいい。すべてのことに彼らの指示を仰ぐ必要もなく、私の考えのままに行動できるからである。かつてペテロ会のヴァリニャーノ管区長が、乞食《こじき》にもひとしい少年たちを貴族の子供と偽り、使節としてローマに送ったが、向うでは誰にも怪しまれることはなかった。人々は後になってそれを非難したが、私はヴァリニャーノ管区長のそうした才能をむしろ評価するくらいだ。

今後、私から離れることのできぬ、これらの使者たちの名を書いておこう。西九助、田中太郎左衛門、松木忠作、長谷倉六右衛門の四人である。

西九助を除いた三人は出航以後も私に馴染《なじ》もうとはしなかった。日本人に特有な、異国人にたいする警戒心と人見知りのためであろう。年若い西だけが子供っぽいほどの好奇心をみせ、はじめての船旅に胸をはずませながら、私に船の構造や羅針盤の機能をたずねたり、エスパニヤ語を教えてほしいなどと話しかけてきた。そんな若い西のあけすけな振る舞いを苦々しい眼で見ているのが、年長者の田中太郎左衛門だが、この小肥《こぶと》りの男は万事につけて、重々しく見せよう、エスパニヤ人の前で日本人の威厳を失うまい、と汲々《きゅうきゅう》としているようである。

瘦《や》せて、その顔に暗い翳《かげ》を持っているのが松木忠作である。私は彼と三、四度しか話をしていないが、四人のなかではとりわけ頭がさえていることがわかった。時々、甲板に出て一人、何かを考えこんでいるが彼は他の使者と違い、選ばれたことを名誉と思っていないようだ。長谷倉六右衛門は侍というよりは百姓といったほうが良い男で、使者たちのなかでは見ばえがしない。ローマまで行くかどうかはまだ決めていないが、私がそのローマへ発《た》つ折は長谷倉を同行するようにとなぜ重臣の白石殿が奨《すす》めたのか、どうしても合点がいかない。この男は風采《ふうさい》があがらないし松木のように頭もよくないのである。

使者たちの部屋から離れて日本人の商人たちが雑居している大部屋がある。彼らの頭には取引きとその利益のことがあるだけで、その貪欲《どんよく》さには驚くべきものがある。数人の商人は乗船してすぐに私にノベスパニヤでは日本のどんな品物が売り付けられるかをしきりに訊《たず》ねてきた。私が絹布や屛風《びょうぶ》、武具、刃物の名をあげると、彼らは満足げに顔を見あわせ、今度は、ノベスパニヤから生糸、ビロウド、象牙《ぞうげ》が支那《しな》より安く手に入るかと聞いた。

「しかし、ノベスパニヤでは」と私はわざと皮肉に答えた。「切支丹《キリシタン》だけが信用されるのです。信徒であるだけで、もう取引きの信用に値するのです」

するとﾞ、当惑した折、日本人がよくするように彼らは頰にうす笑いをうかべた。

今日も昨日と同じように単調な日が続く。海も水平線にうかぶ雲も、そして帆綱の軋《きし》む音も変りはない。サン・フワン・バプティスタ号は順調に航海を続けている。朝のミサのたび、私はかくも平穏な旅が奇蹟《きせき》的に与えられたのは、主が私の今度の意図を助け給《たも》うたからだと思う。主の御意志は計りがたいが、主もまた私と同じように、あの布教困難な日本《ハポン》が主の教えの国になることを望んでおられるのだと思う。

だが船長のモンタニオも副船長のコントレラスも私のこの意図に好意を寄せていない。露骨に口には出さぬが、彼らが私の意図について反感を持っていることは確かだ。それはこの二人が日本に抑留されていた間、日本と日本人とについて良い印象を得なかったためである。彼らは必要以外に使者たちや他の日本人と接触しようとせず、エスパニヤ人の船員と日本人の水手《かこ》とが話しあうことも好まない。私は二度、使者たちを食卓に招くことを船長に提案したが拒絶された。

「日本に抑留されていた間、自分には日本人の傲慢《ごうまん》さや性急さが我慢できませんでした」と船長は二日前の食卓で語った。「あの国民ほど率直さに欠け、自分の心を他人に見せぬことを美徳と思っている人間たちはいないと思いましたな」

私があの国の政治秩序のみごとさはこれが異端の国かと思われるほどだったと弁護すると、副船長は、だからこそあのような国は手ごわい。やがてこの太平洋を独占しようとするだろう。もし基督教《キリストきょう》化したいならば、もう言葉ではなく武力で征服したほうが簡単だ、と主張しはじめた。

「武力でですか」私は思わず大声をだした。「お二人はあの国をどうも甘く見すぎておられます。あの国はノベスパニヤやフィリピンではない。戦に馴《な》れ、戦に強いのです。むかし、ペテロ会が、その考えを抱いて失敗したのを御存知か」

彼らが白けた顔をするのにもかかわらず私は、ペテロ会の布教の失敗をひとつ、ひとつ数えたてた。例えば、ペテロ会のコエリョ神父やフロイス神父たちが日本をエスパニヤの植民地にして基督教の布教を計ろうとしたため、それを知った日本の権力者を怒らせたことなどを。ペテロ会のことになるとどうやら私は抑制力がなくなるようだ。

「だから日本に神の教えを広めるためには」と私は激情に駆られて結論を出した。

「一つの方法しかありません。彼らを丸めこむこと。エスパニヤは日本人に太平洋での貿易の利を分けてやり、その代り布教の大幅な特権をもらうこと。日本人は利のためには他のいかなることも犠牲にするのですから。もし私が司教の立場だったら……」

するとと船長と副船長とは顔を見あわせ、急に黙りこんだ。それは同意の沈黙ではなくて、この私を聖職者にあるまじき策略家だと思ったためであろう。世俗的な人間の前でこうした発言は慎まねばならぬにもかかわらず、私はうっかりしていた。

「パードレはエスパニヤの国益よりは」と船長は皮肉な声を出した。「日本での布教が大事なようですな」

彼はそう言って口を噤《つぐ》んだ。この二人が「自分が司教の立場であれば」と言った今の私の希望を賤《いや》しい出世の欲望と受けとったことは確かだった。（しかし、主だけが人間の心を見通され、それをお裁きになる。あなたはこの私が個人的な空《むな》しい虚栄心からそう言ったのではないことをよく御存知です。わが死場所として私はあの国を選んだのです。そしてあの国にあなたを讃《たた》える唄声《うたごえ》を聞くためには自分が必要だと考えているだけなのです）

面白いことがあった。私が甲板で神父の義務である聖務日禱《にっとう》を唱えながら歩いていると日本人の商人の一人がそっと近づいてきた。そして珍しそうに祈りを呟《つぶや》いている私を眺め、

「通辞殿、何をしておいでか」

とふしぎな物でも見たように訊ねた。愚かにも私はこの男が祈りに興味を抱いたのかと考えたが、そうではなかった。彼は一応は追従笑《ついしょうわら》いをうかべた後、急に声をひそめ、ノベスパニヤで自分だけに取引きの特権を与えるよう計らってほしいと言いはじめた。臭い息でも吐きかけられたように私はその言葉を顔をそむけて聞いていたが、彼は笑いながら呟いた。

「その時は充分の礼も致しましょう。私も得をして、あなたも利を得られる」

私は露骨に蔑《さげす》みを顔に出し、そして自分は通辞ではあるが世俗を棄《す》てた神父《パードレ》でもあるのだとはっきりと答えて追いかえした。

二カ月は続くであろうこの船旅を神父として無為に過すのを私は怖《おそ》れる。エスパニヤ人の船員のために食堂で毎日ミサをあげるが、日本人たちは一人として覗《のぞ》きにもこない。彼らには幸福の意味とは現世の利益を得ることとしかないようである。日本人はすべての現世の利を──富を得ること、戦に勝つこと、病気が治ること──目的とした宗教なら飛びつくが、超自然的なものと永遠とにたいしてはまったく無感覚であるように思える時さえある。といってこの船旅の間に、船内の百人以上の日本人に神の教えを伝えないことは怠慢だろう。

船酔いが辛《つら》かった。西九助と松木忠作はさほどではなかったが、田中太郎左衛門と侍とは月ノ浦を出航してから数日間は、ただ死人のように伏して帆綱や帆柱の物憂《ものう》い音だけを耳にしていた。今、どこを通っているのかも分らなかったし、関心もなかった。船がたえず揺れ、帆綱の音は一日中、単調にけだるく聞え、時折、点鐘がそれを破った。眼をつぶっていても、自分が大きな力でゆっくりと持ちあげられ、ゆっくりと沈む気が絶えずする。吐き気と不快感と無力感とを同時に味わいながら、侍は時々、眠り、時々、ぼんやりと妻のりくの顔と子供たちの姿や囲炉裏のそばに坐《すわ》った叔父のことを思った。

食事を運んでくるのは使者衆たちそれぞれの従者の仕事だが、よろめくように膳《ぜん》を支えてやってくる与蔵も船酔いのために蒼《あお》ざめ消耗しきった顔をしていた。何を出されても食欲はなかったが、侍は大事なお役目を果すためには食べねばならぬと自分を励ました。

くなった。

「案ずることはございませぬ」

　船室をたずねてきたベラスコがあわれむように侍と田中とを見て慰めた。ベラスコがそばに寄ってくると、その体からつよい体臭がただよってきて、船酔いが余計つらくなった。

「船酔いは馴れるものです。四、五日も経《た》てば、大波にも嵐にも平気でいられるようになりましょう」

　侍にはその言葉がまことは思えなかった。ただ若い西九助がそのベラスコに異国の言葉をたずねたり、船内を歩きまわってしきりに感心しているのが、羨《うらや》ましかった。

　だがふしぎなことに、三日たち、四日過ぎるとベラスコの言った通り、苦しみは少しずつ薄らぎはじめた。五日目の朝、侍ははじめて漆と魚油の臭気のこもった部屋を出て甲板に上ってみた。無人の甲板に出た時、強風が不意に額を撲《う》った。息をのんだ侍の眼に突然、四方おどり狂っている波頭の拡《ひろ》がりがうつった。

　はじめて見る大海。陸地も島影もなかった。波はあまたの兵士が入り乱れているように、ぶつかり、ひしめき、鬨《とき》の声をあげていた。灰色の空を槍《やり》のように船首が刺し、船体は高い水煙をあげて海の谷間に突っこんだかと思うと、ふたたび浮びあがる。

　侍は眩暈《めまい》がした。額を撲つ風に息もつけなかった。東も波濤のおどり狂う海。西も波の闘う海。南も北も見わたすかぎり海。生れてはじめて侍は海がどんなに広大かを知った。その海を前にして彼が住みついていた谷戸は一つの芥子粒《けしつぶ》にすぎぬこともわかった。おお、おお、と彼は叫んだ。

足音がした。松木忠作も甲板に出てきた。痩せて陰気なこの男も壮観な光景をじっと見つめている。

「まこと大きい、世界とは」

だが風は侍の声をちぎり海の遠くに紙のように飛ばしていった。

「このような海が……ノベスパニヤまでただ拡がっているとは信じられぬ」

その声が聞えなかったのか、松木の背はこちらを向いたまま動かなかった。長い間、海を凝視してから彼はふりかえった。帆柱がその顔に影を落している。「この海を二カ月もわたる」と松木は言った。風が松木の声も吹きとばし、侍は聞きかえした。

「長谷倉殿、このお役目、どう考える」

「役目？　忝《かたじけ》なしと思うております」

「そんなことではない」松木は怒ったように首をふり、「我らごとき召出衆《めしだししゅう》にこの大役が命じられたこと、どう思われるか。俺は船が日本を離れてから、そればかり考えてきた」

侍は黙りこんだ。彼自身も家格の低い自分などがなぜ、これほどの使者衆に選ばれたのか、出発の時から合点《がてん》がいかなかった。御一門衆はともかく、御重臣の一人も正使としてこの旅に加わらぬのも奇妙なことだった。

「松木殿は……」

「捨石よ、我らは」松木は海に眼をやったまま自嘲《じちょう》するように、「御評定所の捨石にされたのよ」

「捨石？」

「もともと、御重臣のどなたかが、この大役、お引き受けになって然《しか》るべきであるのに、召出衆の我らが選ばれたのは——身分ひくき召出衆ならば道中、海に溺《おぼ》れ、見も知らぬ南蛮の国で病に倒れても、殿にも御評定所にも一向、差し支《つか》えはないからであろう」

侍の顔色が変ったのを見て、松木はその動揺を楽しむように、

「使者と申しても我らは言葉も通じず、ただ、あのベラスコ一人を頼りに御書状を運ぶ飛脚にすぎぬ。殿や御重臣には、ノベスパニヤとの商いが成就《じょうじゅ》し、南蛮の船が塩釜、気仙沼の港に訪れることに決れば、我らがいずれの海、いずれの地で朽ちようともそれでよいのではないか」

風の運ぶ波の飛沫《しぶき》が二人の足もとを濡《ぬ》らした。頭上で帆綱が軋んだ音をたてた。

「白石さまは……そうは申されなかった」

侍は呻《うめ》くように呟いた。口下手な彼はこの松木の言葉に堂々と反駁《はんばく》できぬのがもどかしかった。だがもし自分たちが捨石ならば、白石さまや石田さまがなぜ、体をいたわって帰国せよ、帰国の暁には黒川の土地に知行替《ちぎょうがえ》も考えよう、と言われたのだろう。

「白石さまがそう仰《おお》せられる筈《はず》などない」松木はせせら笑って、「よう考えてみよ。十二年前の殿の知行割の折、代々の旧領をとられ、御評定所のとり決めた地味うすい荒蕪《こうぶ》の土地を与えられた地侍は多い。旧領をお返し願いたいと申し出ても、よき御返事を頂けぬ不満が召出衆にはくすぶっている。俺も長谷倉殿も田中、西も同じだ。それゆえ、それら不満の者たちから我ら四人をえらび、この苦しい旅を命じて道中、倒れればその家を廃嫡《はいちゃく》にする。使者衆として首尾を果さねば処罰する。不満の召出衆たちすべてへの見せしめのためだ。いずれにせよ、御評定所には損はない」

「信じられぬ」

「信じぬのは勝手だが。長谷倉殿はこの大船を出すまでに御評定所の御意見が二つに分れたことを御存知か」

と松木は胴の間におりる梯子《はしご》に足をかけて謎《なぞ》のようなことを言った。

「いや、もういい。いずれにせよ、俺はそう推量している」

松木の姿が消えたあとも荒れ狂う海と向きあって、侍は一人、甲板に立っていた。（この役目は戦と同じだ。戦場では召出衆は雑兵足軽を率いて矢玉、鉄砲玉の降るなかを駆けまわらねばならぬ。だが、御重臣たちは後方の幕営にあって総軍を動かされる。御重臣が使者衆におなりにならなかったのは戦の場合と同じだと思えばよい）侍はそう思って憂鬱《ゆううつ》な心を納得させようとしたが、松木の言葉は鬱陶しく胸の底に残った。

胴の間におりると、あれほどすさまじかった海風の音、大波の猛《たけ》り狂う響きもはたと聞えなくなった。侍は使者衆の部屋に戻りたくなかった。柱のむき出しになっている胴の間は漆の臭《にお》いがきつい。彼は商人たちが寝起きしている大部屋を覗いた。その片隅に彼の従者である与蔵、清八、一助、大助がいることを知っていたからである。

大部屋には船荷を包んだ筵《むしろ》の臭いが汗くさい体臭とまじりあっていた。百人以上いる筈の商人たちはそれぞれ寝転んだり、輪をつくって賽子《さいころ》で遊んだりしていた。船荷のそばで与蔵たちはまだ苦しそうに横になっていたが、枕元《まくらもと》に立った主人の気配にあわてて起きあがろうとした。

「構うな、そのままで」

侍は畏《かしこま》った四人をいたわって、

「つらいのう、船酔いは。谷戸に育った我らには海は一段ときつい」

いつか帰国した時はお互いこの船酔いのぶざまな姿を皆には語るまいと言うと、与蔵たちもはじめて笑顔をみせた。この四人だけがこれからの長い苦しい旅には掛け替えのない仲間だ、と憔悴《しょうすい》した彼らの顔を見ながらしみじみと思った。自分には帰国すれば何らかの恩賞が待っている筈である。だがこの者たちにはふたたび辛い労苦の生活しか残っていない。

「谷戸では今頃、雨であろうな」

この時期は毎日、小やみなく雨がふりつづく。そしてその雨のなかで百姓たちは裸のまま泥まみれになって働いているのだ。だがそんな苦しい光景も侍たちには今は、懐《なつ》かしいものにさえ思われてくる……。


「ソモス・ハポネセス。我ら、日本の者なり、の意でございます」

部屋に戻ってきた西九助は、それぞれの姿勢で旅日記をつけていた田中太郎左衛門と侍とに妙な言葉で話しかけた。訝《いぶか》しげに侍が顔をあげると、

「お出になりませぬか。通辞のベラスコ殿が商人たちに南蛮の言葉を教えておられま

すが」

田中は苦々しげに、

「西、使者衆が商人どもに相まじれば、いつかはあのエスパニヤの者に侮《あなど》られる」

と小言を言った。叱《しか》られた西は少し色をなして、

「しかし、向うに参り、言葉のひとつも通じねば」

「通辞がいるではないか、通辞が……」

叱られている西をながめ、侍は誰にでもすぐなじめてどこにでもすぐ溶けこめるこの男が内心では羨ましかった。谷戸で育った彼には田中と同じように人見知りをする性格がある。だがこの若者は毎日、船内をくまなく歩き、船の構造や仕掛けに盛んな好奇心を示している。エスパニヤ人の船員が使う言葉を紙に書きとめ、船長をカピタン、甲板をクビエルタ、帆をベラと呼んでいると皆に伝えたのも彼だった。

「しかし、松木さまも」と西は頬を赤らめて、「あの商人たちにまじって、習うておられましたが……」

田中は不快そうな顔をした。年長者のこの男はいつも自分たち日本の使者衆の威厳が少しでも傷つくことを怖れていた。だからはじめて接したさまざまな船内の事柄にも南蛮人の前では驚きを見せまいとつくろうのだった。

「松木殿もか」

と侍はびっくりして西に訊《たず》ねた。

「はい」

あの陰気で顔色の蒼白い男が何を考えているのかはわからない。今日も彼はこちらに背を向けてもの思いにふけっていた。あの男は、自分たちは殿と御評定所の捨石よ、と吐き出すように言った。御評定所は自分たち召出衆の新知行地にたいする不満を抑えるため、この困難な旅に送り出したのだと言った。その松木の言葉を侍は田中にも西にも伝えていない。伝えるのがなぜか不安だったからである。

松木の言葉を追い払うように侍は立ちあがった。胴の間の通路は長く、片側は弓のように反った船腹になっている。反対側にはあまたの積荷を入れた部屋、商人たちの大部屋、それから食糧保存室や日本人用の厨房《ちゅうぼう》が並んでいる。積荷からは埃《ほこり》と筵の臭い、厨房からは味噌《みそ》の臭いがした。

「長谷倉さま」

うしろから追いかけてきた西が少年のように白い歯を見せて、

「エスパニヤの言葉を習うてもかまいませぬか」

侍は重々しい顔で肯《うなず》いた。

大部屋を覗《のぞ》くと、積荷を前にして四列に並んだ商人たちがそれぞれ筆と紙とを持ち、通辞の教えるエスパニヤ語を熱心に書きとめていた。

「いかほどの値かは、クワント・クエスタと申します」

ベラスコはこの言葉をゆっくりと三度、発音した。クワント・クエスタ。商人たちは誰一人として怠けず、真剣に筆を動かしている。一方、供の者たちはうす笑いをうかべてこの奇妙な光景を眺めている。

「もう一度、申します。クワント・クエスタ」

西は侍の横でその言葉を小声でくりかえしている。谷戸とはまったく違った世界が今ここに始まっていた。商人たちのうつむいた黒い頭のなかで腕組みをした松木の痩《や》せた首も動いていた。ひと通り簡単な挨拶《あいさつ》を教えたのち、

「だが、言葉だけを憶《おぼ》えても、ノベスパニヤでは取引きは出来ませぬ」

とベラスコは布を出して口をふきながら、

「いつぞやも申したようにかの国では切支丹《キリシタン》の心得がなければなにごともうまくは運びませぬ。たとえば、見られるがよい。この船でさえエスパニヤ人の船乗りたちはそれぞれの合図を祈りの唄《うた》でなしている。毎日甲板より聞えるあの声は切支丹の神《デウス》をほめたたえる唄でそれが仕事の合図をなしているとお気づきか」

そういえばそうだった。出航の時、南蛮人の船員たちは妙な節をつけた唄でたがいに合図を送りあっていたが、その合図が毎日、甲板で行われていた。

「なにも、切支丹の教えを学べとは申しませぬ。だがここに主イエスの御生涯を語った物語がございます」

商人たちの間に私語が小波《さざなみ》のように拡がったが間もなくやんだ。松木がたちあがり、列から離れた。彼は侍たちを見つけ、近づいてくると、

「見い、商人たちが耳を傾けておるわ。あの者たちは商いの利のためなら進んで切支丹にもなるつもりであろう。ベラスコもその商人の貪欲《どんよく》さを承知で切支丹の教えを吹きこんでおる。なかなかの曲者《くせもの》だぞ、あの通辞」

右肩を怒らせながら船室に戻っていく松木の痩せた背中に、素朴な侍は正直、不快な気持を感じた。なにごとも悪意をもって見る松木を侍は小ざかしい男だと思った。

サン・フワン・バプティスタ号は半月の間、島ひとつ見えぬ大海を東に東にと進ん

でいる。有難いことに凪《なぎ》もないし、大きな嵐《あらし》も来ない。もっともこの北方航路は赤道附近のように凪になることは少ないが、嵐にはたびたび見舞われる。だからこんな幸運な航海は珍しいと船長のモンタニオは語った。そういえば、以前、日本に渡った折、凪の時に船員たちは口笛を吹く者をひどく嫌がった。口笛は凪の苦しみを更にますという迷信があるからだ。サン・フワン・バプティスタ号の朝は甲板洗いから始まる。甲板洗いや、日中、帆綱を点検し、錨鎖《びょうさ》の錆《さび》を叩《たた》きおとし、索具を作るような下級の労働は日本人の水手《かこ》たちがやらされている。だが見張りや舵《かじ》とり、船長、副船長の命令の伝達、それに操縦室の仕事はエスパニヤ人の船員がすべて行っている。

毎日、毎日、いや一日の朝と昼と夕とでも海の色はさまざまに変る。微妙な雲のたたずまい、陽の光のきらめき、気圧の変化で、どんな画家でも舌を巻くような深みのある色、悦《よろこ》ばしい色、悲しみの色が、海をそめる。それを見ただけで、この海を創《つく》られた創造主の智慧《ちえ》をほめたたえたくなるのは私だけだろうか。もはや海鳥もあとを追わぬ旅だが、その代り波から波をかすめる銀色の飛魚の群れが眼を慰めてくれる。

今朝のミサに——驚いたことには日本人の商人たちが数人連れだって、そっと覗きに来ていた。ちょうど聖体拝領の時で、聖杯を持ち、跪《ひざまず》いたエスパニヤ人の船員たちの口に聖なるパンを与えていた私は、日本人たちがおずおずと、だがふしぎそうにこの光景を見ているのに気がついた。船中の退屈な毎日に飽きてミサを覗きにきたのだろうか。それとも六日前から私がエスパニヤの言葉を教えてやったあと、短時間、日本語に訳してやる聖書の一部分に心を動かされたのであろうか。あるいは私の脅しを──ノベスパニヤでは切支丹でなければ取引きの信用は得られぬ、と言ってやった言葉を真に受けたのだろうか。

いずれにしろ、私にとってこれは嬉《うれ》しい結果だった。ミサが終り、祭服と聖杯とを棚のなかに片付けると、私は急いで、まだ廊下のあたりをうろついている彼らに話しにいった。

「いかに思われます、ミサの深い意味《ことわり》を知りたくはありませぬか」

その数人のなかには、いつか甲板で私に商売のための特別の権利を与えてくれと哀願してきた歯の黄色い男もまじっていた。彼はうす笑いを浮べて答えた。

「通辞さま、日本の商人は役に立つものならば何事も取り入れます。さればこの旅で切支丹の教えを知っても損にはなりますまい」

私はこの露骨な答えに思わず笑いだした。これはいかにも日本人らしい返事だったが、それにしてもあまりに正直すぎた。彼らは更にへつらうように、今後も有難い基督《キリスト》の一代記の話はもっと続けてほしいと私に頼んだ。

切支丹の話を知っても損にはならぬ。歯の黄色い男の答えは宗教にたいする日本人の心根をよく示していると思う。日本での長い生活で、私はいかに日本人が宗教のなかにさえ現世の利益を求めるかをこの眼で見てきた。つまり現世の利益をより多く獲得するために彼らの言う信心があると言ってもよいほどだった。病気や災害から逃れるため、彼らは神仏を拝む。領主たちは戦いの勝利を得たいために神社や仏閣に寄進を約束する。坊主《ぼうず》たちもそれをよく心得ていて、薬よりももっと効きめのある薬師如来《やくしにょらい》という悪魔の像を信者たちに拝ませているが、この如来ほど日本人に崇《あが》められている仏像はないのだ。そして病気や災害から逃れるためだけではない。日本人の宗教には富をふやし財産を守ってくれると称する邪宗も多く、それにはあまたの信者が集まってくる。

宗教に現世の利益だけを求める日本人。彼らを見るたびに私はあの国には基督教の言うような永遠とか魂の救いとかを求める本当の宗教は生れないと考えてきた。彼らの信心と我々基督教徒が信仰と呼ぶものとの間にはあまりにも大きな隔たりがある。だが私は毒をもって毒を制するという方法を使わねばならぬ。宗教に現世の利益を求めるのが日本人ならば、その日本人の現世の欲望をどのように神の教えに導くかのほうが大切なのだ。ペテロ会はその点、一時はうまくやった。ペテロ会は領主たちに鉄砲のような新しい武器や南方のさまざまな珍奇な品々を見せ、それを与える代りに布教の許しを得た。だがその後、彼らは日本人を怒らせるような行為もやりすぎたのだ。日本人たちの信心している寺や神社を破壊し、戦いあっている領主の弱味につけこみ、自分たちの特権を確保するために小さな植民地を作ったりしたのである。

日本を出発する前、幾通かの手紙を書いた。伯父ドン・ディエゴ・カバリェーロ・モリーナやドン・ディエゴ・デ・カブレーラ神父、セビリヤのポーロ会の修道院長宛《あて》の手紙である。その手紙で、ひょっとすると私はノベスパニヤから日本人を連れセビリヤに行くかもしれぬと知らせておいた。その場合は神の栄光が東洋の小国にまで及んでいることをエスパニヤ人たちに証明するため、できるだけ派手で華麗な演出をしてほしいと依頼した。日本人を見ることはセビリヤの人々にとってこの上もなく珍しいことだから、勿論《もちろん》、多くの人間が見物に集まることは予想されるが、しかし効果は更に大きくせねばならないのだ。その効果はすべて神の栄光と日本での布教とのためにつながるだろうとのべた。そしてその手紙はアカプルコから特別仕立ての馬車でベラクルスに送り、至急便でセビリヤにできるだけ早く届けるつもりであった。

昨日も、さし当って必要な会話や簡単な単語を教えた後、私は大部屋の日本人たちにイエスの御生涯を少し語った。「汝《なんじ》の信仰が汝をいやせり」私は主がガリラヤの病人たちを次々と治された話を熱をいれて語った。足なえが歩き、盲《めしい》の眼があき、癩者《らいしゃ》の体が清まったことを声を大きくして語った。日本人たちはひどく感動した面持で聞いていた。彼らが宗教に求めるものが常々、病気の治癒でもあることを知っている私は、わざとこの奇蹟《きせき》物語を強調したのである。

「だが主の御力は体の病だけではございませぬ。心の病をも治されるのです」

私はそう言って今日の話を結んだ。たしかに日本人にたいして私はうまく話したと思う。だが正直言って、すべて、これからなのだ。道はまだまだ遠い。なぜなら日本人たちは奇蹟物語や、自分たちのどうにもならぬ業《ごう》の話には心をひかれるが、基督教の本質である復活や自分のすべてを犠牲にする愛について語ると、途端に納得できぬ興ざめた顔をすることを私は長い経験で知っているからである。

夜の食事の席でモンタニオ船長は、気圧が低くなり怖《おそ》れていた嵐《あらし》が南から少しずつ接近していると言った。そういえば午後から波がひどく高まる気配が感じられたし、昨日は美しい紺色をおびていた海が次第に冷たい黒色に変り、ぶつかりあう波濤《はとう》も白い牙《きば》をむきだし、船首から飛沫《しぶき》をあげて甲板を洗いはじめていた。船長は嵐の圏内から船を出すために右舷《うげん》一杯に操舵《そうだ》するだろうと語った。

夜半、嵐が急速に近づく。最初はそれほどの揺れではなかったので私は副船長コントレラスと相部屋のこの部屋で日記を書いていた。コントレラスはすべてのエスパニヤ人の船員たちや日本人の水手たちと非常警戒に当り、甲板で命綱をつけて待機していた。やがて揺れが少しずつ烈《はげ》しくなってきた。机の上の蠟燭《ろうそく》が大きな音をたてて倒れ、棚にのせた本が滑った。不安になった私は部屋を出て甲板にあがろうとしたが、階段に足をかけた時、すさまじい衝撃を受けて船は傾《かし》いだ。私は階段から転げ落ちそうになった。第一の大波が襲ったのはこの時である。

奔流が階段に流れこんだ。立ちあがろうとした私はこの激流に押されて尻餅《しりもち》をついた。腰にさげていたロザリオを失ったまま、水のなかを這《は》いあがり、壁で体を支え、辛うじて身を保った。横揺れが烈しくなった。大部屋にも水が流れこんだらしく大きな叫びが聞え、十人ほどの日本人が争って部屋を走り出てきた。闇《やみ》のなかで私は甲板に出てはならぬと叫んだ。命綱もない彼らがもし甲板にあがれば、舷側を越える波に流され大海に放りこまれるのは確実だからである。

私の声で部屋から刀を持って田中太郎左衛門が廊下に走ってきてくれた。私は彼に商人たちを押しとどめてくれと絶叫した。田中は刀をぬき、階段をめがけて殺到してくる商人たちを大声で叱咤《しった》した。商人たちはたじろぎ、足をとめた。

横揺れは縦揺れにまじり、私は壁に体を支えるだけで精一杯だった。甲板からはただ波のぶつかるすさまじい音が大砲のように響き、船内では物の落ちて砕ける音が響きわたり、人々の悲鳴が絶え間なく聞えてくる。部屋に戻ろうとしたがもう歩くこともできぬ。私は水びたしの廊下を犬のように四つ這いになって、やっと部屋まで戻った。辛うじて扉をあけると、足に棚から落ちた物がぶつかり転がった。横になり、壁につけた握り柄をつかみながら体を支えた。船の揺れるたびに、棚の上の物が左右に移動する。その音は朝方まで続いた。朝方、ようやく船内の音が鎮《しず》まり、揺れは一時ほどはひどくなくなってきた。

黎明《れいめい》の光が窓からさしこんだ時、床に私たちの本や行李《こうり》が散乱しているのを知った。幸い、日本人たちより一層下にある我々の部屋は水浸しにならなかったが、それは神のお蔭《かげ》である。被害を受けたのは商人たちの大部屋で、特に積荷のそばにいた者たちの寝場所は水びたしとなり、使えたものではない。食糧保存室にも水が入ったとのことだ。

私は自分の衣類と寝具の一部とを持っていき、大部屋の外で途方にくれている一人の男に与えてやった。男は商人ではなく使者の従者だったが、長谷倉六右衛門と同じように土臭い百姓の顔をしていた。

「使うがいい」

私が言った時、この申し出が信じられぬという表情で私を見つめた。

「お前のものが乾いた時、返してくれればよいのだ」

名を訊《たず》ねると、与蔵、とおどおどと答えた。長谷倉の従者だそうである。

昼すぎ、やっと甲板から忙《せわ》しげにおりてきたコントレラスをつかまえた。昨夜の嵐で、補助柱が折れ、日本人の水手が二人、海に投げ出されて行方が不明だという。甲板に出るのは勿論、我々には禁じられている。

高波は依然として続いているが、午後、ようやく嵐の圏外に船は出たようである。船内は汚物の臭《にお》いや船酔いの日本人たちの吐いたものの臭気で耐えがたく、コントレラスの許しを得て甲板の出口まで上ると波は飛沫をあげて荒れ、海の色はまだ黒い。甲板では日本人の水手たちが必死になって帆綱を直し、折れた補助柱を修理している。

夜の食事になって、やっとモンタニオやコントレラスとゆっくり話しあうことができた。一日中ほとんど仮睡もしていない二人の眼のふちは黝《くろ》ずみ、顔には疲労の色が濃かった。二人の話によると海に投げ出された日本人の水手はどうしても助けようがなかったという。二人の者は哀れだが、それも神が与えた運命である。

揺れのおさまった甲板に出て聖務日禱《にっとう》を唱えていた時、四日前の嵐のあと、衣類の一部を貸してやったあの男があらわれたが、すぐに姿を消し、間もなく主人である長谷倉を伴って甲板に出て来た。長谷倉は腰をかがめ、自分の従者を憐《あわ》れんでくれたことを謝し、船中では充分の礼ができぬのが残念だと言って、和紙と筆数本とを私に差し出した。懸命に礼を言うこの口下手な男の土の臭いのしみこんだような顔を見ながら私は、こんな男が殿の命令とはいえ、遠い国に行かされるのを哀れにさえ感じた。与蔵という従者も主人から少し離れてただひたすら頭をさげている。エスパニヤの素朴な田舎郷士を思わせるこの主従は私を微笑《ほほえ》ませる。

彼らが去ったあとしばらくすると今度は松木忠作が甲板にあらわれて海をじっと眺めていた。それはいつもの彼の習慣だった。甲板で私と顔をあわせても会釈《えしゃく》するだけで決して話しかけてこようとはしなかったが、今日は聖務日禱を唱えながら甲板を往復している私を遠くから見つめていた。強い陽光のなかで私は彼の視線に何か強い憎しみと敵意のようなものとを感じた。

「つつがなく御使者たちがノベスパニヤに参られるまでは心も休まりませぬ」

それでも松木が石のように黙りこくっているので、ふたたび聖務日禱を唱えようとすると、

「ベラスコ殿」

と彼は私を咎《とが》めるような声をだした。

「お伺いしたいことがある。ベラスコ殿はまことに我ら使者衆の通辞としてこの船に乗られたのか。それともほかに所存のおありか」

「もとより通辞としてお役にたつためでございます」私はいぶかしく思い、「なぜ、お訊ねになります」

「では、船中の商人《あきんど》どもに切支丹《キリシタン》の話を語られるのも通辞としての役目か」

「皆々様のためにございます。ノベスパニヤでは、たとえ異国の者でも切支丹ならば、兄弟のように迎えられますが、切支丹に非《あら》ざる時は、商いひとつなかなかに捗《はかど》りませぬ」

「では日本の商人たちが、ただ商いのためだけに切支丹に帰依《きえ》しても」と松木はからかうように、「ベラスコ殿には差し支《つか》えないのだな」

「そう思っております」私はうなずいた。「山に登る路《みち》はひとつだけではございますまい。東西からの路もあれば、南北からの路もございます。いずれから登ろうと、頂

に達します。神《デウス》に達する路も同じでございましょう」

「策士だな、ベラスコ殿は。あの者たちの貪欲《どんよく》さをつって、切支丹にする。御評定所の御重臣にもベラスコ殿は同じ策を弄《ろう》されたとか。ノベスパニヤとの商いを助けるかわりに、切支丹への帰依を許すよう取引きされたそうだな」

私は彼の眼を見つめた。その眼の光は、子供っぽい西の好奇心にみちた眼とは違っていた。田中の頑固な眼とも、従順そうな長谷倉の眼とも違っていた。私はこの日本人の使者は馬鹿《ばか》ではないと気づいた。

「ならば松木さまは」私は平静に答えた。「どう、なされます。使者の役をおやめになりますか」

「やめなどはせぬ。ただ申しておくが、あれら船内の商人たちはノベスパニヤより利が得られれば、切支丹にもなろうが、利とならぬと悟れば、ただちに転ぶぞ。同じく御評定所が切支丹の説法を許すのも、ノベスパニヤとの取引きが続く限りだ。取引きがなくなり、南蛮の船が御領内の港に参らぬようになれば、切支丹は禁制になる。そのこと、ベラスコ殿は承知されているか」

「よく存じております。されば利があるよう、取引きが続くよう、万事が運べばよろしいのでございましょう」

私は冗談ではぐらかすように笑ってから、

「だがノベスパニヤとの取引きが絶えましても、一度まいた種は、まいた種でございます。神《デウス》のお考えは我々人間には見通すことはできませぬ」

「ベラスコ殿」

松木はこの時、今までの詰問《きつもん》するような調子ではなく、真剣な声で、

「俺にはわからぬ。この俺にはベラスコ殿は一筋縄ではいかぬ策士にみえる。だがその策士が波濤万里、日本に参ってその神《デウス》とやらのためにおのれの身を苦しめている。まことベラスコ殿は神《デウス》が在ると信じているのか。神《デウス》が在るとなぜ思われる」

「理にて神《デウス》が在るとは説明できませぬ。神《デウス》がましますのは、人間一人、一人の生涯を通して御自分の在ることを示されるからでございます。いかなる者の生涯にも、神《デウス》が在ることを証《あかし》するものがございます。もし私が松木さまの眼に策士とうつりますならば、神《デウス》はあるいは私の策士としての生き方にも御自分のましますことを示されているかもしれませぬ」

そう言った時、私は今、自分の口を衝《つ》いて出た言葉に自分自身でいささか驚いていた。神《デウス》はその存在をすべての人間の一人、一人の人生を通して証明されると、まるである力に動かされたように言ったのだ。

「そうかな」

松木はふたたび、嘲《あざけ》るような表情をとり戻した。

「あの日本の商人《あきんど》たちの生涯には神《デウス》もおのれの在ることを見せることはできぬぞ」

「なぜでございます」

「あの者たちは神《デウス》が在ろうと、なかろうと、どうでも良いからだ。いや、あの者たちだけではない。おおかたの日本の者はそうであろう」

「では松木さまは如何《いかが》でございます」と私はつめ寄った。「そのような、生ぬるい生き方をお望みでございますか。生きることは烈しいことと私は思って参りました。それは男と女との関わりに似ている、と。女が男の烈しき情を求めるように、神《デウス》も我々に烈しさを求めております。人は二度、生きることはできませぬ。熱くも非ず、冷たくも非ず、ただ生ぬるく……松木さまはそれをお望みでございますか」

松木は私の鋭い声と視線とにはじめて、たじろいだ。彼は狼狽《ろうばい》した自分の表情を恥じるように口ごもった。

「仕方がないではないか。俺は日本に育ち、……日本は烈しきことを好まぬ。俺にはベラスコ殿のような方は奇怪にさえ見える」

だが私はその瞬間、松木の顔に言いようのない苛立《いらだ》ちが浮んだのを見た。それは通辞であることを忘れて執拗《しつよう》に反論した私にたいしてではなく、彼自身にたいする苛立ちのように感じられた。この男はひょっとすると私を嫌いながら、私の持つ何かに憬《あこが》れているのかもしれぬとさえ思った。

鯨の群れが見えた。船内が静まりかえった午後である。使者衆の部屋でも大部屋でも日本人たちは皆、午睡を貪《むさぼ》っていた。けだるい静寂を破るのは、帆綱の軋《きし》む規則正しい音と、刻《とき》を告げる点鐘だけだった。

「鯨が見えるぞう」

と帆柱で見張りをしていた水手《かこ》が叫んだ。その声をかすかに聞いた何人かが皆を起した。船内のすべての人間は甲板に集まった。

数頭の鯨が、暗い波浪の間を、沈み、浮び、沖に向って一直線に進んでいた。波浪の谷間に沈むと一瞬、その姿は消え失《う》せたが、すぐに油を塗ったような黒光りのする背があらわれ、水を高く高くふきあげた。一頭が海にかくれると、そばから別の鯨の背が水煙をあげながら浮びあがる。それらは船など無視して遊び戯《たわむ》れている。その姿が見えるたびに見物しているエスパニヤ人も日本人もひとしく、おお、とどよめきの声をあげた。

「見も知らぬことばかりです」

侍のそばで西九助が嬉《うれ》しげに笑った。

侍は鯨がやがて水平線に姿を消すまで身じろぎもしなかった。雲間から矢束のように陽光が洩《も》れ、鯨が消えたその海の部分をひときわ銀色に赫《かがや》かせている。見も知らぬさまざまのことがかくも多くあるとは侍は考えたこともなかった。世界がかくも広いとも知らなかった。小さな谷戸に住み、そこで育った彼にはそこだけが生き場所だった。殿の御領地だけが考えられる世界だった。だが今、侍の心のなかで少しずつ微妙な変化が始まり、それは漠とした不安とかすかな恐怖とを与えていた。新しい世界に足を踏み入れる。そして自分の心を今日まで支えていたものに罅《ひび》が入り、砂の落ちるように崩れるのではないか、という不安だった。

鯨の群れが視界から遠ざかると甲板に集まった日本人たちはふたたび大部屋に戻りはじめた。点鐘が鳴った。もはや午睡も終り、けだるい無為な時間が夜まで彼らを待っていた。

「大部屋に参り」階段をおりながら西が侍を誘った。

「エスパニヤの言葉を習いませぬか」

ざわめいている大部屋にベラスコがいつものように微笑をうかべながら姿をみせた。その微笑は大人が、何もできぬ幼い子供たちを眺める自信にみちた微笑に似ていた。ベラスコは船内の日本人たちが自分を抜きにしてはこれからの旅の間、何もできぬことをその微笑でいつも示すのだった。

「マス・バラート・ポル・ファボール」

積荷のひとつに手をかけて彼が発音すると、筆を持った商人たちはそれを忠実に紙にうつした。

「ノ・キエロ・コンブラールロ」

奇妙な、しかし熱心な授業は今日も一時間ほど続いた。それが終るといつものようにベラスコは基督《キリスト》の一代記を皆に語りはじめた。

「女ありけり。長き年月、血の病を患《わずら》い、家財、悉《ことごと》くを売りて、あまたの医師をたずねけれど効《かい》もなく、はかばかしゅうはあらざりけり。この頃、イエス舟にて湖より来たり給《たま》いしかば人々おびただしゅう集まりけり。女、イエスのことを聞き、雑踏のかげよりためらいがちにその衣に指をふれたり。そはその衣服に触れなば病いえんと思えばなり。イエスふりかえり、女よ、心やすかるべしと言い給う。女たちまちいえたり」

侍はベラスコの声をぼんやりと聞いていた。今日まで切支丹の教えなどは遠い世界のものだったし、今、こんな話を耳にしても無縁なもののように思われる。侍はベラスコの物語ったあわれな女から、谷戸の女たちをふと思いうかべた。押しつぶされたような谷戸の村々。そこにはそんな病気の女よりも、もっとみじめでもっと悲惨な人間たちがたくさん住んでいた。飢饉《ききん》の時、道端に棄《す》て去られねばならなかった老婆《ろうば》や女たちの話を父はいつも彼にしていたのだ。

商人たちだけが笑いもせず、ひどく神妙にベラスコを見あげていたが、侍は彼らが本心から耳を傾けているのではないこともう知っていた。松木忠作の言うように商人たちは、切支丹の話を心得ておくほうが、やがてノベスパニヤでの商いに都合がいいと考えているからにすぎぬ。

ベラスコは聖書をとじ、朗読が日本人たちに与えた感銘を確かめるように、ふたたびあの微笑をたたえたまま、商人たちを眺めまわした。神妙なそれらの表情の中に、彼はたった一つ、怒ったように自分を見つめている男を見つけた。それは侍の召使であるあの与蔵という男だった。

ベラスコが大部屋から出ていくと、矢立《やたて》に筆をしまいながら商人たちは欠伸《あくび》をし、拳《こぶし》でくたびれた肩を叩《たた》いた。先程の真面目《まじめ》くさった表情はすっかり消え、義務を果したあとのだらしない空気が大部屋に拡《ひろ》がった。ベラスコの立っていた積荷のそばで賽《さい》子《ころ》遊びに興じはじめる者もいた。

「この旅の間、エスパニヤ語を充分学ぶつもりにございます」

西は侍と肩を並べて大部屋を出ながら自分の若々しい希望を聞かれもせぬのにしゃべった。

「やがて御領地の港々に南蛮船の参ります暁にはお城や御重臣がた、通辞を必要とされましょう。私はその仕事をしとうございます」

いつものように侍はこの若者に羨望《せんぼう》と軽い嫉妬《しっと》とを感じた。だが彼は異国の言葉を習うには、西よりあまりに年をとりすぎ、頭も鈍くなっていた。

それぞれの召使が運んできた朝食をとりながら西九助に田中太郎左衛門がまた小言を言っている。西がベラスコの通訳で副船長から羅針盤の使い方を習ったと嬉々《きき》として話した時、急にそれを咎めたのである。

「少しは重々しゅうせぬか。南蛮人たちに軽う見られれば、我ら使者衆の体面を損ねることになる」

驚いたように西は一瞬だまりこんだが、

「なぜでございますか」と言いかえした。「たとえ南蛮人でも学ぶべきことは多うございます。弓矢のみ扱って生きてきた我らに、鉄砲、火薬を伝えたのも南蛮人でございます。使者衆として赴くからには、かの国の良きものを知り、良き智慧《ちえ》を学んでも宜《よろ》しいと存じます」

「悪いなどと言うてはおらぬ」年下の者に思いがけなく口答えされて田中は露骨に不快の色をみせ、「だがお前のように船内を歩きまわり、南蛮人の道具に大仰に驚くのが軽薄だと言うたのだ」

「目新しいものを見れば驚きもいたします。南蛮人の船具なども藩に持ちかえればお役に立つかとも考えております」

「新しいものを取るか取らぬかは、御政道に関わること。御評定所がお考えになる。若輩のお前がいつから御政道に口出しする身になったのか。新しいものならば、何事でも良いと思うのが、まだ若いぞ」

むきになっている田中の横顔が侍に囲炉裏のそばの叔父を思い出させる。体面を何よりも重んじ、他人から侮《あなど》られることをこの上もない恥辱と考え、古い習慣をいつまでも改めようともせず新しい風を嫌うのは藩内の地侍の特徴だが、その特徴を叔父もこの田中も強く持っていた。そして同じような考えが侍にもある。だが侍はそのような土臭い自分がこの船のなかで時には厭《いと》わしく、好奇心にみちた西を羨《うらや》ましく思うこともあった。

「西」

その時、侍の向う側で、食べ終った破籠《わりご》の蓋《ふた》をした松木が西に声をかけた。

「お前は南蛮人たちのいる奥の間に参ったことがあるか」

「はい」

「南蛮人のあの臭《にお》いをどう考える」

「臭い、でございますか」

「俺はこの船に乗ってからあの強い臭いがたまらのう厭《いや》になる。たとえばベラスコがこの部屋にくるたびに時折、強い臭いがただようてくる。南蛮人の臭いだ」

甲板で話しあった日以来、侍は松木の利口ぶった物の言いかたが不快だった。切支《キリシ》丹《タン》にも切支丹の宣教師にも関心はないが、与蔵のために乏しい衣類や寝具を貸してくれたベラスコを見て自分を恥じる気持があった。自分の心では与蔵はやはり下男であり、召使だったが、ベラスコにはそんな差別はないようだった。

「何ごとも悪う見て、何になる」と侍は横から口を出した。「俺も好かぬが……」

「ベラスコの臭いは南蛮人の烈《はげ》しさよ」松木は押えつけるように、「あのような体の臭いをだす男ならばこそ、遠い日本にまで来たのであろう。ベラスコだけではないぞ。南蛮人が大船を造り、世界の国々を渡り歩いたのも、その烈しさからであろう。西、南蛮人の烈しさに気づかず、あの者たちの造り出したものを盗んだとて猿真似《さるまね》にすぎぬ。しかもその烈しさは我らにとって毒になることも忘れるな」

「だがベラスコ殿は」西は当惑したように呟《つぶや》いた。「穏やかな方に思いますが……」

「おのれの烈しさをかくすため、ベラスコは穏やかに見せているのだ。俺にはあの男が切支丹を信ずるのも、おのれの欲望を抑えるためのような気がしてならぬ。日中、陽ざしのなかであの男が一人、歩いているのを見る時、なにやら怖《おそ》ろしいものを感じる」

松木は自分の大声に気づいて苦笑をうかべ、

「ベラスコは御評定所のために我らの通辞を勤めているのではない。おのれの烈しき心を充《み》たすため、この船に乗ったのであろう」

「何を企《たくら》んでおると言うのだ」と田中が聞いた。

「まだわからぬ。いずれにせよ、あの男に巻きこまれぬのが肝要だ」

「お役目を妨げるようなことがあれば」田中は刀に眼をやった。「通辞といえど斬《き》る」

「馬鹿《ばか》な」と松木は笑った。「通辞を斬って、言葉も通じぬノベスパニヤでどのように使者の役をする」

数日前から船は霧のなかに入った。この大海の北を通る船が必ず見舞われる深い霧である。広大な波浪の拡がりはもう灰色の霧にかすみ、甲板に立つと前方は薄幕をかけたようにおぼろで、ただ船員や水手たちの姿が亡霊のように動きまわっている。見張りの叩く鐘の音が二分おきにどこからか聞えてくる。船内はひっそりと静まりかえり、大部屋も使者衆の部屋も、階段から流れこむ霧のため、夜具はもとより衣服も、毎日したためる旅日記の紙も、湿りきって気持が悪かった。

一日に一度配給される水の量が、数日前から減った。使者衆四人にはこれまで手桶《ておけ》二杯の水が与えられていたが、それが一杯になった。幸いにも、二度目の嵐《あらし》は来ず、凪《なぎ》もなく、霧のなかを船は単調に東に進んでいた。

単調な時間を引き裂く事件が起った。船長モンタニオの部屋で時計と金貨何枚かをエスパニヤ人の船員が盗んだのである。船長はベラスコを伴って使者衆の部屋にあらわれ、顔を赤くして、この盗人には刑罰が与えられねばならぬと説明した。

船の刑罰は規則が決っていて、それを実行するのが船長の義務だとモンタニオは言った。たとえば、当直の者が居眠りをした場合、手をくくり、水をかける。それでも癖が治らぬ時は鞭打《むちう》ちの罰を与えるのが船の長い間の習慣だとも語った。犯人は乗り組んだ者全員の眼の前で罰を受けねばならない。だから日本人たちも甲板に出てほしい、とモンタニオは頼んだ。

霧がたちこめた甲板で刑罰が執行された。日本人たちは水手も商人も甲板に集まり、エスパニヤ人の船員たちはそれら日本人と離れた場所で、引きずり出された仲間が帆綱に手を縛りつけられるのを眺めていた。痛さのあまり舌を嚙《か》まぬよう口に布を入れられた犯人は、跪《ひざまず》いたまま背を裸にされた。霧は時折、風に流され、薄まり、また濃くなった。ベラスコも船長のそばに立って、この刑罰をじっと見つめていた。黒い立像のようだった。

霧のなかで鞭の音が鳴り呻《うめ》き声が聞えた。鞭の音は幾度もつづき、やがて霧が風に流された時、罰を受けた男が襤褸屑《ぼろくず》のようにうずくまっていた。皆の視線のなかでベラスコだけが男のそばに走りより、抱きかかえ、その血を自分の衣服で拭《ぬぐ》った。そして彼の体を支えながら船内に連れていった。
侍は言いようのない嫌悪《けんお》感を感じた。彼にそんな気持を与えたのは鞭打ちではなかった。刑罰の執行の間、甲板に出て霧のなかで鞭の鳴るたびに平然と凝視していたベラスコの立像のような姿がまぶたに残っている。そして罰がすむと、気絶しかかった男の血を自分の衣服で拭い、船室に連れていったこの南蛮人の顔も松木の言うように不気味だった。侍にはそのベラスコと、与蔵に衣服を与えてくれたベラスコとが同じ人物であるとは、どうしても思えなかった。

霧は五日たっても六日たってもまだ晴れなかった。帆も甲板もすべて湿気のために腐ったような嫌な臭いを発散し、鐘の音が二分おきにその乳白色の幕のなかで聞える。時折、白い円盤のような陽が覗《のぞ》いてもすぐそれはふたたび次の濃い霧にかき消されてしまう。陽がさすとエスパニヤ人の船員たちは急いで六分儀をかまえ位置を測ろうとした。

霧のなかに入って一週間目に北東からの波のうねりが次第に大きくなった。風下に傾《かし》いだ船の揺れも強くなった。それはふたたび嵐が近づいてきたことを示すものだった。エスパニヤ人の船員と日本人の水手《かこ》たちとが甲板をあわただしく走りまわり、船首と船尾との補助帆を展《ひろ》げる作業にとりかかった。

気圧が次第に低くなってきた。霧が去ると高まった真黒な波浪が四方に現われた。風が帆の音をたて、雨が働いている者たちの体に横なぐりに叩きつけてきた。この前の嵐にこりた大部屋の商人たちや使者衆たちは棚にある行李《こうり》を積荷の上にのせた。夜具や衣類も水浸しにならぬよう積荷の上に固く縛りつけて嵐に備えた。

やがて時折、波が水しぶきをあげて甲板を越えはじめるようになった。傾いだ船の船腹に波が烈しくぶつかり、船骨が軋《きし》んだ。使者衆たちは万一にそなえて柱と柱とに握り綱をわたし、侍も殿の御書状の箱を背に縛って、刀をしっかりと腰にさした。火事を防ぐため、種油をつかった灯はすべて消したのでまだ夜にもならぬのに部屋はうす暗い。

左右の揺れが烈しくなった。積荷までが少しずつその位置を変えはじめた。大部屋では水が流れこんだらしく、商人たちは叫びながら退いていた。積荷の綱にしがみつき竜神に祈るひくい声があちこちから聞えてきた。侍たちは船がかしぐたびに握り綱をつかみ横倒しになるのを避けた。部屋のなかは次第に闇《やみ》が濃くなりはじめた。大部屋のほうから竜神に祈る声がひくく流れてきたが、それがやんでしばらくたった時、突然、大きな悲鳴とも怒号ともつかぬ叫喚が聞えた。船腹の窓が破れ、波が流れこんだのである。波は窓ぎわにいた二人の男を押し倒し、積荷にぶつかった。巻きこまれた者が必死で手をのばし積荷をつかまえた瞬間、部屋の水は船の傾きに従って廊下の方に流れ出た。人々もたがいにぶつかり、積荷に体を打ちつけ、あるいは横倒しになった。この時、すさまじい音が通路の奥から響いた。

もう船長や副船長の指図も聞えなかった。波は山のように盛りあがり、船に襲いかかってきた。

甲板を奔流があらゆるものを巻きこみ、帆柱にぶつかり、渦をつくり、船底におりる階段に狂ったように流れこんだ。波にのまれた水手が命綱に助けられながらやっと立ちあがると次の怒濤《どとう》が襲ってきた。その瞬間、彼の頭はその怒濤のなかに消えた。

使者衆の部屋でも大部屋でも膝《ひざ》までうちよせる水のなかを日本人たちは転び、這《は》い、起きあがり、声をあげた。重い積荷が、まるで魔物でも憑《つ》いたように左右に動く。船長から出された禁止令も忘れ、彼らは甲板に逃げ場所を求めようとして、階段まで出たが、滝のように流れこむ海水にすぐうち倒された。

四時間たち船はようやく嵐の圏外に出た。波は荒いが、もう甲板を越えることはなくなった。その甲板には押し流された船具や無惨《むざん》に折れた柱が手のつけられぬほど散乱している。数人の水手が行方不明で、船内では呻き声があちこちから洩《も》れてくる。大部屋は水をくみ出すまでは使えないので、力を使い果した商人たちは濡《ぬ》れ鼠《ねずみ》になったまま一層下のエスパニヤ人の船員の荷物部屋や食堂や廊下に積み重なるように転がって夜をあかした。誰もが仲間も助ける気力さえなく、それぞれ死人のように壁に靠《もた》れたり、うち伏しているなかをベラスコ一人が歩きまわり、傷ついた者の手当をしていた。

ようやく朝がきた。嵐が去ったあと水平線は奇蹟《きせき》のように薔薇色《ばらいろ》から金色に変った。その空の色が次第に拡がると、海も一面あかるくなった。船腹にぶつかる波の音のほかは何も聞えない。朝の光のなかでひとつの帆を裂かれたサン・フワン・バプティスタ号は漂流する幽霊船のように人影も見えず、点鐘も鳴らさず、まだうねりを残している海を漂っていた。精も根も尽き果てた船員と水手とはそれぞれ、あちこちで体も動かさず眠りこけていた。

昼前、侍は残った力をふるい起し、与蔵以下四人の供を探しに這うようにして濡れた部屋を出た。使者衆の部屋は大部屋と違って階段から離れ、通路の位置より一段高く作られていたから、浸水は受けたもののすぐに流れ出たため被害をさほど蒙《こうむ》らず、殿の御書状がぬれなかったのは天の助けだった。足首をひたすほどの水がまだ残っている通路を通って、一層下におりると、足の踏み場もないほど商人たちが転がっている。侍を見ても彼らには居ずまいを正して挨拶《あいさつ》する力もない。昏々《こんこん》と眠る者もあれば、うす眼をあけて茫然《ぼうぜん》と一点を見つめている者もいる。

積荷をおいた部屋も人々で一杯で、そのなかに侍は与蔵たちのうち伏している姿を見つけた。人々の頭や体をまたいで声をかけると、与蔵、一助、大助は苦しげに身を起したが、清八だけが俯《うつぶ》して動かぬ。昨夜、積荷に胸を強く打ち、一時、濁流のなかで気を失ったのを、三人で引きずり出したという。

「ベラスコさまが、手当をなされ」与蔵はそう言うことが主人に悪いかのようにうつむき、「朝がたまで清八につきそうてくださりました」

この前の嵐のときベラスコが衣類をこの与蔵に貸し与えたことを侍は憶《おぼ》えていた。与蔵もまた今まで知らなかったこの南蛮人が自分のような者にかけてくれた情愛を身にしみて感じているようである。侍はこの時も自分が恥ずかしかった。本来ならば主人の彼が心を遣わねばならぬことをベラスコがやってくれたのである。

与蔵のそばに小さな数珠《じゅず》のような物があった。ベラスコが昨夜、おき忘れた切支丹の数珠だと与蔵は説明した。

「ベラスコさまは」与蔵は悪いものを見つけられたようにおずおずと、「これにて、清八、その他の者のため拝んでくださりました」

「言うておくが」と侍は少し強い声を出した。「ベラスコ殿を忝《かたじけ》のうは思うが、しかし切支丹の教えには耳を傾けるではないぞ」

与蔵たちが黙っているので、侍は周りに寝ている商人たちにわからぬように、

「商人たちが切支丹の話を聞くのは、ノベスパニヤでの取引きのためであろう。あの者たちは取引きのために切支丹の教えも知っておかねばならぬ。だがお前たちは商人ではない。長谷倉の供である限り、切支丹の教えに馴染《なじ》んではならぬ」

こう言った時、彼は急に松木忠作の言葉を思いだしたのである。松木はベラスコの心にはなにやら怖ろしい烈しさがあると言った。その烈しさをかくすため穏やかに見せているのだと言った。そしてあの南蛮人には巻きこまれるなとも言った。侍はその意味がよくわからなかったが、自分の召使がベラスコに心を傾けることを怖れた。

「充分、清八の世話をするがよい。俺のこと、案ずるな」

清八に二言、三言いたわりの言葉をかけたが、返事もできぬようである。人々の体をまたぎ侍は通路に出ると、陽の強くさした甲板に上った。

海はもはや穏やかだった。帆柱の影が黒い。微風が顔にあたった。その風はけだるい体には心地よかった。エスパニヤ人の船員の指図で、ようやく起きあがった水手たちが切れた帆綱を直し、裂けた帆を取りかえている。波はまぶしく光り、時折、その波間を飛魚が飛ぶのが見える。侍はその帆柱の影のなかに腰をおろし、いつの間にか数珠を持ってきたのに気がついた。木の実をあまたつけた数珠の端に十字架がくくられ、その十字架に痩《や》せこけた男の裸体が彫りこまれてある。力なく両手をひろげ、力なく首垂《うなだ》れたその男を見ながら、侍はベラスコを始め南蛮人すべてがこんな人間を「主」と呼ぶのがわからなかった。侍にとって主と呼べるのは、殿だけだったが、しかし殿はこのようにみすぼらしい存在ではなかったし、無気力なお方である筈《はず》はなかった。この痩せこけた者を拝むだけでも侍には切支丹が奇怪きわまる邪宗のように思われた。

恥ずかしい夢を見た。谷戸の湿った暗い部屋で、眠っている子供たちに気づかれぬように妻と重なりあっている夢だった。「もう行かねばならぬ」侍は明日が御評定所の決められた船出の日であるのに、使者衆のなかで自分だけがまだ谷戸に残り、この妻の裸身から離れられないでいるのを情けなく思った。「もう参らねばならぬ」と彼はさっきからその言葉ばかり繰りかえしていた。しかし胸の下でりくは汗ばんだ顔を彼に押しつけてきた。「旅立たれても」と妻は喘《あえ》ぎながら呟《つぶや》いた。「無駄にございますのに。黒川の土地など戻りませぬのに」彼は妻から体を離し、あわてて訊《たず》ねた。「叔父上もそのこと御存知か」そしてりくがうなずくのを見て狼狽《ろうばい》して起きあがった。この時、眼がさめた。

体がよごれていた。嵐のために海水の湿気が残った船室の隅で、鼾《いびき》が高く低く聞えている。田中の鼾である。夢だったか、と侍は吐息をついた。このような夢を見たのは、いつかの松木の言葉がやはり意識の底にあったからだと彼にはわかっていた。侍は松木の話を、今やすらかに鼾をかいている田中にも、西にも語ってはいないが、それは、語れば松木の言葉を認めるような気がするからである。(白石さま、石田さまが、そのようなことをなさる筈がない)侍はよごれた下帯を替えながら自分に言いきかせた。

ふたたび眼をつぶったが、眠れなかった。庭で遊んでいる子供たちの姿と、布を干しているりくの横顔とが鮮やかに瞼《まぶた》に浮んできた。家形《やかた》の一部屋、一部屋も甦《よみがえ》ってくる。眠りに入るために谷戸の風景をひとつ、ひとつ思い出してみた。残雪に覆《おお》われた山や畠《はたけ》とかを……。

二度目の嵐《あらし》でサン・フワン・バプティスタ号は、かなりひどい打撃を受けた。一つの帆と一隻《せき》のボートを失い、船内にかなりの水が浸水し、甲板には嵐によって破壊された船具が散乱している。私も額に傷を負ったが、これは大したことではない。エスパニヤ人の船員たちも日本人の水手たちも、一日中、水を汲《く》み出すのに大童《おおわらわ》である。だが九十三年前にフェルディナンド・マゼラン船長とその船が我々と同じ太平洋で味わった苦しみに比べれば物の数ではない。マゼランたちは食糧もなく、水も腐敗して、船内の鼠も食べ、木の屑までも口に入れたと聞いている。幸い我々はまだ水樽《みずだる》を持ち、食べ物も不足はしていない。ただ昨夜の嵐で数人の日本人の水手を海に失い、大部屋には怪我人《けがにん》や病人も出ている。朝方まで私は通辞としてではなく、神父として、呻いている日本人たちの手当に歩きまわった。

怪我人のなかでとりわけ重態なのは弥平という年寄りの商人と、長谷倉の従者、清八との二人である。共に積荷に胸をつぶされ、弥平は血を吐いた。清八は肋骨《ろっこつ》を折ったに違いない。私は二人に葡萄酒《ぶどうしゅ》を飲ませ、湿布をしたが、ほとんど口もきけず、衰弱していく。彼らがノベスパニヤまで保《も》つかどうかも心配だ。

日本を出発して一ヵ月しか経《た》っていないのに、もう数ヵ月も船旅をしている気持だ。十三年前にはじめて東洋に来た時の船中生活に比べても、そう変らないのに、心の落ちつかぬのは、私の計画が一日も早く実現するよう、あせっているからかもしれぬ。

夜、波静かな甲板で祈りを終えたあと、いつものように自分がなぜ、日本にふたたび戻りたいのか、あの国になぜ、かくもこだわるのかを、まるで他人の不思議な心でも眺めるように嚙みしめた。それはあの日本人たちが他の東洋の国々の民族よりも、宗教心に篤《あつ》く、真理を悟る理解力を持っているからではない。それとは逆に、日本人ほど他国の人間より優れた理解力や好奇心を持ちながら、現世に役立たぬもの、無用なものを拒絶してきた民族は世界にいないだろう。彼らは、我らが主の教えに一時は耳を傾けるふりをしても、それはこの教えよりも、戦いや富に役立つものが欲しかったからにすぎぬ。私は幾度、あの国で絶望の感情を味わわされたことだろう。日本人の現世利益《りやく》の感覚は鋭敏すぎるほど鋭敏だが、永遠の感覚はひとかけらもない。にもかかわらず、そういう日本と日本人とは私の布教欲をかえってそそるのだ。私がふたたび日本に戻るのを使命としているのは、扱いにくい猛獣をならすようにあの国で受けるこうした困難をひとつ、ひとつ征服したいためにちがいない。私の体内には西印《にしイン》度《ド》諸島の征服に従事し、ドン・カルロス王の寵愛《ちょうあい》を受けた祖父の血が流れている。母方の大伯父であり、パナマ諸島の総督になったバスコ・バルボアからも血を受けている。一族の名誉である先祖は船と剣とでこれらの島々を支配したが、この私も主の教えによってあの日本を征服してみたいのだ。祖父や大伯父から受けついだあの血は私の体のなかにもあり、そして主はその血を日本のために使おうとされているのだ……。

月があかるい。夜の海が光っている。十時には必要な場所以外の灯はすべて消すことになっているが、月光に照らされた甲板では船具のひとつ、ひとつがはっきりと浮びあがって見える。（主よ、私をあの国のために必要なる指揮者としてください。主がその血を人間のために使われたように、わが血を日本のためにお使いください）

真夜中、二人の怪我人の容態は更に悪くなった。浸水した大部屋の半分をやっと排水し、寝起きするに耐えるようになったので、中層の通路で生活していた日本人たちの半分が戻っていったが、この二人は動かすことができない。

昼すぎ、商人の弥平が亡《な》くなった。そしてそれを追うように長谷倉六右衛門の従者の清八も息を引きとった。日本人たちは二人を囲み、周りで経文を唱え、我々の言う天国《パライソ》に相当するゴクラクの模様を臨終前の怪我人の耳もとで言いきかせた。これが彼らの習慣だからである。清八につきそった仲間の下男たちは見るも哀れなほど沈みこんでいたが、主人の長谷倉は眼に泪《なみだ》をためながら布子《ぬのこ》という衣服を死者の体にかけて経文を唱えつづけていた。使者たちのなかでも見ばえのしないこの男は召使たちには心やさしい主人のようだ。

船長の指図で二人の死体は海に流すことになった。この前の刑罰と同じように日本人たちすべてが甲板に集まり、エスパニヤ人の船員も列をつくった。午後の海は滑らかで、物憂《ものう》いくらいだった。普通ならば船長あるいは同乗の神父が祈りを唱えるのだが、船の日本人たちはすべて基督教徒《キリストきょうと》ではないのでモンタニオも私も彼らに式を任せた。

商人の一人が仏教の知識があるらしく、私にはわからぬ呪文《じゅもん》のような経文を唱え、一同がそれに和し、二人の死体が海に投げこまれた。死体は波間に吸いこまれて消え、物憂い海は何事もなかったように沈黙していたが、人々が甲板から立ち去ってからも、長谷倉とその供の者だけが長い間、船端に立っていた。そして与蔵一人を残して彼らも船底におりたあと、その与蔵が好奇心からそれを眺めていた私に近づいてきた。

「清八のための念仏」与蔵は怯《おび》えたように小声で言った。「お願い致しまする」

驚いた私はこの男の真意を探るためにわざと言った。

「切支丹の祈りは切支丹のためにあるもの、お前さまたちには、その祈りは迷惑であろう」

与蔵は寂しそうに私を見つめた。私は彼が何かを言おうとして言えぬのを察し、死者のための祈りをラテン語で唱えると、この男も指を組み、海を見つめて口を動かしていた。

死者に安らかな憩いを与えられんことを《レクイエスカント・イン・パチェ》
主は汝と共に汝の霊と共にあれよかし《ドミヌス・ボビスクム・エトクムスピリトゥトゥオ》
永遠の安息を彼に与えたまえ《レクイエム・エテルナム・ドナエイス》

死者たちを呑《の》みこんだ海は何事もなかったように静かで、飛魚が波間を飛んでいた。帆綱の音が単調に鳴り、水平線の向うに金色にふちどられた雲が拡《ひろ》がっていた。

「わしは」と与蔵が呟いた。「切支丹の話を聞きとうござります」

驚いて私は彼の顔を見つめた。
この日、我々の船はようやくその航海の半分を終えていた。

第四章

船は漂流船のように傷《いた》み、日本人たちは疲れていた。水は不足し野菜の欠乏から壊血病にかかる者も出た。

六十日を過ぎた頃、鴫《しぎ》に似た鳥が二羽、飛んできて帆柱にとまった。エスパニヤ人の船員や日本人の水手《かこ》たちは歓声をあげた。鳥が飛んできたのは、陸地の近いことを示しているからである。嘴《くちばし》の黄色い、羽が茶と白のこの鳥は、ふたたび船端をかすめて姿を消した。

夕方、左に山影が点々と見えた。メンドシーノ岬である。岬には港がないため、船は沖合遠くに停泊し、ボートに五人のエスパニヤ人の船員と五人の日本人の水手とが乗りこみ、飲料水と食糧の補給を行ったが、モンタニオ船長は危険を理由に他の日本人たちの上陸を許さなかった。

翌日ふたたび南下した。水と野菜とを得た船客たちは生きかえったように元気づき、久しぶりで波穏やかな船旅を楽しむことができた。メンドシーノ岬を離れて十日目の朝、彼らは樹々《きぎ》に覆《おお》われた陸岸が遠くに続いているのを見た。それが日本人たちの最初に見たノベスパニヤの陸地だった。甲板に集まった日本人たちは声をあげ、なかには泪《なみだ》を流す者さえあった。日本を離れてまだ二カ月半近くしか経《た》っていないのに、もう長い間、旅を続けたような感慨が彼らの胸にこみあげてきた。一同は、たがいに肩を叩《たた》きあい航海をどうやら切り抜けたことを悦《よろこ》びあった。

翌日、船は陸に接近した。暑さはかなり厳しい。強い陽差しが、うち続く真白な浜に照りはえ、浜の背後の丘陵には見たこともない樹が整然と植林されている。エスパニヤ人の船員たちにきくと、この樹はオリーブといい、果実は油をとり食料にするという。陽に焼けた上半身裸の原住民の男女がオリーブ林のなかから駆けてきて騒いでいる。

小島が小さく見えてきた。近づくにつれ鬱蒼《うっそう》と樹々に覆われたこの島の崖《がけ》に波がぶつかり砕けているのが見える。海鳥が飛んできた。ゆっくりとその島を迂回《うかい》すると岬がその背後からあらわれた。岬にはすべてオリーブが茂っている。

「アカプルコ」

狂喜した叫びが帆柱の上からひびいた。帆柱にのぼっていたエスパニヤ人の船員が、入江を指さしている。その途端、甲板に集まったエスパニヤ人も日本人もいっせいに悦びの声をあげた。その声に驚いて海鳥の群れが空に舞いあがった。使者衆たちは一列に並び、入江と左右の岬とを凝視していた。生れて初めて見る異国の港である。生れて初めて上陸する異国の土地である。田中太郎左衛門と侍との顔は緊張で強張《こわば》り、西九助は眼をかがやかせ、松木忠作も腕をくんだまま、怒ったような表情をしていた。入江は静かだった。波はない。出発した月ノ浦よりもっと広い湾だが、なぜか他の船は見えない。入江の向うに砂浜がひろがり、その奥に白い建物がひとつある。白い建物は銃眼のある塀にかこまれているが、誰の姿も見えぬ。船は停止した。

エスパニヤ人の船員たちが跪《ひざまず》いた。ベラスコが上甲板にあがり、彼らに向って十字を切った。日本人の商人のなかにもそれに習って指を組みあわせる者がいた。

ホサナ、主の御名《みな》によりて来《きた》る者に、祝福あれ。

ベラスコの祈る声に、海鳥の鋭い鳴き声がまじった。海風が人々の頬に心地よく当った。祈りがすむと船長、副船長、ベラスコの三人はボートをおろして、上陸許可を求めるため、浜に向った。

彼らが戻ってくる間、船客は、暑くるしい風景をぼんやりと眺めていた。陽光は入江と浜とを重く抑えつけている。静寂が日本人たちをひどく不安にさせた。なぜか自分たちが歓迎されていないように感じられた。

船長たちは長い間、浜に戻ってこない。別のボートに二人の船員が乗り、様子を聞きにいった。陽光はじりじりと甲板に照りつけ、たまりかねた日本人たちはふたたび船内に引きあげていった。三時間ほどたって、上陸が許されるのはエスパニヤ人の船員だけだという知らせが入った。アカプルコの要塞《ようさい》司令官は不意に訪れたこの日本船に上陸許可を与える権限を持たず、メヒコ（メキシコ・シティ）にいるノベスパニヤの総督に使いを出したとのことである。

不満の声がいっせいに起った。使者衆たちも商人も、船旅の間、この国に来ればすべての準備が整い、悦んで迎えられ、万事が順調に運ぶものといつの間にか信じていた。彼らにはなぜ、日本人だけが船に残されるのか事情がわからなかった。

夕暮、暑かった陽差しが翳《かげ》り、ようやく微風が甲板に吹き、小さな鳥の群れがかたまって飛びまわる頃、船長たちが戻ってきた。日本人たちは使者衆を代表にしてベラスコに事情の説明を求めた。

「案ずることはございませぬ」とベラスコは例の微笑をたたえた。案ずることはございませぬ、という言葉も彼の口癖だった。「明日には皆々さまも陸にあがれましょう」

「殿はエスパニヤの方がたのため、大船を造り、ここまでお送り申した」と田中太郎左衛門は承服しなかった。「我らを粗略にされることは、その殿と御評定所とを侮《あなど》られることと心得られよ」

「だがその殿と御評定所とは」

ベラスコは微笑を消さず、

「ノベスパニヤに着かれてからは、このベラスコの指図に従うよう皆々さまに仰《おお》せられております」

翌日、エスパニヤ人の船員たちが先に上陸した。そして司令官が原住民のインディオにボートを漕《こ》がせ、日本人とその船荷とを浜に運ばせたのは昼すぎだった。浜には銃を持った要塞の兵士が並び、次々とおりる異様な風態《ふうてい》の商人や使者衆たちをこわそうに見つめていた。

使者衆四人は船長、副船長そしてベラスコに伴われ、威儀を正してオリーブの山に囲まれた要塞に向った。要塞は漆喰《しっくい》でかためられ、銃眼のついた塀に囲まれていた。その塀のくぼみにはさまざまな形をした植木鉢が置かれ、炎のような赤い花が咲きほこっている。

兵士の守る門をくぐると中庭がある。中庭を囲んで建物が四方に並び、その要所、要所に警備兵が二人ずつ立っていた。使者衆たちは黙って通廊の石畳を歩いたが、どこからか花の匂《にお》いがただよい、蜂《はち》の羽音が聞えてきた。もちろん殿のお城に比べればあまりにも貧弱で、城塞というよりは砦《とりで》という感じがした。

司令官はかなりの老人で、使者衆たちを執務室の前まで迎えにきた。彼は四人にはわからぬ言葉で長々と挨拶《あいさつ》をおこない、それをベラスコが訳している間、不躾《ぶしつけ》な眼で四人の日本人をじろじろと眺めまわした。ベラスコの通訳したこの男の挨拶は大袈裟《おおげさ》な感謝の言葉を連ねてはいたが、しかし彼の当惑したような視線で侍は自分たちが悦んで迎えられているのではないと、はっきり、わかった。

挨拶が終ったあと、昼餐《ちゅうさん》に招待された。食堂には司令官夫人と何人かの士官たちとが待っていたが、船長やベラスコに伴われた日本人たちを珍しい獣でも見るように見つめ、気づかれぬように顔を見あわせた。田中太郎左衛門は恥をかくまいとして怒ったように肩をそびやかせ、西九助ははじめて使うナイフやフォークを床に落した。食卓ではベラスコの通訳で遠い日本という国の模様を儀礼的に四人の使者衆にたずねていた司令官夫妻も、しばらくすると自分たちだけの会話を続け、その間、言葉のわからぬ四人はぽつんととり残されていた。

疲れ果てて帰船した。アカプルコには日本人たちを泊める宿舎も修道院もなかったから、上陸していた商人たちも大部屋に戻っていた。使者衆たちは自尊心を傷つけられ、不機嫌だった。夕陽は強く船室の窓から差しこみ、部屋は暑い。部屋に入るなり田中はまず西が軽々しかったと叱《しか》りつけたあと、自分たちが南蛮人から粗略に扱われたと繰りかえし、その責任はベラスコにあると罵《ののし》った。

「ベラスコは、御評定所の御意向、殿のお気持をしかと伝えなかったのであろう」

「ベラスコを罵ってもはじまらぬ」松木が例によって、わけ知り顔に、「初めから、わかっていたことだ」

「何がわかっていたのだ」

「ベラスコの気持よ。考えてもみよ。事が素直に運べば、あの男には都合わるい。通辞としての働きが少ないからだ。だが万事が難渋すれば、それだけベラスコの出場所も多くなる。ベラスコのおかげで使者衆の役目も果せたとなれば、御評定所もあの男の言い分を無下《むげ》には拒めまい。あの男は策士だ」

田中が当り散らすのも、言いようのない不安を抑えきれぬからである。侍も田中と同じようにその不安な気持を感じていた。ここの司令官には殿の御書状を受領し、日本の商人との取引きを許可する権限のないことはわかったが、今日、半日の雰囲気でこのノベスパニヤの国が自分たち日本人の渡海を決して悦んではおらぬことが推量できた。この状態で総督のいるメヒコという都に向っても、今日と同じ扱いを受けるだけかもしれぬ。殿の御書状は突き返され、商人たちはふたたび荷を船に戻して帰国せねばならぬかもしれぬ。そうなれば使者衆は面目を失い、旧領を戻して頂く望みなど、とても叶《かな》わなくなるであろう。いや、それよりも松木の言うようにこれを理由に召出《めしだし》衆《しゅう》全部にきびしい御処置があるかもしれぬのだ。

翌日になった。昼まえ司令官の用意してくれた馬に、ベラスコと船長と副船長、それに使者衆たちが乗り、それぞれの供の者が槍《やり》と旗とを持ち、徒歩の商人たちと荷を積んだ馬車とを従えてアカプルコを出発した。見送る要塞の兵士たちが空砲を撃つなかを、この異様な行列は進みはじめた。

初めて見るノベスパニヤの風景は、まぶしく、暑く、白かった。遠くに塩をまき散らしたように花崗岩《かこうがん》が点在する山が続き、眼前には巨大なサボテンのはえたひろい荒野が拡《ひろ》がっていた。泥をこね、木の葉と枝とで屋根をふいたあわれな農家が見えた。原住民のインディオの家である。裸にちかい少年が行列を見ると急いで家にかくれた。その少年が連れていた数頭の黒い毛の長い獣に日本人たちは驚いた。彼らはこんな動物もサボテンも知らなかった。

花崗岩の山が続く。陽差しはいつまでも強い。馬にゆられながら侍はあの谷戸を思い出す。谷戸も貧しいが、しかし、ここの貧しさは別だった。谷戸には緑があり、畠《はたけ》があり、小川が流れていた。しかしここには水はなく、針をもった瘤《こぶ》だらけの植物が生えているだけだった。西がそばで声をかけた。

「このような景色、はじめて眼にしました」

侍は肯《うなず》いた。自分は限りなく広大な海を渡った。そしてこの馴染《なじ》めぬ荒野を旅している。すべてが夢のようである。本当に自分は、父も知らぬ、叔父も知らぬ、妻も知らぬ国に来たのだろうか。夢ではないのかという思いが、胸にこみあげてきた。

十日目の昼ちかく、村が見えた。山の斜面に米をまいたように漆喰づくりの家々が散らばり、真中には教会の尖塔《せんとう》が突き出ていた。

「あの村は」とベラスコが馬上から指さした。「神の御心にかなう村でございます」

ベラスコの話によると、それは原住民であるインディオたちのために作られた新しい村で、インディオたちはこの村でエスパニヤ人の司祭のもとに基督教《キリストきょう》の教えを学び、土地をふくめてすべてを共有して生活しているのだという。このような村はノベスパニヤではレドゥクシオンと呼ばれ、あちこちに、今、あまた作られているのだという。

「村の長《おさ》も村の者が選び、公役《くやく》もなければ軍役もございませぬ。パードレたちが折々に訪れ、神の御言葉のほか、牛馬を飼う術《すべ》、機を織る業《わざ》、エスパニヤの言葉など、さまざまなことを教えます」

ベラスコは日本人たちの反応を探るようにそこで皆を見まわした。このような村はベラスコがノベスパニヤで日本人に見せたいものの一つだった。支配者の公役も軍役もなく、ただ神の教えを守って清貧と労働とに生きる村をベラスコはいつか日本に作ることを考えていたからである。だが、朝からの旅でくたびれた商人たちはその白い村にただ興味も好奇心もない眼をやった。やがて村に入ると辮髪《べんぱつ》を肩までたらした村人たちが怯《おび》えたように石畳の隅で立ちどまり、侵入してきた日本人を見つめた。犬が吠《ほ》え、山羊《やぎ》の群れが鳴き声をあげて逃げ散った。広場の泉で日本人たちが水を飲み、汗を拭《ふ》いていると、一人の年寄りがベラスコに連れられてきて挨拶をした。

「村長《むらおさ》を連れて参りました」

ベラスコはこのインディオの老人の肩を押して日本人たちの前に出した。彼だけが他の村人とちがって縁のひろい藁《わら》の帽子をかぶり、緊張した子供のように体を硬くしていた。

ベラスコは公教要理を子供に復誦《ふくしょう》させる神父のように訊《たず》ねた。

「この村ではすべて信徒であろうか」

「はい《スィ》、パードレ」

「お前たちは、お前たちの祖先の間違った邪宗を棄《す》て、まことの神《デウス》の教えを聞いたことは倖《しあわ》せであろうか」

「はい、パードレ」

ベラスコは自分の質問と村長の答えとをひとつ、ひとつ日本語に訳しながらこの問答を続けた。

「お前たちは、ここに来るパードレたちから何を習ったのか」

「はい、パードレ。読むことと書くことを。エスパニヤの言葉で話すことを」村長は眼を伏せたまま、暗誦した言葉を呟《つぶや》くように答えた。「それから、種まき、畠の耕し方、皮のなめし方を」

「そのことにお前たち全部は悦《よろこ》んでいるだろうか」

「はい、パードレ」

村のどこかで鶏が鳴き、裸の子供たちがこわごわと広場の隅から裁きに似たこの光景を眺めていた。

「私たちは」ベラスコは日本人たちの方に向きを変えた。すると彼の脇《わき》の下から甘ずっぱい強い臭気が漂ったが、ベラスコはそれに気づかなかった。「このような神の村をノベスパニヤにあまた作りました。切支丹《キリシタン》になったインディオたちは皆、倖せでありましょう」

それから自分たちの友愛と慈悲とを示すようにこの老人の肩に手を置いて、

「日本人を見るのは初めてであろう」

「ノ、パードレ」

ざわめきが起った。ベラスコの通訳を待たないでも、ノ、パードレという言葉は日本人にも理解できたのである。自分たちより前に遠いこの国に日本人が来たとは信じられないことだった。体を拭いていた者も水を飲んでいた者も一斉にベラスコと老人との争うような会話に耳を傾けた。

「村長《むらおさ》は支那人《しなじん》と日本人との区別も知りませぬ。支那人かもしれませぬ」ベラスコは肩をすくめた。「だが、二年前、この村にエスパニヤ人の神父《パードレ》と日本人の修道士《イルマン》とがやって来たと言っております。その日本人は自分たちに稲をつくることを教えたと……」

「名を聞けば」と誰かが声をあげた。「名を聞けば日本人か支那人かがわかりましょうに」

叱られた子供のように村長は首をふった。それ以上、訊ねても無駄だった。老人はその日本人の修道士《イルマン》がどこの修道会に属しているのか、メヒコから来たのかどうかさえも憶《おぼ》えてはいない。

陽が翳らぬうちに出発せねばならなかった。村長はトルティーリアとよぶ煎餅《せんべい》のような形をした玉蜀黍《とうもろこし》のパンに豆腐のようなチーズをはさんだ食べ物を日本人たちに振る舞った。それは異様な臭《にお》いがして呑《の》みこむのも辛《つら》かった。

ふたたび行列を作って山をおりた。さっきと同じような単調な風景がまたはじまる。見棄てられた墓標のように竜舌蘭《マゲイ》やサボテンがつよい陽差しのなかで乾ききった地面に直立している。遠くに禿山《はげやま》がかすんでいる。汗ばんだ顔に音をたてて羽虫が寄ってくる。

「まことに日本人が」虫を手で追いながら西九助は侍と田中太郎左衛門に、「どこかにいるのでしょうか」

「会いたいものだ」と侍は広い台地を見まわし、「だがこの旅は物見遊山《ゆさん》ではない。まわり道をするわけにはゆかぬ」

二時間ほど進んだ時、すぐ間近の禿山から黒い煙が真直《まっす》ぐに立ちのぼった。船長とベラスコとは手をあげて行列をとめ、しばらくその煙を見つめた。と、別の一角からも同じように煙があがった。辮髪で上半身裸のインディオが一人、獣のように岩から岩へと逃げるのが小さく見えた。

行列はのろのろと動きはじめた。禿山をひとまわりすると、屋根を焼かれ、泥をこねた壁だけが残っている小屋が十数軒あらわれた。火事にでもあったのか、壁は焦《こ》げ、焼けた裸の樹《き》が黒々と残っていた。人影はひとつも見えない。

「タスコと申す町に参るつもりでしたが」とベラスコはこの荒涼とした光景を眺めると日本人たちに言った。「次のレドゥクシオンを今夜の泊り場所にいたします」

そして彼は例の自信ありげな微笑を浮べた。その体からまた強い体臭が臭った。

「先ほどの煙は、エスパニヤ人に馴染まぬインディオたちの合図に思われます。七日の後にはメヒコに着くことができましょう」

一夜をイグアラの村で送った。道中、山の上にインディオの合図の煙を見たからである。このインディオたちは我々エスパニヤ人を憎み、神を知らぬ野蛮な部族たちである。万一を警戒して私たちはタスコには寄らず、一週間後、雨あがりのメヒコに入った。

丘の上からメヒコの町が見えた時、日本人たちは黙っていた。好奇心の強い商人たちさえ騒ごうとしなかった。アカプルコで受けた冷遇が彼らをすっかり沮喪《そそう》させ、彼らのなかに拡がっている不満を私は感じた。それでも使者たちは召使に槍と旗とを持たせて行列をつくりなおした。

城門に入った時、雨あがりの門前の広場にはちょうど市《いち》がたち、買物をする男女が集まっていた。その連中ははじめて眼にする日本人の行列に驚き、商売や買物を忘れてあとを追いかけてきた。

我々は迎えにきた我が修道会の兄弟たちに出会い、彼らに連れられてサン・フランシスコ修道院に到着した。暑い低地からこの高地まで登ってきた日本人たちはすっかり疲れていた。酸素の稀薄《きはく》なメヒコの空気に息苦しさを訴えたり、眩暈《めまい》を起したりする者も出て、食事（エスパニヤの食事は彼らの口に合わぬらしく仏教が禁じている肉は避け、魚と野菜とを食べるだけである）のあと、早々とそれぞれの寝室に引きあげていった。使者たちも疲労の色が濃く、夕食後、グワダルカサル修道院長やわれらの兄弟に恭《うやうや》しく頭をさげると部屋に戻った。

「さあ」彼らが去ると、素早く修道院長が眼くばせをした。「話がある」

祈禱台《きとうだい》と藁布団《わらぶとん》と壁に十字架をかけただけの部屋に入ると、彼はかくしていた困惑の表情をはじめて見せた。

「我々はあなたのため、できるだけのことはした。だがアクニヤ総督はまだ日本の使者との引見を承知してはいない」

彼はアカプルコの司令官に托《たく》した私の手紙に従って日本の使者が相応《ふさわ》しい待遇を受けるよう議員やメヒコの有力者に働きかけてくれた。だが総督はまだ使者との公式な謁見《えっけん》をためらっているという。

「それは……」と修道院長は深い溜息《ためいき》をついた。「あなたの考えに反対する者がいるからだ」

「存じております」

反対をする者が誰かは聞かなくても明らかだった。それはマニラのエスパニヤ人の商人たちと取引きをしているここの貴族と貿易業者たちとである。彼らは日本がマニラを経由せず、直接、ノベスパニヤと貿易をすれば、自分たちに利益があがらぬことを怖《おそ》れているからだ。いや、その背後には私たちの会の日本進出を悦ばぬペテロ会があることを修道院長も既に知っている筈《はず》だ。

「彼らはあなたが提出した請願書は……嘘《うそ》にみちたものだと言っている」

「どの点で……」

「あなたは日本の王が進んで宣教師を迎えるだろうと書いた。だがマニラからの報告によれば、日本人は基督教を悦ばず、あなたは事実を歪《ゆが》め……」

「あの国の政情が不安定であることは確かです」私は思わず大きな声をだした。「大きな内乱があり、朝鮮まで遠征した権力者の一族が勢力を失い、あたらしい将軍が今、力を持ちはじめています。しかしその将軍の保証がなければ我々がこのような航海をしてメヒコまで参ることはできなかったでしょう」

「日本のことは……」修道院長は私をいたわるように微笑をうかべ、「我々よりあなたのほうが知っている。あなたがそうだと言うなら……我々はそれを信じよう」

人のよい修道院長は、私が笑い者になり嘲《あざけ》られることだけを案じてくれた。気の弱そうなその顔は私に、日本に残してきた同僚のディエゴ神父を思い出させた。いつも泣きはらしたように赤い眼をしていたあのディエゴ神父は今も江戸に残っているだろうか。

修道院長の部屋を出て私は与えられた自分の部屋に戻り、蠟燭《ろうそく》に火をつけ、肉欲に負けぬために手首を縛った。反対派の策謀は私にも予想できたことである。すべてが初めからうまく運ぶとは思っていなかった。たしかに日本ではペテロ会の連中が言うように、基督教徒への迫害があり、内府や将軍は布教を悦んではおらぬ。だからといって我々が後退し、あの国を悪魔や邪宗に任せていい筈はないのだ。布教は外交と同じである。異郷の征服とも似ているのだ。外交のように布教も、術策を弄《ろう》し、駆引きを行い、時には威嚇《いかく》し、時には妥協すること——私はそれが神の教えを拡《ひろ》げるためならば、いまわしい汚れた行為だとは必ずしも思わない。布教のためには眼をつぶらねばならぬこともある。このノベスパニヤも征服者コルテスが一五一九年に上陸し、わずかの兵士で無数のインディオを捕え殺した。その行為が神の教えから言って正しい行為とは誰も思わぬ。しかしその犠牲の上で、現在、多くのインディオたちが我らの主の教えに触れ、その野蛮な風習から救われ、道を歩みはじめた事実も忘れてはならぬ。インディオたちを悪魔の風習のままに放っておくか、多少の悪には眼をつぶっても神の教えを彼らに伝えるべきか、軽々しくは誰も判定できまい。

総督が私の請願書の内容を疑い、そして日本の使者たちとの謁見を躊躇《ちゅうちょ》しているならば、こちらは彼を安心させるように術策を弄さねばならぬ。切札の一つを船で準備してきた。

私は策を弄した。この三日間、使者を連れて私はメヒコの有力者たちを訪ねまわったが、それは物乞《ものご》いをする乞食《こじき》のようでもあった。美食で肥《ふと》りきった大司教ははじめは愛想よく我々を迎え、日本人特有のむっとした顔で黙りこくっている使者四人を好奇心のこもった眼で眺めた。心臓が悪い彼は時々、肉のあつい手で胸を押えながら日本について形式的な質問をしたが、この東方の国について関心のないことは明らかだった。

言葉のできぬ日本人たちに代って、私はまるで代弁者のように、あの国との貿易がノベスパニヤのためにいかに有利であるかを力説せねばならなかった。たとえば、セビリヤから毎年、アカプルコに送る船具、弾薬、釘《くぎ》、鉄、銅は、日本からは甚だ廉価《れんか》で得られるし、日本人はノベスパニヤでは価格の安い生糸、ビロウド、羊毛を高く買いたがっている。更にノベスパニヤの鉱山で必要な錫《すず》は日本の長崎、平戸、薩摩《さつま》で多量に得られること、また、もしノベスパニヤとの通商が挫折《ざせつ》すれば、日本との貿易はオランダやイギリスによって独占される不利をも次々と力説してみた。

「だが日本では」大司教は顔から笑いを消し、手で胸を押えながら、「十七年前、基督教徒の迫害をはじめた。それは今日でも続いているとも聞いている。その国にエスパニヤ人の宣教師を送ることができるだろうか」

このノベスパニヤにまでも一五九六年の長崎における二十六人の殉教が知れわたっていることは私も知っていた。

「事態は改善されています」と私は弁解した。「あたらしい日本の権力者は、貿易と布教とを切り離す非を悟り、これら使者たちの主人に命じ、その領内だけには基督教を認める許しも与えました。その領内で貿易が栄えれば、他の貴族たちもそれに倣《なら》って宣教師を歓迎するでしょう。事実、私と共に海を渡った日本の商人たちは、進んで、神の教えに耳を傾けているのです」

私はそう言って、大司教の反応をそっと窺《うかが》った。

「洗礼を受けるつもりなのか、彼らは」

私が出した切札に、はじめて大司教は興味を起したように椅子《いす》から立ちあがった。

「受けると信じております」

「どこで、いつ」

「このメヒコで、間もなく」

我々の会話がわからぬ四人の使者たちは、相変らず無表情な顔で直立していた。彼らがエスパニャ語の我々の会話を理解できぬのが私には幸いだった。

「なにとぞこの使者たちにも祝福をお与えくださいますよう」

大司教はぶあつい手をあげて日本人たちに祝福を与え、使者たちは何もわからずその祝福を受けた。私は美食で肥ったこの大司教が、明日にでもメヒコの有力者たちにこの日本人受洗の話をするのを狙《ねら》ったのである。話が拡がれば、日本についての悪《あ》しき判断はきっと緩和されるにちがいない。その意味で私は伏線をはったのだ。

訪問を終え修道院に戻ってから商人たちを集めた。

「アカプルコまで運ばれたお前さまたちの荷は近くメヒコに届きましょう」

悦ぶ彼らに、私ははっきりと、その荷を売り捌《さば》くことは困難だと教えた。それは日本での切支丹迫害がこの地の人々にも伝わっており、メヒコの有力者たちは日本人にたいして良い気持を持っていないからだと説明した。そして動揺する彼らに背を向けて部屋に戻った。

私が姿を消したあと、商人たちは互いに何かを談合していた。その談合が何であるか私にはもうわかっていた。彼らの答えを私は祈りながら——そう、祈りながらじっと待っていた。間もなく、あの歯の黄色い商人が——彼は船内で自分だけにノベスパニヤでの取引きの特権を与えてくれと申し込んできた男だが――数人の仲間と部屋におずおずとやってきた。

「パードレ」と歯の黄色い男はおもねるような薄笑いを浮べ、「パードレ、皆の衆は切支丹《キリシタン》に帰依《きえ》したいと申しております」

「なんのために」と私の声は冷たかった。

「切支丹の教えは有難きものとわかりましたゆえ」

彼は口ごもり、くどくどと自分たちの気持を説明した。私の思い通りになったのである。自分がとったこの術策が多くの善良な基督教徒から非難されることは知っている。だが日本を神の国にするためには並みの手段では叶《かな》わぬ。たとえこの商人たちが利のため、取引きと商いとのために、主と洗礼とを利用したとしても、神は洗礼をうけた彼らをお見棄《みす》てにはならぬであろう。一度、主の名を口にした者を、主は決して放し給《たま》わぬからだ。そう私は信じたいのである。

予想していた通り、いや、私が計算していた通り、日本人たちが洗礼を受けるという知らせは大司教から有力者たちに、修道士の口から口に、メヒコの町中に拡がった。この数日、私は会う人ごとにそのことを訊《たず》ねられる。噂《うわさ》が総督の耳にまで入ることを、今、私は蜘蛛《くも》がその巣に餌《えさ》のかかるのを待つようにじっと待っている。そしてこのメヒコの人々の好奇心と満足とのなかで、日本人たちは華々しく洗礼を受けるであろう。そして更に……そのような業績を人々に示したこの私が日本の司教として相応しい人物であることも悟らざるをえまい。

(主よ、私のとったこの行為は卑劣でしょうか。いつの日か、あの国にあなたを讃美《さんび》する唄《うた》が流れ、信仰の花が開くため、私はこのような嘘をつき、策を弄しました。だが、そうした術策をも使わねばならぬほどあの日本の土地はあなたの種が芽ばえるには固いのです。誰かが手を汚さねばならぬのです。手を汚す者が他にいない以上、あなたのために私は泥まみれになることを決して厭《いと》いませぬ)だが何故、私はこれほどあの国とあの国の人間たちとに執着するのか。この世界にはもっと布教の容易な国々がある。にもかかわらず私が日本にこだわるのは、一族が抱いた、遠い島、遠い大陸を征服しようとする野望と同じ血が、我が体内に流れているためだろうか。(日本《ハポン》よ、お前が私にとって手ごわい国であればあるほど、私の闘志は昂《たかぶ》り、お前しか、この世界にはないと思うほど日本に執着しているのだ)

されば神の国とその義とを求めよ。聖ミカエルの日曜日、ここメヒコのサン・フランシスコ修道院附属教会において、日本人三十八人がグワダルカサル修道院長によって洗礼を受けた。十時、たからかに鐘楼の鐘は鳴りひびき、その音はメヒコの青空に拡がり、人々はこの儀式を見るために集まってきた。日本人たちは二列に並び、それぞれ蠟燭を手に持ち、修道院長の前にたつと、

「汝《なんじ》は、われらが主と、その教会と、終りなき生命とを信ずるか」

という問いに、声をあげて、

「信じ奉《たてまつ》る」

と誓った。

聖堂に満ちた群集はその声を聞くと、あるものは跪《ひざまず》き、ある者は泪《なみだ》を流し、ひとしくこれら異邦人に注がれた神の愛に感謝し、主を讃美したてまつった。その時、ふたたび鐘楼の鐘は高く鳴りわたった。修道院長の助祭を務めた私も言いようのない感激に胸をしめつけられていた。これら三十八人の日本人の商人たちが受洗したその動機がたとえ利のため、取引きのためだとしても、洗礼という秘蹟《ひせき》が彼らの人間の心を超えて働くことは確かだからである。修道院長の前に日本人たちは一人、一人跪き、洗礼の水を額に注がれ、神妙な面持で席に戻っていった。私は彼らのために心から祈った。

グワダルカサル修道院長は彼らのために次のような説教をした。このノベスパニヤで多くのインディオたちが今、エスパニヤの保護のもとにその野蛮な風習と邪悪な宗教とを棄てて神の道を歩んでいる。同じように、この三十八人の日本人がその邪宗から正しい手に迎えられた。聖堂を埋めた人々と共にあの日本が一日も早く神の国となることを祈りたい、と語った。彼が十字を切ると、聖堂のざわめきが消え、すべての参列者は跪いて頭をさげた。

祭壇から私は使者たちを窺った。彼らは祭壇から三列目にその席を与えられていたが松木の姿が欠けている。西は好奇心と興味とを持って式の運びを眺め、田中と長谷倉とは腕をくんだまま私の動きを眼で追っていた。松木の席だけが空席で、その空席はあきらかにこの洗礼式を拒否した松木忠作の意志をみせていた。

式のあと、

「あなたたちはあの商人たちを苦々しゅう思うておられましょうか」

と私は田中と長谷倉とに、群集に囲まれ花束を贈られている商人たちを指さした。

「だが、あの方たちはメヒコの人々から友として迎えられている。あの方たちの取引きは、今後、うまく捗《はかど》るでしょう」

黙っている二人に、

「それだけではございませぬ。ノベスパニヤの総督に日本との商いを承服いたさすためにも、今日のこの儀式は無駄ではないと存じますが……」

私の皮肉に田中は眼をそらせ、長谷倉は当惑した表情をみせた。

日本人の受洗に気をよくした大司教の口ぞえでアクニヤ総督と使者たちとの会談が思っていたより早く決った。この知らせを伝えると使者たちは――あの松木までが不器用な笑顔をはじめて私に見せた。

会見の月曜日、使者たちは総督の差しまわしの馬車に乗り、それぞれの供の者に槍《やり》と旗とを持たせた。私も馬車で修道院から総督官邸までつきそった。先日の洗礼式の話はメヒコの町中に拡がっていたため、路々《みちみち》を歩いている人々は手をふり歓迎の声をあげてくれた。しかし使者たちは緊張のあまりか、その歓声のなかで日本人特有の怒ったような顔を崩さなかった。

彼らの緊張はメヒコの中心にある総督官邸の門をくぐり、いかめしい衛兵の整列するなかを車寄せに馬車が入った時、更に高まり、若い西の膝頭《ひざがしら》が小きざみに震えているのがわかるほどだった。黒光りする甲冑《かっちゅう》と槍との飾られた接待室では、背の高いエスパニヤ人の貴族らしい総督が既に二人の秘書官と我々を待っていた。彼は瘦《や》せた顔に口髭《くちひげ》をはやしていたが、自分の差しのべた手に気づかぬ日本人が日本流に頭をさげると、困ったように肩をすくめた。

それにしても使者たちの日本風の挨拶《あいさつ》と、総督のエスパニヤ風の仰々しい演説の交換は滑稽《こっけい》な見ものだった。この二つの国民性は本質的にはまったく違っているのに、形式の尊重や仰々しい挨拶では似かよっている。総督が、日本の王が漂着したエスパニヤ人の船員を保護し送還してくれた厚意に礼をのべ、日本の船が無事にノベスパニヤに到着したことを祝い、日本とノベスパニヤとが共に富み栄えることを願う、と長々としゃべると、使者のうち、長谷倉が恭《うやうや》しく殿の御書状を頭上に捧《ささ》げて総督の前に進む。両者とも自分たちの可笑《おか》しさに気づかず、大真面目《おおまじめ》だった。

「我々は、日本の使者たちがメヒコで充分に休養されるために力を尽したい」

と総督は私に言ったが、肝心の問題については回答を避けていた。時間がたつにつれ、さすがの使者たちも当惑した表情をみせ、頭の鋭い松木がたまりかねて殿の御書状にたいする答えを聞きたいと迫った。

「自分には」総督は当惑しながら、「この書状に返答する権限がない。もちろんその御希望をマドリッドに伝えることは、かたくお約束するが」

驚いたように使者たちは私の顔を見た。まるで大人に助けを求める子供そのままの不安を彼らは顔いっぱいにあらわしていた。

「マドリッドからその返答が、いつ、届くかを日本人たちは知りたがると思いますが」

私が使者たちに代って訊ねると、

「問題が問題だけに、協議の時間を考えれば半年はかかるであろう」総督は肩をすくめ、「パードレは勿論《もちろん》、御存知であろうが、ノベスパニヤの東洋貿易は布教と不可分になっており、それについてはローマ法王の考えも考慮せねばならぬ」

そんなことは勿論、私にはわかっていた。ノベスパニヤの総督が日本との貿易に承諾を与える権限のないことも熟知していた。熟知していたからこそ、日本の使者たちと共にノベスパニヤに来たのである。だが私はそれを初めて知ったかのように大袈裟《おおげさ》に驚愕《きょうがく》したふりをみせ、日本人たちに伝えた。狙いは日本人たちを狼狽《ろうばい》させ、途方にくれさせ、私の意志通りに向けることにあった。だから、

「総督は、エスパニヤ本国からの返答は」と私は嘘《うそ》をついた。「一年はかかると申されています」

「一年も。一年も待つのか」

使者たちは打ちのめされたようだった。それを無視して私は総督に困り果てたように、

「半年は長いと使者たちは申しております。ならばむしろ彼らはこのノベスパニヤからエスパニヤに渡り、エスパニヤ国王に日本の王の希望を伝えたいと言っておりますが……」

「差し支《つか》えはないが……」

総督の本心がこの厄介な日本の使者をメヒコの町から遠ざけたいのを見ぬいて私は誘い水をかけた。

「その御斡旋《ごあっせん》をお願いできますでしょうか。彼らがエスパニヤに渡るために」

「使者たちが希望されているならば、拒むわけにはいかぬ。だが、メヒコからノベスパニヤの東に行くのはかなり危険だとも伝えてほしい」

「危険とは？」

「御存知なかったか。ベラクルスの近くでインディオの反乱が起っている。しかも私たちには日本の使者たちにつける護衛兵の余裕がない」

初耳だった。ノベスパニヤから大西洋をわたりエスパニヤに到着するには、ベラクルスの港にまず赴かねばならぬ。そのベラクルスの附近でインディオの部族が、村を

焼き、地主の館《やかた》をこわし、聖職者までを殺傷していることははじめて知った。「我らには」何もわからぬ田中が私を押して、「一年も留まることはできぬ。御評定所は冬にも戻るよう命じられた」

「総督にそう申しあげましょう」

もちろん田中のそんな言葉を私は総督に通訳などしなかった。私は素早く考えた。この旅行の目的は、日本での布教の権利をペテロ会ではなく、私たちの会で独占することと、私がその司教に任命されることとにある。そのためにはいかなる危険を冒しても私はエスパニヤまで行く必要がある。それは、私を司教に任命できるのはエスパニヤの枢機《すうき》卿《けい》だけだからである。

「危険は覚悟でベラクルスに行こうと存じます。その責任も自分たちが負うと彼らは言っていますから」

と私は総督にも嘘をついた。

「ただお願いがあります。このメヒコに日本との貿易の反対者がおりましょうとも、ノベスパニヤと日本との貿易は決して意味のないことではありませぬ。我らの敵であるイギリスとオランダとが、しきりにこの日本との通商を狙《ねら》っているからでございます」

大司教に話した同じ内容を——日本に多量に出る錫《すず》や銀はきわめて低廉《ていれん》であるため、新教徒のイギリスとオランダとが今、目をつけはじめていること、しかし日本の王はエスパニヤ領のマニラとの貿易よりもこのノベスパニヤとの貿易を望んでいること、マニラとの貿易はあのペテロ会が口を出すために、今後は私たちの会が仲介するほうが有利であること——私はこの総督に力説した。

「そしてこのメヒコで我らの修道会が日本人たちに洗礼を授けたことも、本国に至急お伝え頂ければと存じます」

今まで冷やかだった彼の眼がはじめて少し赫《かがや》いて、

「悪いようには報告せぬ」と彼は私の肩を軽く叩《たた》きさえして、「パードレは仕事を誤られたようだ。宣教師になられるよりも外交官を選ばれたほうが良かった」

うち萎《しお》れて官邸を退出した使者たちには気の毒だったが、私は神に感謝していたし、充分、満足もしていた。可哀想に日本人はノベスパニヤに到着すれば自分たちが悦《よろこ》んで迎えられ、殿の書状の内容は快く受諾されると考えていたのであろう。

昼近いメヒコの路で、通行人たちがまた使者たちと私との馬車に歓声をあげてくれている。

「他に方法《すべ》はございませぬゆえ」と悄然《しょうぜん》としている使者たちに、「私は一人、エスパニャに参り、良き返事を持って戻りたいと存じますが」

彼らは黙っていた。怒っているのではなく、何をすべきかわからないのである。一歩、一歩、彼らは私の思い通りになっていく……。

気力を失った使者衆たちが総督官邸から修道院に戻り、馬車からおりた時、歓声をあげている見物人のなかから一人のインディオが前に出て侍の袖《そで》を強く引いた。辮髪《べんぱつ》を背中まで垂らし、眼だけが異様に光っている男である。驚いて立ちどまった侍に彼は口早に何かを囁《ささや》いた。群集の騒ぐ声でその言葉を解しかねた侍に、男はもう一度くりかえした。

「日本の者に……ございます」

驚きのあまり侍は声もでなかった。アカプルコからこのメヒコに登る途中立ち寄った村で日本人がいると聞かされてきたが、このような思いがけぬ場所で、こう早く出会うとは考えもしなかったからである。侍の顔、侍の衣服に日本の匂《にお》いを嗅《か》ぎとるように、男は袖を強く握りしめて動かなかった。やがて、おお、おお、と呻《うめ》くような声を洩《も》らすと、その眼から泪が溢《あふ》れ、頬を伝った。

「テカリと申す村におります」男はまた口早に言った。「だが、このこと、パードレたちには御内聞にお願いいたします。切支丹《キリシタン》を棄《す》てました元修道士《イルマン》にございますゆえ」

それから彼はあとから徒歩で戻ってきたベラスコに気づくと、あわてて、

「テカリと申す村、プエブラの近く。テカリと申す村」

と言い残して群集のなかに姿を消した。茫然《ぼうぜん》とした侍が、やっと我にかえり群集のなかに彼を探すと、人々の体の間から、泪にぬれたその顔がじっとこちらを見つめ、微笑《ほほえ》んでいた。

部屋に戻ったあと、侍から今の話を聞いた西九助は眼を赫かせた。

「参りましょう、テカリとやらに。あるいは我らに役だつ通辞になるやも知れませぬ」

「ベラスコに内密で行けるものか」いつものように田中太郎左衛門はせせら笑った。

「俺たちはあのベラスコなしでは何もできぬ。かやつの思いの儘《まま》だ」

「それならば、ベラスコのほかに我らだけの通辞も要ると存じます」

「役にはたたぬ」松木忠作も首をふった。「切支丹を棄てたゆえパードレたちにも内聞に、と当人が申したというではないか」

いつものように、こういう議論の時、侍は隅で黙っていた。黙っているのはひとつは彼が口下手なためだったが、谷戸の人間に特有な小心さも手伝っていた。だれかと口論し、相手と気まずい思いを続けるのは損だという気持がいつも働くのである。自分の感情や考えはよくよくでないと口に出さない。それが谷戸の百姓たちの性格だったが、侍もその百姓たちと同じだった。

「では、このまま、手をつかねてベラスコ殿の言いなりになるのでございますか」

西の質問に田中も松木も黙りこんでいた。どうなすべきか、誰一人、決心できなかったのである。

「それまで我らはこのメヒコに留まるのでございますか」

田中にいつも叱《しか》られている腹いせからか、からかうように西は同じ質問を繰りかえした。

「ベラスコ殿は一人でエスパニヤに参られると申されました」

「ベラスコには一人でエスパニヤに赴く気持はないぞ」松木が首をふった。「あの男は我らが従《つ》いてくるものと内心、考えているのだ」

その松木を他の三人は注目した。人を小馬鹿《こばか》にしたような松木の物の言い方と皮肉とは侍にはいつも愉快ではなかったが、頭の鋭さは認めざるをえない。

「なぜわかる」田中が訊《たず》ねると、松木は、

「ベラスコの身になっても見よ。日本人の使者衆をエスパニヤに連れて参り、華々しゅう都入りをして、上司、同輩におのれの功績を見せるのが得策であろうが。このメヒコでも商人どもを切支丹になして誇らしゅう振る舞ったことを思いあわせれば、あの男の思惑も推量できる。エスパニヤはベラスコの生れた国だ。その生国の都で、我ら日本人の使者衆を王や高官、切支丹の僧侶《そうりょ》たちに見せれば敬われもしよう。それがあの男の狙いだ」

「では、我らはベラスコの口車に乗ってエスパニヤに参らぬほうが、宜《よろ》しゅうございましょう」

西は皆の顔を見まわした。

「しかし」平生はこんな時、無口な侍が、自分自身に言いきかせるように、「エスパニヤに赴くことが、御評定所とノベスパニヤとのお取引きに役立つものならば……」

腕を組んでいた田中もうなずいた。

「長谷倉の申す通りだ。ベラスコが何を思案しようと、お役目を果すことが第一だからな」

「それは考えものだぞ」松木はうす笑いを頬に浮べた。「まず御評定所は、できるだけ早く役目を果して帰国せよ、とお命じになっている。エスパニヤに参れば、帰国は大きく遅れる」

「帰国が遅れようとも……たとえ二年かかろうと、お役目を成就《じょうじゅ》するのがまず第一であろう」

「では、田中殿はベラスコの言うまま、お役目のためならエスパニヤで切支丹にもなるか」

松木は切支丹嫌いな田中に皮肉をあびせた。

「いけませぬか」西も口を入れた。「商人《あきんど》たちも商いのため切支丹になりました。それがお役目に役立つなら……」

「愚かなこと、申すな」

松木はこの時、皆が驚くような声を出した。彼の頬から嘲《あざけ》るようなうす笑いは消えていた。

「西、方便でも切支丹になってはならぬ」

「なぜにございます」

「お前は何も知らぬ」松木は西をあわれむように見つめ、「お前は御評定所の争いを知らぬ。この旅で我ら召出衆《めしだししゅう》を使者衆として選んだ経緯《いきさつ》を思案したことはあるまい」

「わかりませぬ。松木さまは御存知でございますか」

西も田中も松木を凝視したまま返事を待った。

「俺は船中でそればかり考えてまいった。そして思い当ることが幾つもあった」

「何でございます」

「ひとつには俺たち召出衆の旧領戻しの願いを封じるためだ。この苦しい旅に召出衆の何人かを出し、途中で海の藻屑《もくず》と消えればそれでよし、また至難なお役目がうまく運ばぬ時は不忠勤の名目で俺たちを処罰し、召出衆の見せしめにする。それが御評定所のお考えだ」

「馬鹿な」田中は両膝《りょうひざ》をつかんで寝台から起きあがった。「白石さまはこの使者衆のお役目を果せば旧領の件は考慮する、と俺にはっきり仰《おお》せられたではないか」

「白石さまか」松木はふたたび嘲りの笑いを頬にうかべ、「だが御評定所は白石さま一人ではない。いや、白石さまたちの動きを快く思わぬ御重臣たちもいる。鮎貝《あゆがい》さまたちがそれだ。白石さまたちと違うて鮎貝さまはベラスコも切支丹も嫌っておられる。ベラスコを通辞とすることにもはじめから異を唱えられたのだ。鮎貝さまは御領内に切支丹をひろめることは将来の禍根となると考えておられる」

「ではなぜ、内府さまや将軍さままでが、このたびのこと、お許しあったのだ」

「鮎貝さまはそれを将軍家の殿にたいする罠《わな》と思うておられる。江戸にとり他の大藩と同じように侮《あなど》りがたい勢力をお持ちの殿を、いつかは取り潰《つぶ》すために罠をかけたと考えておられる。鮎貝さまたちはそれゆえ、江戸を追われたベラスコを登用することに反対された。だが白石さまの御意見が通り、論議の末、せめて御重臣を使者衆とすることはやめたのだ。その代り、我ら身分のひくい召出衆が選ばれた」

まるで自分が御評定所の内紛を目撃してきたかのように、松木ははっきりと事の経緯をしゃべった。理路整然とした理屈に侍はもちろん口下手な田中も若い西も口をはさむことができない。だが、驚きを感じながらも、三人の咽喉《のど》もとには何か承服できぬものが疼《うず》いている。

「それは」田中はたまりかねたように、「お前一人の推察であろうが……」

「もとより、俺の推察だ」

「考えられぬぞ」

「諾《うべな》う、否《いな》む、は御勝手だ」と松木は開き直った。「だが長谷倉殿と西とには言わねばならぬ。ベラスコのあの烈《はげ》しさに乗ぜられるなよ。お役目とは申せ、奴《やつ》の術策にかかれば、帰国の折、身の破滅になるやもしれぬ。帰国までに白石さまが御評定所で権勢を失われ、それに代って鮎貝さまたちが筆頭になられれば、俺たちへの扱いもちごうてくる。俺たちはこの道中、御領内の変りようにも身を処しておかねばならぬ」

頭が痛い。松木と田中との口論は続いている。侍は一人になりたかった。部屋をそっと抜けると、午睡《シエスタ》のまだ終らぬ修道院のしずまりかえった廊下から中庭に出た。池の背後に痩《や》せこけた男が十字架につけられて首を垂れていた。噴水から水がかすかな音をたててこぼれていた。その像のまわりに日本では見たことのない花が炎のように咲いている。

谷戸で育ち、あの小さな場所をただひとつの世界として生きてきた召出衆の彼には、松木の言う政《まつりごと》がわからない。御評定所のなかにも彼の知らぬ複雑な暗闘があるとは考えたこともなかった。彼はただ白石さまのお言葉にひたすら応《こた》えてこの旅を続けてきた。だが松木は自分たち召出衆が使者衆として選ばれたのは、ひとつには召出衆たちの知行替の不満に終止符をうつためと、もうひとつは白石さまや鮎貝さまたち御重臣の争いのためだという。

瞼《まぶた》を指でもみ、炎のような中庭の花をぼんやりと眺め、かぼそい噴水の音をきいた。

（ノベスパニヤから……遠いエスパニヤの国に参るやもしれぬ）と彼は妻のりくの顔を思い浮べて呟《つぶや》いた。（だが、俺には白石さまのお言葉を信じるより仕方がないのだ）

しかし、それだけでもなかった。心には小利口な松木への反撥《はんぱつ》があった。御評定所の意図についての松木の想像に逆らいたい感情も働いていたのである。

背後で足音を聞いた。西が溜息《ためいき》をついて立っていた。

「疲れました」

「松木は」と侍はうなずいた。「いつも、物事を悪う考える。俺はあれが嫌だ」

「松木さまは使者衆のうち、一人は商人《あきんど》たちと共に帰国して御評定所に事の次第を報告し、他の者はメヒコに残るべし、と言うておられます。御書状をノベスパニヤの奉行に手渡しただけでもお役目は果した。あとはこの地に留まってエスパニヤに参るべラスコからの知らせを待つべし、と」

「果してはおらぬ。白石さまも首尾を果せと仰せられた。俺はそのお言葉を憶《おぼ》えている。俺は松木の考えにはくみせぬ」

「ではエスパニヤに参られますか。私も参りとうございます。お役目もさることながら、今は見知らぬ国、見知らぬ町が心をかきたてます。世界がいかに広いかを知りとうございます」

波濤《はとう》の嚙《か》みあう海。見わたす限り陸地の影も見えぬ大きな海が瞼に浮んだ。若い西はまだあのような広い世界を見たいと言う。だが侍は広い世界に入るのは物憂《ものう》かった。くたびれていた。谷戸に戻りたいという気持が急に胸をしめつけ、西を羨《うらや》ましそうに眺めた。

田中が中庭に姿をみせた。憤《いきどお》りがまだ鎮《しず》まらぬのか池に小石を蹴《け》って、

「小利口者が……」

と松木を罵《ののし》った。だが彼も決心がつきかねているらしく、中庭の椅子《いす》に力なく腰をおろすと、侍と西とに気がついて、

「長谷倉、いかに松木が申そうとも、我らにこのお役目を果すほかに出世の望みがあろうか。この俺はな、御評定所の内側なぞ、一向にわからぬが……だが召出衆の身で旧領を戻して頂くためには……この旅に出るしかなかった」

うつむいた田中の顔に悲しみがかすめ、その声は泣いているように震えていた。

夕暮、侍は与蔵たち三人の召使の居場所を訪れた。居場所といっても商人や供の者

たちはこの修道院では部屋のかわりに廊下に藁布団《わらぶとん》を与えられて寝起きをしていた。侍を見て起きあがった三人を手招いて廊下の端に連れていった。主人の硬い表情に何かの気配を感じた彼らはじっと犬のように言葉を待っている。

「旅を続けねばならぬ」侍は眼をしばたたいた。「また海をわたり、遠い国に参る」

侍は一助と大助との体が震えたのに気づいた。

「松木殿と商人たちとはここに残り、年の暮、大船に乗り、月ノ浦に戻ることに相成った」

供の者たちに一番つらいこの言葉を侍は一気に言った。

「だが我らと二人の使者衆は……エスパニヤに向うのだ」

与蔵は侍をだまって見つめているだけだった。だが侍は一助や大助はともかく、与蔵は自分を見棄てぬことを知っていた。自分と同じように与蔵もまた運命に抗《あらが》ったことがないのを侍は知っていた。

第五章

なすべき事はすべて行った。もうメヒコには思い残すことはない。私の会の修道院長はもとより、人のよい大司教は私の布教の功績とあまたの日本人の商人が私の教化で受洗したこととをマドリッド宛《あて》に書いてくれたし、アクニャ総督は日本との貿易が新教徒の国々の進出を防ぐためにも意味あると王室補佐官に報告してくれた。この二つの手紙こそペテロ会の策動を抑えるためには、どんな推薦状にもまして大事だったのである。私のメヒコ滞在は成功したと言ってよいのだ。

出発が近づいた日々、快晴が続く。私は修道院でミサをあげ、受洗したばかりの日本人の商人たちに聖体を与える。たしかに彼らは利のために切支丹《キリシタン》になった。だがその動機が何であれ、彼らは神に関わったのだ。神に一度関わった者は神から逃れることはできぬ。これら日本人の商人たちはその荷を、あの洗礼式のおかげで当地の業者にも売ったし、一方、ノベスパニヤの羊毛や羅紗《ラシャ》を充分、買いこんだ。四カ月後には彼らはこの品物を船につみ、日本に戻って大儲《おおもう》けをするだろう。

「パードレが御城下に戻られる時は」と商人たちは笑顔をみせながら礼を言う。「パードレの教会を建ててお待ち申しあげます」

結構な話だ。とりわけあの歯の黄色い男は私をそっと引きとめて囁《ささや》いた。もしノベスパニヤの羊毛の商いを一手に引き受けさせてくれるならば、その利の一割をいつでも私の会に寄進するというのである。私の目論見《もくろみ》は間違ってはいなかった。あの城下が長崎よりも華やかな切支丹の都に変る姿を思いうかべて、嬉《うれ》しくなった。

だがすべてが完全に運んだのでもない。私の予想していた通り、使者たちはこの私について遠いエスパニヤまで赴くと申し出てきたが、一人、松木忠作だけはメヒコに留まり、日本人の商人たちと帰国することになった。彼が他の使者たちの耳に私の悪口を吹きこんでいることは想像していたが、あの男が他の同輩と袂《たもと》を分ち、使者としての務めを途中で放擲《ほうてき》するのは奇怪な話である。その行為は評定所の咎《とが》めを受けるであろうに、帰国を敢《あ》えて急ぐのは、何か理由があるからにちがいない。私には松木が実は使者として送り出されたのではなく、私の動きを監視し、それを報告する役目を評定所から命じられているような気さえする。日本人はすべての点でそれほど狡猾《こうかつ》な手を打つのだ。

だが松木が欠けることは考えようによっては好都合でもある。律義《りちぎ》そのものの長谷倉六右衛門、雄鶏《おんどり》のように威張りかえっているが松木のように鋭くはない田中太郎左衛門、年若い西九助だけならば、今後の旅で私の意志を通しやすくなる。そう思えばこそ、私は田中が松木を憤《いきどお》っているのを見てもなだめるようにしている。

気がかりなのはそんなことではない。ベラクルスまで行く道中で起っているワシュテカ族の反乱である。総督は我々に護衛の兵をつけられぬと言っている。

反乱は愚かなエスパニヤの農園主たちの過《あやま》ちのせいである。もともとこのノベスパニヤに移住してきたエスパニヤの地主たちは、農地や牧草地を貴族と同じように私有することを国王から許されたが、彼らはその特権を利用し、インディオたちに小作人として過酷な労働を強《し》いたり、その労働者《ペオン》のわずかな土地まで掠《かす》めとったりしたのだ。私たちの会はこうした地主に反対しつづけてきたが、今度の反乱も彼らの横暴が原因である。ワシュテカ族は元来、温和な部族だったし、その武器も石しかなかったのに、今や彼らは銃さえ持っているという。

いかなる征服地にもこの農園主たちと同じような愚か者がいる。ここの農園主たちはインディオにも適当な利を与え、自分たちも利を得るという智慧《ちえ》を持たなかった。極端な言い方をすれば日本での布教の失敗とそっくりなのだ。自分たちの意志だけを押しつけて、日本人の立場や心を無視するという布教の欠陥が、このノベスパニヤでも形をかえて農園主とインディオとの争いになったのである。

不幸なことに我々の旅はこの反乱の地域を通過せねばならぬ。しかし私は日本の使者たちにはこの話をなにも伝えていないし、修道院の修道士たちにもこの点については沈黙を守るように頼んである。使者たちが万一、そのために尻《しり》ごみをしては困るからだ。

数日来、コリント書を拡《ひろ》げ、私は聖ポーロの伝道の旅の危難に思いをはせた。「幾たびも旅し、川の難、海の難、賊の難に会い、同胞、異邦人から苦しみを受け、荒野に海に悩んだ」と聖者は書いている。それはすべて異邦の民に神の教えを伝えるためだった。ポーロのごとく私も「眠れぬ夜、飢え、渇き、寒さ」を厭《いと》いはせぬ。なぜなら私には日本があるからだ。あの小さな一角獣のような島こそ主が私に与え給《たも》うた征服の地であり、戦うべき戦場だという感情がノベスパニヤに来てからも、祈るたび更に強く感じられる。

出発が明後日という夜、善良なわが修道院長が日本人たちを別れの宴に招いてくれた。カナの饗宴《きょうえん》のように商人たちは葡萄酒《ぶどうしゅ》を飲み、唄《うた》を歌った。我々の耳には抑揚のないそして間のびのした音曲に聞える日本人の唄声を、同席した修道士たちはインディオの唄のようだと言う。少し酔った日本人たちはこの席で初めて、この高地のメヒコの空気が息苦しかったことや、また出された食べ物の臭《にお》いやオリーブの油が辛かったことを打ちあけて笑った。使者たちのうち田中は特に酒が強かったが、少しも乱れず、使者たちは日本の作法を守って食事をとり、修道士たちをいたく感心させたのである。

宴が終った。食堂から修道士たちと、手をあわせ夜の祈りに聖堂に向う私を松木が引きとめた。我々二人はたがいの心を探りあいながら、表面には何も出さず、別れの挨拶《あいさつ》をとりかわした。

「パードレ」彼はしんみりと、「二度と会えぬであろうな」

「なぜでございます。この役目の終り次第、私も戻ります……」

「いや、もう日本に来られるな」

「なぜでございますか」

私は強い調子で首をふった。

「パードレ」うつむいた松木は哀願するようにその顔をあげ、「パードレはなぜ我らの領内を騒がせたいのだ」

「騒がす？　解《げ》しかねます」

「我らは……いや、我らだけではない。日本は今日まで静かに生きてきたのに、それをパードレたちはなぜ乱しに来られた」

「乱しに参ったのではございませぬ。まことの至福を伝えたいだけでございます」

「まことの至福か」松木は泣き笑いでもするように顔を歪《ゆが》めた。「パードレたちのまことの至福とは日本には烈《はげ》しすぎる。強き薬はある者の体には毒と変る。パードレの説く至福は日本にとりその毒薬なのだ。ノベスパニャに参ってようわかった。このノベスパニャもエスパニャの船が訪れねば、静かに生きたであろうに。パードレたちの至福がこの国を乱された」

「この国を……」

私は松木の言おうとすることが推察できた。

「たしかに多くの血が流れたことは否《いな》みませぬ。だが私たちはその償いも致しました。インディオたちはあまたのことを学び……とりわけ、至福に至る路《みち》を知りました」

「ではパードレは日本もこのノベスパニャと同じようにするつもりか」

「私が？　私はそのように愚かではございませぬ。私は日本にも利を与え、切支丹の教えを広める許しを得たいだけでございます」

「日本はパードレたちの国々から優れた智慧と技とは悦《よろこ》んで学ぼう。だがその他はいらぬ」

「技のみまねて何になりましょう。智慧のみ受けて何になりましょう。技と智慧とを作りだしたのは主の至福を求める心でございます」

「パードレの申される至福は」と松木は同じ言葉をくりかえした。「あの小さな我らの島には迷惑なのだ」

私たちはいつまでも互いの主張をゆずらなかった。最後には松木は口をつぐみ、私を憎むように見つめ、うしろを向いて去っていった。その時、彼が言ったように今後、二度と会えぬような気がした。

出発の日は快晴だった。

修道院の出口に集まった商人たちは口々に別れを惜しみ、つつがない旅を願ってくれた。三人の使者衆たちはそれぞれ故郷への便りと土産物とを自分たちよりも一足先に帰る彼らに托《たく》した。侍もまた叔父と長男とに宛て、昨夜、手紙を書いた。

「一筆、申入れ候《そうろう》。まずまず、ここもと何事もなく、与蔵たち一助、大助も息災にて参候。清八のみぁわれ船中にて死亡いたし候。母様へはよくよく、ねんごろ候べく候。事くわしく可申候え共、急ぎの便りにてようよう書き申候」

万感の思いの万分の一も書けぬこの筆を侍は恨んだ。そして勘三郎に宛てた手紙を幾度も読みかえすにちがいない妻のせつない顔を思いうかべた。

使者衆たちとベラスコとは馬に乗り、供の者は荷をつけた驢馬《ろば》を引いた。商人たちにまじって修道院長と修道士たちが手をふって見送っている。だがあかるい陽のなかを侍があぶみに足をかけた時、松木忠作が突然そばに走ってきた。

「よいか」彼は侍の股引《ももひき》を強くつかんだ。

「身を守れよ、身を守ることを忘れるな」

松木は驚いている侍に、

「御評定所は召出衆《めしだししゅう》など守りも庇《かば》いもせぬ。使者衆となったあの時から、我らはその政《まつりごと》の渦のなかに巻きこまれたのだ。渦のなかでは、おのれのほか頼るものはないぞ」

侍はそんな小利口な口振りに反撥《はんぱつ》を感じた。(俺は御評定所を信じる) そう怒鳴ろうとして、言葉を抑えた。

馬上から侍は、手をふっている修道士や商人たちに頭をさげた。そのなかに松木も腕を組んで立っていた。彼らが一足早く日本に戻れるのだと思うと、羨《うらや》ましさに胸をしめつけられた。だが、今まで谷戸でもすべてに従順だった侍は自分に今、与えられた運命をすぐに受け入れた。うしろから与蔵と一助と大助とが驢馬を引き、黙々と従《つ》いてくる。

アカプルコからメヒコにのぼった時と同じように、今度もまた竜舌蘭《マゲイ》とサボテンの生えた荒野が一行の前に拡がった。メヒコの高地からふたたび平原におりるにつれ、暑さは烈しさを増した。畠《はたけ》を耕していたインディオは手をやすめ、羊や山羊《やぎ》を追っていた子供が立ちどまり、いつまでもこの日本人たちの異様な行列を眺めていた。

青空というよりは強い陽光のため雲母《うんも》色《いろ》にかがやいている空では、一羽の鳥がゆっくり気流に乗って舞っている。はじめて見る禿鷹《はげたか》である。荒野は痩《や》せた玉蜀黍《とうもろこし》の畠やオリーブ畠に変り、それがしばらく続くと、ふたたびサボテンの荒野に戻る。畠のあるところには木の葉と枝とで屋根をふき、泥で壁をかためたインディオの小屋が数軒建ち、その屋根には禿鷹が数羽とまっていた。

日本人たちは花崗岩《かこうがん》の散らばった丘陵の一角に石垣の残った廃墟《はいきょ》の村を、幾つも通りすぎた。村には無人の広場が残っていた。廃墟のそばを一行が歩く時、必ずと言っていいほど、乾いた風が石の広場のなかで音をたてていた。その音を耳にしながら、侍は急に松木が訴えるように叫んだ言葉を思い出した。「政の渦のなかでは、おのれのほか頼るものはないぞ」

廃墟の村は飢饉《ききん》のためか、と田中太郎左衛門がたずねると、

「飢饉ではありませぬ」ベラスコはむしろ誇らしげに、「我らの祖先のコルテスという男が百名たらずの兵で、これらインディオの土地をすべて切り取りました」

(思案してどうなるか)侍は馬にゆられながら自分に言いきかせた。(才覚のないこの俺はお役目を果すことのみを考えておればよいのだ。父が生きておられたなら、そう申されたにちがいない)

川があらわれた。川水は乾ききっていた。花崗岩の散らばった禿山《はげやま》があらわれた。その禿山の頂まで登ると、地平線の向うに白い雪をかぶった巨大な山が傲然《ごうぜん》と出現した。この山は使者衆たちが殿の御領地で知っているいかなる山とも比べようもなく高く大きかった。若い西九助は馬上で、おお、と叫んだ。

「富士よりも高うございますか」

ベラスコは憐《あわ》れむように微笑してこの若者をふりかえった。「もとよりでございます。山の名はポポカテペトルと申します」

「まこと世界は……」と西は感にたえぬように、いつかと同じ言葉をくりかえした。

「広うござる」

巨大な山は蟻《あり》のように丘をくだる日本人たちの列の前にいつまでも見えた。巨大な山は彼らがいくら歩いても近づかなかった。巨大な山は人間の世界をじっと沈黙して凝視しているようだった。その高い山を見つめながら侍は、松木の思惑などこの広い世界のなかでは取るに足らぬような気さえした。自分はもう、その広い世界に向って歩いている。これから何が起るか松木にはわからぬ世界に歩きだしているのだ。

そして五日目の夕暮、汗まみれになり疲れ果てた日本人たちはひとつの町にたどりついた。町の城壁が遠くにうかびあがった。城壁に近づく頃、ようやく大気は涼しくなり、そのなかに樹木の匂《にお》い、花の香り、生活の匂いがまじっていた。長い間、陽の照りつける無人の荒野を歩いてきた使者衆たちはまるで水でも飲むようにこの匂いを胸ふかく吸いこんだ。

「プエブラの町でございます」

城門を守る兵士たちは日本人たちを見るとあわてて姿を消した。ベラスコは手をあげて行列をとめ、兵士に総督の許可証を見せるため馬からおりたが、三人の使者衆が顔を見合わせているのに気づかなかった。プエブラ。この町の名は彼らには聞きおぼえがある。たしか、あのインディオとそっくりの日本人が口にした名だった。テカリと申す村、プエブラの町の近く。テカリと申す村。男は早口でその名をくりかえしたのだ。

やっと許しをえて一行が城門を通過すると、メヒコと同じように、ここにも市《いち》がたっていた。辮髪《べんぱつ》をたらしたインディオの男女が膝《ひざ》をかかえて地面に坐《すわ》っている姿は石像のようだった。彼らは野菜や果実やタラベラと呼ばれる陶器、長い肩掛《サラッペ》、つば広のソンブレロを並べて売っていたが、その間を山羊の群れが鈴音をたてて通りすぎていく。インディオたちは日本人を、どこかの山岳地帯から来た種族と思ったのか、別に驚きもしない。侍はふと胸が痛むほど谷戸への郷愁を感じた。妻と子供とが、今、何をしているだろうかと思った。それは長い間、無人の荒野を通ってやっと人間の匂いのするこの場所にたどりついたためかもしれなかった。

日本人たちはベラスコに連れられプエブラのサン・フランシスコ修道院に向った。メヒコでの生活に馴《な》れた日本人たちは出迎えた修道士と手を握り、言葉はわからなくても笑いを頬に浮べてうなずいた。一同は窓を開け放したひとつの大きな部屋を与えられたが、その窓からは花の匂いが流れこんできた。

「どうなされます」埃《ほこり》だらけの股引をぬぎながら西九助が侍に小声で、「あの日本人をたずねられますか」

「たずねてやりたいが、お役目の身だ」と侍も田中に聞えぬように声をひそめ、「だが、向うも俺たちがこのプエブラに着いたことを知っているであろう。またあらわれるような気がする」

夜になった。夕食をすませ、寝床に横たわるとメヒコと同じように、ここでも鐘の音が聞える。それはこの町の広場に三十年前に建てられた大聖堂から響く鐘だったが、その音を聞きながら、荒野の旅に疲れた日本人たちは深い眠りに落ちた。やがて廊下で足音がして燭台《しょくだい》を持ったベラスコが部屋を覗《のぞ》きこみに来た。一同が静かに眠っているのを見定めると、彼はまた足音を忍ばせて立ち去っていった。

夢のなかで、また谷戸があらわれた。粉雪の舞ってきそうな低い、鉛色の空が沼の上を覆《おお》っていた。侍と与蔵とは、谷戸ではケラという蓑《みの》で身を包み、藁沓《わらぐつ》をはいて凍《し》み雪があちこちに残っている水ぎわで息をこらしていた。枯れた葦《あし》の葉かげから黒い水面と、その水面に集まっている小鴨《こがも》の群れが見える。与蔵が侍の肩を叩《たた》いて、沼の奥まった樹《き》の下で長い首を水に突っこんでいる一羽の白い鳥を指さした。しらどりと百姓たちが呼んでいる渡り鳥である。

侍がうなずき、火種に吹きかける与蔵のふうふうという息の音を聞いていた。あの白い鳥はどこの国から渡ってきたのだろうとぼんやり考える。毎年、冬になるとその鳥の群れが冬の空を舞いながら必ず谷戸を訪れてくる。海をわたり、遠い見も知らぬ国から来た鳥なのである。

与蔵の合図で侍は急いで耳の穴に指を入れた。だが銃声は大きかった。何十羽という小鴨が跳びあがった。跳躍したしらどりは一度、水面にぶつかる。羽ばたきながら滑走している。水面には幾つもの波紋があらわれ、その波紋のように銃声もつめたい空気のなかに拡《ひろ》がっていった。撃ちそこねて良かったのだ、と侍は思う。耳のなかには銃声の余韻が、鼻には硝煙の臭いがいつまでも残っている……。

侍の予想は当っていた。その翌日の夕方、使者衆たちが供の者と修道院近くにたったインディオの市を見物していた時、あの日本人がすぐ近くで彼らを見ていたのだ。

市のインディオたちはエスパニヤ人をまねてソンブレロをかぶり、皮のサンダルをはいている者もいたが、たいていは上半身が裸で、その厚い裸の肩に長い髪がかかっていた。地面に並べられた品物も、荷をしまい帰り支度をしている彼らの奇妙な声も日本人には珍しい。おどけた大助がソンブレロを頭にかぶり皆を笑わせた時、顔をあげた侍は、少し離れた埃だらけの鈴掛の大木のそばに、あの日本人が羨ましそうな眼でこちらをじっと見ているのに気づいた。

「おお」侍は足早に近づき、「やはり来ていたか。なぜ、我らの宿舎に来ぬのか」

「伺えぬ身でございます。それゆえ、ここで昼すぎよりお待ちしていました」

田中も西も侍と元修道士のそばに寄ってきた。

「この近くか、テカリとは」

「町はずれの沼のそばでございます」

彼はこの前と同じように侍や西の衣服をさすり、何かを思いだすように眼をつぶった。

教会の鐘が鳴りはじめた。それはアンジェラスの鐘だったが、日本人には夕食の支度ができたという知らせでもあった。鐘が鳴れば戻るようにとベラスコに言われていたのである。

「帰らねばならぬ」田中は皆に命じた。「遅れれば、作法も知らぬと言われるぞ」

「日本のことなど、お話を聞かせてくださいませ。いつ、ここを発《た》たれますか」

「明日、昼すぎと聞いた」

「テカリはすぐ近くでございます。明日の朝、この広場に早うから案内人のインディオを待たせておきますゆえ」

「それはできぬぞ」田中は情容赦なく首をふった。「我らはお役目でこの国に参っておるのだ。見知らぬ土地で何かが起れば、お役目にも差し障《さわ》る」

元修道士は寂しそうにうなずいた。そして日本人たちが修道院に引きあげるのを鈴掛のそばでじっと見送っていた。


冷気で眼を覚した。月の光のなかで西九助があたりの気配を窺《うかが》いながら脚絆《きゃはん》をつけている。侍の視線に気づいた彼は恥ずかしそうに白い歯をみせた。その笑いで侍はこの若者がどこに行くのかに気づいた。

「御迷惑はかけませぬ。朝のうちに戻って参ります」

「言葉もわからず」と侍はまだ眠りこけている田中太郎左衛門にそっと眼をやった。

「どうするのだ」

「あの男、案内人をくれると申しました」

日本のことをお聞かせくださいませ、と言いながら自分たちの衣服をなでていた元修道士の姿が侍の眼にうかんだ。とはいえ、お役目が何よりも大事という田中の気持も侍にはよくわかる。

「お見逃しください」

西はそっと立ちあがった。

侍は西の強い好奇心と物怖《ものお》じせぬ若い性格とが羨ましかった。それは、このお役目のために波瀾《はらん》のないことだけを願っている田中や自分が持たぬものだった。

「どうしても参るのか」

「はい」

「待て」侍は身を起し、鼾《いびき》をかいている田中を窺った。と、田中や自分の中にあるものに逆らいたい衝動にかられた。

「行こう」

と彼は立ちあがった。

そっと身支度をすませ、足音を忍ばせて部屋を出た。二人とも手燭を持たなかったが、そのかわりに廊下の窓々からさしこむ月の光が中庭に出る扉を教えてくれた。修道院は寝しずまり、中庭は青白い月光に濡《ぬ》れ、南国の花の強い香りに充《み》ちていた。

誰にも気づかれず修道院をぬけ出ると町はまだ死んだように眠っていた。驢馬《ろば》をつないだ樹木の根もとに襤褸屑《ぼろくず》のように幾人かのインディオたちが寝転がっている。その一人が眼をさまし、わけのわからぬ言葉で話しかけてきた。「テカリ、テカリ」「テカリ」と西はこの男に印籠《いんろう》を見せながら繰りかえした。

男は印籠を受けとるとなぜかその臭《にお》いを嗅《か》ぎ、

「バモス」

と答え、樹木につないだ三頭の驢馬の綱を解いた。三頭の驢馬は寝しずまったプエブラの町を通り、黒く高い城壁を出た。

驢馬が枯れた川を渡った時、ようやく夜の闇《やみ》が割れはじめ、地平線が薔薇色《ばらいろ》にそまった。そしてその薔薇色の線が次第に大きく拡がった頃、沼に出た。沼の水面が血のように赤くなり、あちこちの葦の葉から羽音をたてて水鳥が飛びたった。そしてその彼方に金色の陽をあびた連山が浮びあがった。

「パーレ・アキ」インディオは白い息を吐いている驢馬をとめた。「テカリ」

十軒ほど、葦の葉で屋根をふいた小屋が朝陽をあびている。その一軒の戸口で辮髪をたらした獅子《しし》鼻《ばな》のインディオの女が桶《おけ》の水で体を洗っていたが、「日本人《ハポネス》」と西が大声で叫ぶと顔をこちらに向けた。「ハポネス」しかし太古の時代に生きていたようなその女は無表情のまま何も答えなかった。やがて強い陽が小屋の背後にある痩せた砂糖黍《さとうきび》や玉蜀黍の耕作地にさし、今日の暑さを思わせた。あちこちの小屋から上半身裸のインディオたちがあらわれ、そのなかの一人が声をあげた。元修道士だった。

「よう来られた、よう来られた」

彼は駆け寄ると、口に唾《つば》をためてしゃべった。もう長い歳月、しゃべることを禁じられた人間がやっと許されでもしたように話しつづけた。

肥前《ひぜん》、横瀬浦の生れだと彼は言った。少年の時、父と母とを戦で失い、この地方を布教していた神父に拾われて召使となり、九州の各地を連れられて回った。切支丹《キリシタン》が迫害され、宣教師たちが日本潜伏を決心した時、神父は彼をマニラの神学校に入れるため、同輩に頼んで船にのせた。彼は修道士《イルマン》の資格を得たが、その頃から次第に聖職者たちに嫌気がさしてきた。知りあった水夫に誘われてノベスパニヤに向う船に乗った。ノベスパニヤは新しい天地のように思えたからである。彼は長い苦しい旅の後、たどりついたメヒコでしばらく修道院の雑用係をしていたが、ここでもやはり神父たちに馴染《なじ》めず、すべてに幻滅した。インディオの群れに逃げこみ、そして今はこの部落で彼らと共に暮していると自分の身の上を一気に語った。

「もう」と侍はたずねた。「日本の故郷《くに》には戻らぬのか」

元修道士は寂しそうに笑って、

「身内もございませぬ。戻っても、迎えてくれる者もありませぬ。それに切支丹は……」

「切支丹は棄《す》てたのであろう」

「いえ、いえ。やはり切支丹でございます。ただ……」

ただ、と言って彼は口を噤《つぐ》んだ。そして自分の気持をどう語ってもわかってもらえぬという諦《あきら》めがその眼にうかんだ。

「ただ……私はパードレさまの説く切支丹は信じておりませぬ」

「なぜ」

「パードレさまたちがノベスパニヤに来られる前に、この国にはむごい事がございました。これらインディオの者たちは南蛮人に土地を奪われ、故郷を追われ、むごたらしゅう殺され、生きていた者は売られました。至るところにその者たちが棄てねばならなかった村々がございます。今は誰も住まず、ただ石の家、石垣のみが残っております」

侍と西とはアカプルコからメヒコまで、メヒコからプエブラまでの荒野で目撃した石の廃墟《はいきょ》を思いだした。砂に埋まり、雑草のはえた廃墟の村の広場に、ただ風だけが悲しげな音を立てて吹いていた。

「だが、戦とはそういうものだ」と侍は呟《つぶや》いた。「いずれの国にても、戦に敗れた時は、そうであろう」

「戦のことなど申してはおりませぬ」と男は顔を歪《ゆが》めた。「ただ、遅れてこの国に参ったパードレさまたちが、それら多くのインディオの苦患《くげん》を忘れ……いや、忘れているのではない。あの方たちは素知らぬ顔をされているのだ。素知らぬ顔をされてまことありげな口振りで神《デウス》の慈悲、神《デウス》の愛を説かれるのに、ほとほと嫌気がさしました。この国のパードレさまたちの唇からはいつも美しい言葉だけが出る。パードレさまたちの手はいつも泥に汚れはいたしませぬ」

「それゆえ、切支丹を棄てたのか、お前は」

「いえ、いえ」

と元修道士はうしろをふりむいた。背後の小屋の前でインディオたちが何人か立ってこちらを凝視していた。

「パードレさまたちがどうであろうと、私は私のイエスを信じております。そのイエスはあの金殿玉楼のような教会におられるのではなく、このみじめなインディオのなかに生きておられる――そう思うております」

長い間、黙って溜《た》めていたものを一気に吐きだすこの元修道士を、侍はまるで遠いものを見るように眺めていた。彼は月ノ浦を出てから今日まで、毎日のように切支丹のことばかり聞かされてきた、とぼんやり考えた。このノベスパニヤに上陸してからも至るところで、教会に跪《ひざまず》く男女や蠟燭《ろうそく》の炎に照らし出された醜い痩《や》せこけた男の裸像を見せられた。生れて初めて接した広い世界はまるでその醜い男を信じるか信じないかで生きているようである。だが小さな谷戸に育った日本人の彼にはイエスという男に興味も関心も起らない。それは生涯、縁のない国の風習にすぎなかった。

しゃべり終った男は西の衣服に指をふれ、幾度も幾度もさすって叫んだ。

「ああ、日本の匂《にお》いがする」

「なあ、戻らぬか」

侍にはインディオとも日本人とも見分けのつかなくなったこの男が哀れだった。

「同行した商人たちは年の暮には日本に戻る船に乗る。それに加わって戻る気はないか」

「戻るには、もう年をとりすぎました」元修道士は地面に視線を落した。「私は……インディオたちの参るところに参り、留まるところに留まります。あの者たちにも、病の時その汗をふき、死の折には手をとってやる私のような者が入用《いりよう》でございましょう。インディオも私も共々、故郷を失った身でございますれば」

「ではもう二度と会えぬのか」

「このインディオたちはいつまでもここには居りませぬ。土地の地味が失《う》せれば別の場所に移ります。すべて主の思召《おぼしめ》しであれば、またお目にかかれるかも知れませぬが」

元修道士は侍と西とにこれからどこに向うのかと訊《たず》ねた。

「ベラクルス」無邪気に西は東海岸の行先を教えた。「そこより、ふたたび船に乗ると聞いておる」

「ベラクルス」男は怪訝《けげん》な顔で、「危のうございますぞ」

「危ない……」

「あのあたりのワシュテカ族がエスパニヤ人の村を焼き、家に火を放ち、乱を起していること御存知ありませぬか」

「一揆《いっき》か」

「あれだけ虐《しいた》げられれば……温和《おとな》しいインディオも怺《こら》えきれなくなりましょう」

ベラスコは何も教えなかった。はじめて聞く話である。侍は西の愕然《がくぜん》とした顔を見て、汗ばんだ手を握りしめた。メヒコを発ってからもベラスコは馬上でいつも自信ありげに語り、人を見くだしたような微笑を浮べていた。

「誰も知っております。ワシュテカ族は鉄砲、火薬も使うとのこと。ベラクルスまで向われるのは思案なさいませ」

「行かねばならぬ」

侍はおのれを励ますように烈《はげ》しく繰りかえした。「行かねばならぬ」ふしぎにメヒコまで引き返す気持は一向に起きなかった。松木忠作が言ったことでたびたび動揺した心に今、はっきりと片がついたような気持であった。

「西は戻るか」

「長谷倉さまが行かれるならば、異存ございませぬ」

元修道士は耕作地の境界まで二人を送ってくれた。埃《ほこり》によごれた玉蜀黍《とうもろこし》の葉が沼から吹く風にけだるく揺れている。畠《はたけ》の境界にはこの部落の守護神のような木彫りの男の十字架像が立っていた。痩せたその男はエスパニヤ人に売られていくインディオのように辮髪《べんぱつ》で獅子鼻の顔と暗い忍耐の眼とを持っていた。その足もとには幾つかの溶けた蠟が男の泪《なみだ》のように流れていた。

「夕方になるとインディオはここに来て祈ります。男も女もその悲しみをこのイエスに話し、訴えるのでございます」

「まことか」

彼はそのよごれた胸もとに手を入れ、木の実で作った切支丹の数珠《じゅず》と共に端のちぎれた小さな書物《かきもの》をとりだした。

「差しあげるものもございませぬ。せめてお受けとりくださいまし。私の書きました主の物語にございますゆえ」

拒む理由はどこにもなかった。沼の葦《あし》のそばで二人をここまで連れてきた男が驢馬と辛抱づよく待っている。驢馬の眼はなぜかこの元修道士の眼に似ているような気がした。その元修道士は侍たちのわからぬ言葉で男に何かを命じた。

プエブラに戻った時は陽は既にあかるかった。驢馬をおりた二人に気づいて、路《みち》に立ちどまったインディオの男女がこちらを注目した。気づかれぬように修道院の中庭にはいり、寝所として与えられた部屋を覗《のぞ》くと、田中が憮然《ぶぜん》として刀の鞘《さや》をふいていたが、

「テカリに参ったのか。行くなと申したのに」

西だけにではなく侍にも非難の眼を向けた。西は元修道士から聞いたインディオの反乱を語り、

「ベラスコ殿は我らが臆《おく》すると思われたのでございましょうか」

その言葉に田中は憤然として、

「インディオごときに尻《しり》ごみをすると思うたか。ベラスコに聞きただしてくる」

と刀をおいて立ちあがった。

「よされよ」と侍は首をふった。「ベラスコ殿ならば言葉たくみに言い開きをするだけであろう。あの男が何と申そうと、行かねばならぬ旅なのだ」

侍はさきほどと同じようにこの旅が自分の運命に挑むことのような気がした。谷戸しか知らなかった時はそこで生きることだけしか思わなかったのに、彼は自分が変ったのに気づいた。小さな谷戸、叔父、囲炉裏のそばの叔父の繰り言、御評定所の御指図。それら動かぬものとして与えられた運命に彼はメヒコを発ってから初めて逆らいたい感情が起ってきたのだった。

日本人たちは餌《えさ》を運ぶ蟻《あり》のように進んでいた。だがそれは進むというよりは、いつまでも変らぬ広大な高原のなかでゆっくりと動いているといったほうがよかった。荷袋を幾つも背負わされた幾頭かの驢馬をかこんでベラスコと三人の使者衆とが馬に乗り、従者たちは黙々と足を曳《ひ》きずっていた。北に山岳地帯が見え、空では禿鷹《はげたか》が気流に乗って旋回していた。

ベラスコも三人の使者衆もインディオの反乱地区がまだここから遠いのを知っていた。白っぽい岩だらけの丘陵や陽に焦《こ》げて罅《ひび》われた大地、枯木が白骨のように横たわっている川床、そんな乾ききった風景が終ると、埃《ほこり》をかぶった玉蜀黍の畠があらわれる。それらはすべて日本のあの柔らかでやさしい風景とは違っていた。稲田の水は涼しく、水車のまわる谷戸が侍のまぶたに浮んできた。彼だけでなく他の使者衆もそれぞれの供の者たちも同じ思いを抱いていただろうが、彼らはそれを口にも表情にも出さなかった。暑さと疲れのために誰もが無口で不機嫌になっていた。

だがプエブラを出て五日目の午後、花崗岩質《かこうがんしつ》の小さな丘陵をやっと越えた時、すぐ真下に思いがけない風景が眼に飛びこんできた。この国に来て初めてみる松の林が泥をかためたインディオの小屋をかこみ、よく耕された畠がそのそばに拡《ひろ》がっていた。松は日本の松とちがって針葉の柔らかな種類だったが、松は松だった。

「おお」

日本人たちはいっせいにそう叫ぶと、松林に走りこみ、松葉をもぎとり、匂いをむさぼるように嗅いだ。汗ばんだ手に松葉を握りしめて感触をたのしむ者もいた。松には忘れることのできぬ日本の匂いがした。

「谷戸ではな」と一助が大助に叫んだ。「今頃、虫送りか」

その声を聞いた侍も遠いものでも見るような眼つきをした。虫送りとは谷戸から疫《えき》病《びょう》を追い出す祭りで、男たちが真夜中、松明《たいまつ》を持って村々の西から東まで歩きまわるのが習わしだった。

「帰りたいのう」と大助が一助に囁《ささや》いた。「早う、帰りたいのう」

与蔵がその声を聞き咎《とが》め、叱《しか》りつけた。「うつけ者が」だが侍は彼らに近づいて首をふった。

「帰りたかろうな。いつ戻れるか、これから参るエスパニヤがどのような国か、この俺も知らぬが、お前たちの苦労、無駄にはせぬ」

おちくぼんだ眼で侍がそう言いきかせると三人の従者はうなだれたままうなずいた。彼らは一つの石像のように向きあって動かなかった。与蔵の眼から突然、泪がこぼれたが、彼はそれを見せまいとして顔をそむけた。

七日目、はじめて町らしい町に近づいた。コルドバの町である。ちょうど夕立が通りすぎたあとで、エスパニヤ人の家とその白い塀のかげで、炎のような花が涼気を含んだ風にゆれ、空には麦藁色《むぎわらいろ》の雲がゆっくりと流れていた。子供たちの知らせで人々が町の入口に集まっていた。

小さな広場に着いた時、知らせを受けた町長が重だった有力者と姿を見せた。この地方の農園主の一人である町長はベラスコと握手をしてから、埃にまみれた日本人たちを、インディオが売りつけにきた羊を調べる時のような視線で眺めた。だが彼は一応はあのエスパニヤ風の大袈裟《おおげさ》な身振りをまじえて歓迎の挨拶《あいさつ》をのべた。

「パードレ」と町長は相変らず日本人たちをじろじろと見ながらベラスコに訊ねた。「この東洋人たちがなぜここに来たのかを我々に教えて頂けるならば……」

「メヒコの総督から連絡を受けておられるでしょう」自分が傷つけられたようにベラスコは憤然として、「彼らは日本の外交使節であり、外交使節としての待遇を当然、ここでも受けるべきと存じます」

だが外交使節というにはこの日本人たちはあまりにもみじめな身なりをしていた。衣服も脚絆《きゃはん》も長い道中で埃にまみれ、その上、愛嬌《あいきょう》ひとつ見せず、不機嫌な顔でおし黙っていた。

「我々は夜の食事にお招きしたいが」

町長は仲間の有力者と小声で相談しあってからやっとひとつの結論を出した。彼らの誰一人として日本がどこにあり、どんな国なのかを知っている者はいなかった。侍も他の使者衆もそんな食事よりも早く眠らせてほしいと思った。エスパニヤ人たちの食事には西を除いて侍も田中も食欲は起きない。だがベラスコはそんな感情を無視して、

「使者たちは悦《よろこ》んで出席いたしますでしょう」

供の者たちだけが宿舎になった町の集会場に連れていかれ、三人の使者衆とベラスコとは町長と彼の邸《やしき》まで歩いた。それから、つかれきった身に意味のわからぬ長々とした挨拶を聞かされ、料理が運ばれてきた。

「日本人たちは肉は食べませぬ」

ベラスコの説明に町長や有力者たちはふたたび家畜の値段を決めるような視線で侍たちを眺めた。

食事のあと、町長が召使に書斎の地球儀を運ばせてきた。日本という国がどこに在るかをベラスコに訊ねるためである。駝鳥《だちょう》の卵のようなその地球儀には印度《インド》も支那《しな》も粗雑な形で描かれているだけだった。そして日本はその支那の東端に小さな水滴のような半島となって続いていた。

「間違っている」同胞の無知とこの地球儀の粗雑さとに耐えられぬようにベラスコは肩を大きくすくめた。日本を見くだされることはベラスコにとって自分の人生を賭《か》けたものを馬鹿《ばか》にされることだった。

「これは日本ではない」

「大きさは、パードレ」

「小さい島国です。ノベスパニヤの五分の一にも充《み》たぬでしょう」

「ではわがエスパニヤ全領土の五十分の一ですか」と町の有力者の一人が笑った。

「なぜ、その島国をフィリピンの総督は占領しないのです。そうすれば、パードレの布教も楽になる。我々もそこに新しい農園を作ることができる」

「日本は小さいが、戦にかけてはどこの国にも引けはとらぬ。ここのインディオを制圧したようにはいかぬのです」

言葉のわからぬ使者衆たちは会話の圏外におかれ、欠伸《あくび》を嚙《か》み殺しながら地球儀を眺めていた。ベラスコの日本についての話をまだ疑わしげに聞いていた有力者の一人が、彼らにエスパニヤ本国とそのあまたの植民地とを次々に指さし、

「エスパニヤ、スィ、エスパニヤ」

子供に教えるようにくりかえし、最後に支那と地続きの小さな滴を指さし、

「日本《ハポン》」

とひくい声で言った。

「あなたは御存知ない」ベラスコはその有力者に鋭い眼を向けた。「その日本に寄港地を持てば太平洋を独占できるのです。だからこそ、イギリス、オランダの新教徒たちは今、日本と友好関係を結ぼうと懸命になっている。それより先にエスパニヤは手を打たねばならぬ。メヒコのアクニヤ総督がこの使者たちのため、国王陛下の謁見《えっけん》を申請されたのもそのためです」

すると食堂に一瞬、沈黙が拡がった。メヒコの総督が国王の謁見を申請したというのは勿論《もちろん》、ベラスコの嘘《うそ》だったが、この言葉は効果があった。ノベスパニヤの農園主たちにとって国王という言葉は重大だったのである。

「皆々さまが」ベラスコは勝ちほこったように疲れきっている日本人たちをみつめ、ゆっくりとやさしげに話しかけた。「エスパニヤの王に会われると聞いて……この愚か者たちは驚いております」

「王……王とは」と田中が訊ねた。

「王とは皇帝のことでございます。たとえば日本では内府さまが王でございましょう」

「そのエスパニヤの王たる方に、我ら、お目にかかれるのか」

「いけませぬか」ベラスコは例の自信ありげな微笑をうかべた。「皆さまは日本の使者でございましょうが……」

旅の疲れで消耗しきった三人は不意打ちを受けたように大きな驚きの色を顔に見せた。殿にさえお目通りできない召出衆《めしだししゅう》の自分たちがエスパニヤの王と会う。

「まことか」

「お任せくださいませ」

ベラスコはいつかおのれの嘘が嘘ではなく実現するのだという気になっていた。いや、それは嘘ではなかった。それは彼が実行せねばならぬ目的であり、目標でもあった。

「使者たちは疲れております」彼は町長に口だけで礼をのべた。「皆さまの御厚意に感謝します」

だが町長は不安げにそのベラスコを引きとめ、

「パードレ、明日、発《た》たれますか」

「そのつもりです」

「ベラクルスまでの路は危ないことを御承知か」

「ワシュテカ族はあなたたちエスパニヤの農園主には敵意を持っていましょうが」とベラスコは皮肉な眼で相手を見た。「あなたたちにとって遠く小さな島国の使節たちには、恨みは抱きますまい」

宿舎になった町の集会所に引きあげたあと、使者衆たちは体は疲れていたが興奮は去らなかった。王にお目通りする。使者たちが予想もしなかったことをベラスコは例の自信ありげな微笑をうかべて口に出したのである。

「王にお目にかかれるからには」

手燭《てしょく》の火をふき消したあと、闇《やみ》のなかで西ははずんだ声を出した。

「お役目は成就《じょうじゅ》すると思うて差し支《つか》えございますまい」

「王に直々《じきじき》、お目通り頂けるならばな」と侍は西のほうに寝がえりをうって答えた。

「だが……ベラスコ殿の申すことが、まことかどうかはわからぬぞ」

「俺も長谷倉と同じ考えだ」

開け放した窓にちかい方角から田中の声が聞えた。そのあと、黙ったまま三人は闇のなかで眼をあけて考えていた。一方ではベラスコを疑いながら、他方では王に謁見を受けるであろう自分たちの姿を思い浮べた。小さな地侍にすぎなかった自分たちが海を渡って、一国の王にお目通りできるのである。それは彼らにとって江戸に赴き、内府さまや将軍さまにお目通り頂くのと同じような、考えたこともない出来事だった。悦びは波紋のように胸の底から体の隅々まで拡がった。ベラスコにたいする疑惑も不信感もそのために解けていくほどだった。だが一日の疲れが彼らを深い眠りに追いこんだ。

その悦びのため、翌朝、雲ひとつないコルドバを発った時、驢馬《ろば》や供の者たちに囲まれて使者衆たちの足どりは軽かった。インディオの反乱という不安もしばし彼らの念頭から去ったほどだった。馬を進めながらベラスコだけが時折、遠眼鏡をあて、粉をまぶしたような丘陵地帯を見つめた。丘陵地帯の上には金色にふちどられた入道雲がみえた。

瓦礫《がれき》の多い平原に出た。雲の影がその平原にゆっくりと流れている。不機嫌な老人たちのように直立したサボテンが一行を監視し、羽虫は音をたてて彼らの汗ばんだ顔をかすめた。

侍は広大な平原のまぶしい地平線を見つめながら、その彼方《かなた》にある海を思った。そしてその海のつきるところに存在するエスパニヤという国を思った。見たこともないそれらの海と国。考えもしなかった自分のこの運命。だが谷戸でも与えられたものに従順だった彼は、新しい運命も引き受ける気持になっていた。

時折、彼らはインディオの見棄《みす》てた祭壇の廃墟《はいきょ》をあちこちに見た。ベラスコの説明によると、このあたりのインディオは日本人と同じように太陽を長いこと礼拝していたという。赤っぽい火山岩を積み重ねた台座や、地面に放り出されて転がった石柱の残骸《ざんがい》に奇怪な線が彫られ、その線の間を背を光らせた蜥蜴《とかげ》が走っていた。

午後、そんな廃墟で一行はしばらく休止した。物憂《ものう》げに竹筒に入れた水を飲み、平原をぼんやりと眺め、顔にぶつかってくる羽虫をうるさそうに追い払った。

前方には相変らず雲の影の落ちる起伏のある平原が拡がっている。今日は夕方までにこの平原を横切り、今夜の宿舎となる農園の一つに向う手筈《てはず》である。平原の彼方に竜巻のような砂塵《さじん》がひとすじ、ゆっくりとたちのぼった。やがて一同の疲れた眼にそれは砂塵ではなく黄色い煙だとわかってきた。

「狼煙《のろし》のようにみえるが……」

田中太郎左衛門は腰かけていた廃墟の石柱から急に腰をあげて額に手をかざした。

「狼煙とは思えませぬ」

と西九助が首をふった。日本人たちはいつぞやイグアラの手前で禿山《はげやま》にあがったインディオの狼煙をおぼえている。だが狼煙にしては煙は太く、それに応《こた》える別の狼煙はどこにもない。

「火が動いております」

ベラスコは皆から離れて一人、遠眼鏡を眼に当てていた。三人の使者衆は彼をじっと注目して、その言葉を待っていた。

「おそらく農園で林を焼いているのでございましょう。この国ではよく……」と何事もなかったようにベラスコは遠眼鏡を眼から離し、「林を焼いて畠《はたけ》といたします」

「ベラスコ殿」怒りのこもった声を田中は出した。「今更、隠されることはあるまい。こちらはもう存じておる」

不意をつかれて、ベラスコはさすがに顔を赤らめ口ごもりながら弁解した。

「田中さま、悪意で隠したのではございませぬ」

「もうよい」田中は不機嫌そうに首をふって、「いらざる心づかいはかえって迷惑だ。我らは女、子供ではない。たかが百姓の一揆ではないか。何が見えたのだ」

「農園が焼けております」

ベラクルスに赴くにはこの陽のあたる平原を真直《まっす》ぐ突っきるより路《みち》はなく、山岳地帯を大きく迂回《うかい》すれば旅は長く時間をとる。ベラスコは今夜は野宿をして、明朝、出

発することを主張したが、田中は殊更《ことさら》に首をふって、

「インディオたちは日本の者に恨みのある筈はない。我らに関わりのない一揆だ」

「無用な災厄は避けて通らねばなりませぬ。お役目こそ大事でございましょう」

「我らはベラスコ殿より戦には心得があるぞ。ここからはお任せ頂こう」

田中は得意そうに笑い、

「長谷倉も西も異存なかろうな」

田中の子供っぽい強気が侍には不安だった。松木忠作がいたら、と彼は思った。

「異存はないが、こちらより戦を仕掛けるまでもあるまい」と侍はそう相手をたしなめた。「ベラスコ殿の申されることも一理ある。お役目こそ大事だぞ」

驢馬に背負わせた荷には二十梃《ちょう》の鉄砲しかなかったが、その鉄砲をとり出し、ベラスコと驢馬の群れとを守るようにとり囲み、三人の供の者が偵察をかねて先頭に立った。すべて田中の指図によったものである。

遠くで煙は空を卵色によごしていた。進むにつれてその煙のなかに橙色《だいだいいろ》の炎が蛾《が》の羽のように小さくゆれ動いているのが見えてきた。時折、豆のはじけるような音がかすかに聞えた。

「鉄砲か」

田中は手をあげて列をとめ、しばらく耳をすました。それから指揮者らしく重々しくうなずいて、

「臆《おく》するな、鉄砲ではないぞ。あれは火の燃える音だ」

と一同に教えた。侍や西とちがって少年の頃、殿の戦に加わった田中はさすがに心得があった。

耕作地に入ると玉蜀黍《とうもろこし》の畠が無惨《むざん》に踏みつぶされ、バナナ林のなかの藁《わら》ぶきの小屋が半ば焼けこげていた。

バナナ林から煙が淡い霧のように流れてきた。焦《こ》げくさい臭《にお》いもした。煙の奥にインディオたちがひそんでいるのかは見通せなかったが、田中は馬からおり供の者から銃をとるとおのが豪胆さを示すように一人、胸をはって歩いていった。煙のなかで彼の咳《せき》が聞え、やがて、

「心配はいらぬ」とその声がひびいた。「納屋《なや》が燃えているだけだ」

大きな納屋が焼けていた。内部はすっかり灰になり、今は黒こげの柱と屋根の横木とに、小人の群れがおどっているように炎が列をつくって動いていた。時折、崩れ落ちる横木の響きがわびしい感じを与えた。

戦なれしたように田中は地面を丹念に調べ、乱れた足跡を見つけ、

「土民たちはもうここを通りすぎたぞ」

と侍と西とに教え、それから馬の手綱を握ったまま茫然《ぼうぜん》とあたりを見まわしているベラスコに、

「どうした。臆されたか、ベラスコ殿」

とからかった。ベラスコは苦笑をうかべただけだったが、それはこれまでのこの宣教師には見られぬ弱気な態度だった。

「さあ」田中は、今は指図をするのはベラスコではなく自分だというように一行を促した。「参るぞ、日が暮れる」

背後で納屋の燃え落ちる音を耳にしながら、日本人たちは周りに耳をそばだててほの暗いバナナ林を通過した。白っぽい幹と幹との間に、暑くるしい空とオリーブの樹《き》を植えた丸まった猫のような丘とが覗《のぞ》いてみえた。林を通りぬけた時、陽光が一同の額にぶつかった。一本のオリーブの樹の根もとに襤褸屑《ぼろくず》のような人間のかたまりが逃げようとした。辮髪《べんぱつ》のインディオの女と三人の子供である。

「パードレだ」ベラスコは大声を出した。「私はパードレだ。逃げることはない」

女も子供も動物のように怯《おび》えた眼でこちらをふり返った。

「エスパニヤ語がわからないのか」

鳥のように鋭い声で女は何かを叫んだが、ベラスコにもその意味はわからなかった。

「静かに」

この時、田中は耳をすまし、ベラスコを制した。彼だけが何かを聞きつけたのである。暑さと静寂とのなかで一同は身じろぎもせずに丘陵の一角をじっと見つめた。

雑草を踏みしだく足音がかすかに聞える。そして警戒するようにひとつの黒い頭があらわれた。その陽に焼けた顔には血が流れていた。武装したエスパニヤ人がいっせいに叢《くさむら》から立ちあがった。彼らもまた日本人の群れに気づき驚愕《きょうがく》したようにこちらを凝視し、やっとベラスコを見つけた。

「パードレだ、私は」

ベラスコは手をあげ、オリーブの樹の間を彼らに近寄った。そして花びらのような血を頰につけた男と何か話しあってから、日本人の方を向いて言った。

「ご案じなさいますな。我らを迎えに参った農園主と従者とでございます」

彼は農園主に情勢をたずね、

「ここまで来ているのかね、ワシュテカ族は」

「いや、パードレ」と農園主は首をふった。「反乱を聞いてこの附近のインディオたちまでが、あちこちで騒ぎまわり、納屋を焼く。耕作地に火をつけ、そして今は近くにかくれているのです」

「我々はベラクルスまで行かねばならぬが……」

「私たちが従《つ》いていきますよ。日本人は銃を扱えますか」

「彼らはあなた方より巧みに銃を撃つだろう。戦には馴《な》れている国民だ」

農園主たちは疑わしげな眼をしたが何も言わなかった。オリーブの樹の根もとにうずくまっていたインディオの女が顔をあげ、子供を両手でかかえてまた鳥のように鋭い声をだした。農園主は彼女を叱《しか》りつけている。

「何を言っているのだ」

「あの女の弟が……我々に撃たれ死にかけているのだそうです」農園主は肩をすくめて、「いい気なもんだ。そのくせ、あなたがパードレならば弟に終油の秘蹟《ひせき》と祈りとをしてほしいという」

彼は地面に唾《つば》をはき、勲章のように頬につけている血をこすった。

「反抗しながら自分に都合が悪くなると我々に物をねだってくる。インディオたちはいつもそうだ。放っておきなさい」

「その死にかけている男はどこにいるのだね」

「冗談じゃない。行けば、人質にされるか殺されますよ。インディオがよく使う手です。女、子供を道具に使って我々を安心させる。そして裏をかいて不意打ちをかける」

「私はパードレだ」ベラスコは静かに答えた。「あなたも信者なら知っているだろう。パードレにはやらねばならぬ義務がある。たとえ相手がインディオでも……」

「甘やかしては駄目です。パードレ、インディオは信用できる相手じゃない」

「私はパードレだ」

急にベラスコの顔と首とが赤くそまった。怒りや烈《はげ》しい感情を抑えようとする時、彼の顔はいつもそうなるのだった。

「パードレ、およしなさい」

ベラスコはその言葉をふり切るように丘をのぼりはじめていた。インディオの女はそれに気づくと子供を残し、裸足《はだし》のまま獲物を追いかける獣のようにあとを走った。何もわからぬ使者衆も同じように動きはじめると、

「おのこりくださいまし」ベラスコは丘の中腹から叫んだ。「私は今は通辞ではない。切支丹《キリシタン》のパードレの務めに参るのです」

女とベラスコとはまた暗いバナナ林に入った。バナナの葉の腐った臭気が林のなかにこもり、どこかで鳥の鳴き声が聞えたが、その声は死んだ動物を餌《えさ》にする禿鷹《はげたか》のあのいやな鳴き声のようにベラスコには思われた。女はバナナの樹と樹との間をたくみ

に走りぬけ、時々、遅れてくる宣教師をふりかえった。恐怖も不安もふしぎに心になかった。よく茂ったバナナの樹のかげに獅子《しし》鼻《ばな》で上半身裸のインディオが暗い眼で立っていた。女が彼に話しかけてからやっとベラスコは林のなかを通してもらった。

窪地《くぼち》のなかに同じように上半身裸の若いインディオが口で息をしながら仰向けになっていた。若い女がそばで放心したように坐《すわ》っていた。ズボンをはいているところを見ると彼も農園で働かされていた小作人に違いなかった。が、その首に泥と血との塊がこびりついたはっきりとした弾痕《だんこん》がある。

「エスパニャ語はできるか」

　ベラスコは訊《たず》ねたが、男は開いた口で荒い息遣いをしつづけるだけで、見開いた瞳《どう》孔《こう》も薄い膜がはったように焦点を結んでいない。夕闇《ゆうやみ》のように死がこの若いインディオの肉体を侵していた。

「永遠のやすらぎを得んことを《ハベアス・レクイエム・エテルナム》」

　若者の泥と血とでよごれた手を持ってベラスコは呟《つぶや》いた。その時、彼はもう日本で布教する野望に憑《つ》かれた宣教師ではなく、小さな村で息を引きとる老婆《ろうば》を看取《みと》る一人の神父と同じだった。

「死者に安らかな憩いを与えられんことを《レクイエスカント・イン・パチエ》」

人生の最後の門を閉じるようにベラスコは指で凍りついたように大きく見開いた眼を閉じた。その時、彼はその寂しそうな顔から、そう、あの雄勝《おがつ》の材木置場で自分に罪の許しを求めてきた日本人の切支丹の顔を思いだした。襤褸衣《ぼろぎれ》をまとったその肩に木屑をつけていたあの日本人の顔を……。

風はベラクルスを吹きぬけ、漆喰《しっくい》でかためた家々の壁や灰色の路に枯草の塊を毬《まり》のように吹き転がし、沖合の荒れた海を泥色にそめていた。ベラクルスは風の季節だった。風のなかを疲れ果てた日本人の行列が足を曳《ひ》きずるようにして入ってきた。町の入口にはメヒコやプエブラに到着した時と同じように、頭巾《ずきん》をかぶり、腕を組んだ二人の修道士が銅像のように彼らを待っていた。使者衆のうち一人は足を折って馬に乗るのもやっとだったし、その供の者の一人は驢馬《ろば》の引く荷車に寝かされていた。途中、インディオたちに襲われたのである。

宿舎の修道院の窓から白い牙《きば》をむきだして荒れている海が見えた。この海は彼らが二カ月以上かかって渡ったあの大きな海とは別のものだった。だがあの大きな海と同じように大きく、それを渡ればヨーロッパという大陸があり、そこにエスパニヤやポルトガルやイギリス、オランダなどというさまざまな国があることを侍たちは知った。侍は荒れている海を眺めながら思った。この世界に比べれば自分が生きていた殿の御領地は何と小さかったのだろう。そしてその御領地のなかの谷戸も黒川の土地も一粒の砂のようなものだった。それなのに自分たち一族はその一粒の砂のために出陣し、戦い、今日まで生きてきたのだ。

月ノ浦を出航したあの日、帆綱の軋《きし》む音と海鳥の鳴く鋭い声とを耳にしながら、侍は自分が新しい運命にこれから押しながされていくのだと感じたし、その海でもノベスパニヤでも、心には眼に見えぬ変化が生れつつあるのを感じた。その変りつつあるものが何かは――口には出して言えなかったが――少なくとも、今の自分が谷戸に生きていたおのれと違うことだけは確かだった。そしてこの運命が自分をどこに運び、結局はどう変えるかに彼は恐怖に似たものをおぼえた。

颪はその夜、修道院の窓を一晩中、ならした。夜半から雨も降りだした。

我々は季節風の吹くベラクルスに到着した。そして今、ここのサン・フランシスコ修道院に宿泊している。

心配していたワシュテカ族の襲撃からどうやら無事に脱出できたのも、ひとえに私の達成しようとする日本での布教のため、主が一行をお守りくださったと考えざるをえない。なぜなら主は危険を逃れる思いがけない機会を私に与えてくださったからだ。

コルドバを出発した日、農園近くで私はワシュテカ族に呼応して暴動を起したインディオの小作人の一人に終油の秘蹟を与え臨終の祈りを行った。エスパニヤ人の農園主たちの銃弾で深傷《ふかで》を負ったそのインディオの若者はバナナ林の窪地のなかで私に手をとられて息を引きとった。主が彼に永遠の生命を与え給《たま》わんことを。私は神父として当然の義務を行ったにすぎぬ。

だがそれを目撃していたインディオの小作人たちのうち二人が返礼として我々をベラクルス近くまで送ってくれたのだ。これは私たちにとって何よりも力強い味方であり、そして事実この二人の助けあればこそ我々はワシュテカ族の襲撃を危うく免れたのである。

ベラクルスに明日は到着するという日だった。我々は襲撃の対象になる農園のある場所を避けて路を迂回していた。

例によって陽差しは強く、人馬ともに疲れ果て、塩をまぶしたような岩山と岩山の間を一列になって歩いていた。眩暈《めまい》のするような感覚のなかで群立したサボテンが時折、人間の群れのように見えることもあった。

一時、休憩をとった。その時、岩山の上を旋回している一羽の禿鷹の動きを私はぼんやりと眺めていた。谷があまり静かなのでかすかな不安さえ感じていた。

突然、片側の岩山から何か黒いものが飛んできた。それは初め、鳥のように思えた。だが鳥ではなかった。岩の上に十人ほど手に網を持った辮髪のワシュテカ族が出現した。彼らは遠くから我々を発見して待ち伏せし、網に入れた石を投げてきたのである。

インディオは網にくるんだ石を飛ばす、そう私も聞いたことがある。我々の祖父たちがこのノベスパニヤを征服した時、インディオはこの武器で抵抗したのだ。棒立ちになった馬を鎮《しず》めようと私は必死で試み、日本人たちは田中の鋭い命令の声でサボテンの陰に身をかくそうとした。

逃げおくれた一人が転倒した。田中の従者である。その従者を救うために田中が身をかくしていたサボテンから走り出た。私は背の高いワシュテカ族の男が彼と従者とを狙《ねら》って網をふるっているのを陽光のなかで見た。その獅子鼻も白い歯も肩にかかる辮髪もはっきりと見えた。頭ほどある白い石が二人に向って飛んでいくのも目撃した。連れてきたインディオの小作人は二人とも田中のあとを追って駆けだした。次の石は彼らのそばに落ちた。彼らは岩の上のワシュテカ族に悲鳴のような声で哀願した。おそらくこの一行がエスパニヤ人ではなく日本人だと告げたのであろう。と、まるで奇蹟のように、ワシュテカ族の男たちは蒸発したように岩山から姿を消した。

すべてが夢のようだった。谷にはふたたび静寂が戻り、太陽は白く燃えていた。私も日本人たちもサボテンの陰から走り出して供の者の周りを囲んだ。田中は右足を骨折しているだけだったが、供の者は膝《ひざ》を石榴《ざくろ》のように割ってその傷口から血が流れ足を真赤に染めていた。関節が砕かれているのかもしれぬ。立ちあがろうとして立ちあがれぬこの男は驢馬の引く荷車に乗せられたあとも呻《うめ》き声をあげていたが、時折、「申しわけございませぬ」と主人に声をあげて詫《わ》びた。「首に綱をつけてでもお供させてくださいませ。でなければ故郷に戻れませぬ」

田中もまた自分の苦痛を抑えてその彼に、

「おお、連れて行くぞ、連れて行くぞ」

と繰りかえし慰めていた。

日本人の侍と従僕とはちょうどローマ時代の貴族と奴隷《どれい》とのような関係だが、しかしそこには利害をこえた結びつきとこまやかな家族的な愛情がある。私は日本にいた時、自分もこの日本人の従僕のように神に仕えねばならぬとしばしば考えたことがあった。

だが考えてみればインディオの小作人たちのおかげで、ともかくも我々はこれだけの被害でワシュテカ族の難から逃れることができた。それも主が御力を貸してくださったと思わざるをえない。惨憺《さんたん》たる姿で私たちはベラクルスに入ったが、しかし私の不安はもう終ったのである。

我々が到着したベラクルスは折からの季節風の吹きぬける港町だった。到着の翌々日、私と長谷倉と西とは、その風のなかを町の外港ともいうべきサン・フワン・デ・ウルーワ要塞《ようさい》の司令官をたずねた。折からここに停泊し、出航の準備をしているエスパニヤ艦隊の一隻《せき》に乗船を申請するためと、田中とその供の者によき軍医の治療を仰ぎたいためである。前者については既にメヒコの総督の命令書を私は持参していたから問題はなかった。

サン・フワン・デ・ウルーワの港に着くと息が出来ぬほどの強風が吹き荒れ、海も泥色に濁り、三隻の船が防波堤のなかで怯《おび》えたように退避していた。アカプルコの要塞に似たこの要塞は鼠色《ねずみいろ》の城壁にかこまれ、よく太った、そして禿頭の司令官が機嫌

よく我々を待っていた。彼は総督から既に連絡を受けており、命令書を一読しただけで机の引出しに入れ、

「ところでパードレの伯父上からの手紙がここに参っておりますが……」まるで命令書の答えのように即座に同じ引出しから一通の手紙を取り出し、「あなたの伯父上を私は存じています」

なつかしい伯父ドン・ディエゴ・カバリェーロ・モリーナが、アカプルコで私が急ぎ送った手紙にこんなに早く返事をくれるとは思わなかった。防水紙に包まれたその手紙を私は大事にポケットに入れた。

司令官は使節たちが贈った日本刀を子供のように悦《よろこ》び、この強い季節風がおさまったら出航する手筈《てはず》になっているサンタ・ベロニカ号に乗船を許可してくれた。そして長谷倉と西とに日本人の受けた災難を詫びた。

修道院に戻った私は夜になってやっと伯父からの手紙を開いた。伯父はセビリヤでこの手紙を受けとったこと、甥《おい》である私の望みをかなえてやるために一族をあげて努力するつもりだ、と書いていた。

「だがしかし、お前は大きな障碍《しょうがい》にも会うことを覚悟せねばならない。それは私たち一族がある手段によって入手した日本ペテロ会の国王宛《あて》の要請書を見れば明らかであ

る。その写しを私はここに同封するが、それにはペテロ会のお前にたいする中傷と非難とがきびしく書かれているのだ。

次にこれも私たち一族が入手した情報だが、ペテロ会ではお前たちがマドリッドに到着後、日本の使節の目的が失敗に終るよう、司教会議を開催することを前から画策しているらしい。その司教会議でお前は日本在住三十年の有名なヴァレンテ神父と対決させられるだろう。勿論《もちろん》、お前には説明の要はないと思うが、この神父は管区長だったヴァリニャーノ神父の友人であり、片腕でもあり、歴史学者で、当地に於《お》いても高官、貴族に尊敬されている人物でもある以上、その彼と対決をするためには、お前も充分の準備をしておかねばなるまい」

強風は夕方になってもまだ烈《はげ》しく私の部屋の窓を叩《たた》いていた。私は立ちあがりその部屋の窓に額を押しあて、修道院のそばの広場を見おろした。広場には人影ひとつなかった。吹き飛ばされた枯草の塊があちこちにころがっているだけだった。伯父が同封してくれたペテロ会の要請書は次の通りである。

「日本の使節のノベスパニヤへの訪問につき、既に陛下に報告書を提出いたしましたが、結論を先に申し上げれば、その希望する通商については慎重な態度が望ましいかと存じます。使節に同行する筈のポーロ会のベラスコ神父は、日本在住のペテロ会士たちの報告によれば、思慮にかけ行動も必要以上に出すぎた人物に思われます。日本では皇帝が基督教《キリストきょう》の迫害を続行しており、この宣教師の言うような布教の自由が認められる可能性は薄いというのが我々ペテロ会の考えであります。のみならず日本人は布教の自由を餌《えさ》にして、その本心では貿易による利益のみを求めていることも合わせて申しのべておきます。尚《なお》、ベラスコ神父は在日宣教師である我々のいかなる者とも協議なく、単独で日本の一領主を説いて船を造らせ、修道士派遣を請願するために前記の使節を送らせようとしているので、もしこれが功を奏しますと、日本に残留している少数の宣教師及び基督教徒に災いの及ぶこと、不幸な結末のもたらされることは必定であります。誇張され扮飾《ふんしょく》された彼の画策はすべて虚偽にみちておりますので、充分、慎重に対応されるよう希望いたします」

窓の隙間《すきま》から吹きこむ風が小さくなった蠟燭《ろうそく》の炎を吹き消した。だが私は火をつけようともせず長い間、闇のなかで両手で顔を支え、やがて対決をせねばならぬヴァレンテ神父の姿を考えつづけた。日本に赴いた宣教師ならばその名を知らぬ者のないこの神父は、『日本宣教史』の著者であり、九州や上方《かみがた》をあまねく布教して歩きながら、秀吉やその家来、小西行長や高山右近に尊敬された人物でもある。だがそれだけならば私はこのように考えこみはしない。その彼が単なる神父ではなく、鋭い頭脳と手腕とを持った弁論家だとかねがね聞いていたからである。私は伯父の言うように、充分備えておかなければならなかった。敵の攻撃がどのような形でどこから来るかに備える軍人のように、彼が衝《つ》いてくる疑問に、彼が狙ってくる問いに、みごとに言い開きをせねばならぬと思った。闇のなかで私はいつか、机に俯《うつぶ》したまま眠っていた……。

第六章

今、船はグワダルキビル河を遡《さかのぼ》りコリアに向っている。

大西洋の旅がかくも時間をとったのは、乗船したサンタ・ベロニカ号が強風にあい、かなり大きな破損をうけて修理のためハバナで六カ月も停泊したからである。このハバナで可哀想に田中太郎左衛門の供の者が息を引きとった。膝《ひざ》に重傷を負ったあの男である。彼を葬《ほうむ》ったあとも田中の落胆ぶりは気の毒なほどだった。まるで自分の兄弟を失ったかのように、あの傲然《ごうぜん》とした男が暗い顔をしてカリブの海を見つめている姿を私はたびたび目撃した。それから二度の季節風による嵐《あらし》に見舞われ、ようやく祖国エスパニヤのサン・ルカル港を遠望したのは、ベラクルスを発《た》って十カ月の後である。

船旅の間、私の念頭からはマドリッドの伯父の警告が去ったことはない。やがては司教たちの前で討論せねばならぬヴァレンテ神父の姿がいつも瞼《まぶた》に浮んだ。

私の想像のなかで、ヴァレンテ神父は苦行者のように頰のこけた、瘦《や》せて長身の男だった。刃物のように鋭い頭脳はその眼の光にあらわれているようにも思われた。ひくい声で彼は私の考えの最も弱い部分をえぐり、そのえぐった傷口を次々と拡《ひろ》げてくるような気がした。少しでも気をゆるめると、巧みにそれに乗じてたたみかけ、あるいは言葉に罠《わな》を仕掛けてこちらの論旨が矛盾するのを待ち伏せするにちがいない。

彼がおそらく攻撃してくるであろう質問をひとつ、ひとつ私は予想してみた。彼は必ずやこの使節がいかなる資格で派遣されたかを問うてくるだろう。また内府が一方では切支丹《キリシタン》信徒を迫害しながら、使節を送ってきた矛盾を暴《あば》くだろう。更に日本の布教が今や絶望的なのに私がこれを匿《かく》し、匿しただけでなく楽観的な見通しを主張している、と批判するだろう。

考えられる限りのこれらの問いをひとつ、ひとつ想定しながら、私はまるで試験前の神学生のようにその答えを口に出してみた。だがその答えを口にしているうちに、急に怒りとも悲しみともつかぬ感情がこみあげてきた。同じ基督教《キリストきょう》の聖職者である彼らがなぜ、あの日本を主の国に変えんとする私の意志を挫《くじ》こうとするのだろう。なぜ、妨害しようとするのだろう。

私はその時、異邦人たちに伝道したためにエルサレムの使徒たちと対立したポーロを思った。ポーロさえも同じ基督教徒に妨害を受け、陰口をたたかれ、罵《ののし》られたのだ。エルサレムを本拠とする基督教徒たちは国境を超え、民族を超えて主の教えを拡げようとするポーロを、使徒としての資格なしと言いふらし、その伝道さえも非難した。同じようにペテロ会はこの私を日本に布教する価値のない神父と見なしている。
こみあげてくる怒りをじっと我慢していると、なんとも言えぬ悲しみが胸に拡がってきた。おなじ神を信じ、おなじ主イエスを思慕し、おなじ日本をその神の国に変えようとしながら、私たちは反目しあい、争っている。人間というものは、なぜ、いつまでもこのように醜く、利己的なのだろう。我々は教団という組織のなかでは清らかになるどころか、俗人以上に醜くなることもあるのだ。聖者たちの持った従順さと忍耐心、そして限りない優しさとから私はほど遠い地点に今、いるような気がした。

昨夜、強い雨が河を遡る船を叩《たた》いた。その強い雨音に眼を覚した。恥ずかしいことに、私は夢精をしていた。きつく縛った手首はこういう場合、罪を犯さないためだった。若い時ほどではないが、私は自分の強い肉欲と夜の間、こんな形で闘わねばならないのだ。跪《ひざまず》いて私は祈った。なんという、みじめな肉体だろう。祈りながら急に怖《おそ》ろしい絶望感に襲われ、鏡のなかに自分の醜悪な顔を見せつけられたように、私はわが心にひそんでいた毒の味をひとつ、ひとつ感じたのだ。私の肉欲、ペテロ会にたいいする怒り、日本の布教にたいする傲岸なまでの自信、征服欲――それらひとつ、ひとつが心にうかび、私の祈りや望みに主は決して耳を傾け給《たま》わないだろうという気さえした。主が私を指さし、私の祈り、私の理想とするものの背後に、最も醜悪な野心がかくれていることを指摘されておられるような気がした。

(いいえ、違います)私は必死で抗《あらが》った。(私は日本と日本人たちとに限りない愛着を抱いているのです。抱いておればこそ彼らをあのぬるま湯のような心から呼び覚したいのです。生涯をすべてそのために捧《ささ》げても神父として悔いはないのです。私の行為はすべてあなたのためにあるのです)

だが机上においた小さな十字架、その十字架で主は両手を拡げたまま、私を悲しそうに見つめ、私の抗弁を悲しそうに聴いておられた。

(では主よ、私は日本を諦《あきら》めるべきでしょうか。あれほど優れた才能と力とに恵まれた日本人を、あのぬるま湯のような心のままに置いておくべきでしょうか。あの民族はなぜか私には聖書に書かれた「冷たくもあらず、熱くもあらぬ」心を自分たちの特質として頑固にきびしく守りつづけているように思われます。そんな彼らにあなたを求める熱さを私は……与えたいのです)

ヴァレンテ神父に対抗するただ一つの手段。それはマドリッドで日本人の使者たちを切支丹とすること。ちょうどメヒコで日本人の商人たちを受洗させたように。そうすれば司教たちは私ののべることが間違いはない、と考えるであろう。ちょうどメヒコの総督があの華々しい受洗によって私の考えに同意したように……。

グワダルキビル河を遡り、使者衆たちは遂《つい》にヨーロッパに上陸した。一年半前には彼らが名も存在も知らなかったエスパニャのセビリヤに足を踏み入れた。

秋のはじまりだった。やわらかな陽差しのそそぐ野に白い家がどこまでも拡がり、その白い塊のなかに、澄みきった空を突く教会の尖塔《せんとう》があちらにもこちらにも見えた。河ではあまたの舟が上り下りし、そのふちには陽をあびて花がみずみずしく咲きみだれていた。花の香りは町の至るところから漂い、家々の白い窓ぎわには壺《つぼ》が置かれ、装飾模様の門からタイルを敷いた地面に彫像と花瓶とを並べた中庭が覗《のぞ》きみえた。それらの家々の内部は群青《ぐんじょう》の細かな模様をつけた壁にかこまれ、暗く、奇妙な臭《にお》いがこもっていた。

はじめて見るエスパニヤの町。京も江戸も知らず殿の御城下しか見たことのない三人の召出衆《めしだししゅう》にはこの大きな町のすべてが驚きの種だった。この町はむかしアラブ人の町で、それを基督教徒のエスパニヤ人が征服したのだとベラスコは語ったが、使者衆たちはアラブという国がどこにあるのかも知らず、この町のどこにその臭いが強く残っているのかもわからなかった。彼らは王宮《アルカサル》のような絢爛《けんらん》たる建物に溜息《ためいき》をつき、大聖堂の巨大な塊に圧倒され茫然《ぼうぜん》として黙りこんだ。

毎日がメヒコとは比べものにならぬほど忙しかった。ここを故郷とするベラスコの一族の助力で使者衆たちは馬車に乗せられて市長に会いに行き、議員を訪れ、貴族たちや高位の聖職者の招きを受けた。わからぬ言葉の渦に巻きこまれ、馴《な》れぬ食べ物を無理矢理、呑《の》みこみ、彼らは懸命に耐え、頑張った。

「これがヨーロッパでございます」

ベラスコは巨大な大聖堂の上からセビリヤの町を見おろした午後、あまたの尖塔のひとつ、ひとつを指さし、あれがサン・ステファノの教会、これがサン・ペドロ寺院と教えた後、皮肉な口調で言った。

「ここそ、日本の方がたがおっしゃっているエスパニヤでございます」

それから彼は声をだして笑った。

「皆さまはこの旅で世界の広いことに気づかれたが、その広い世界でとりわけ富める国がこのエスパニヤと申しても差し支《つか》えありますまい。……そして今、皆さまはその国におられる。南蛮の国におられる」

田中太郎左衛門は腕を組んだまま動揺を面《おもて》にみせまいと眼をそらした。西九助だけは矢立《やたて》を出してベラスコの教えた建物や教会の名を懸命に書きこんでいる。

「だがこのセビリヤなどと比べることのできぬほど大きいのがエスパニヤの都マドリッドでございます。そのマドリッドで皆さまはエスパニヤの王に会われる」

田中と侍とが震えたのがベラスコにもよくわかった。召出衆の彼らには、たとえ使者衆という名目でも強大な国の王に会うのはあまりに破格の出来事だった。

「だがそのエスパニヤの王もその前では恭《うやうや》しく跪かれる方がおられる。御存知か」

三人の誰もが答えなかった。

「法王《パッパ》さまと申される切支丹の王でございます。それを日本にたとえるならば、内府さまはエスパニヤの王であり、京の天子さまは法王《パッパ》さまかもしれませぬ。だが法王《パッパ》さまは天子さまとは比べもできぬほど大きなお力を持っておられます。ところがその法王《パッパ》さまさえも……一人の方の前では下僕にすぎぬのでございます」

微笑してベラスコは使者衆たちの顔を覗きこんだ。

「その方とは……申さずともおわかりでございましょう。……ノベスパニヤの至るところで、皆さまはその方の像を眼にされた。ノベスパニヤだけではない。このエスパニヤだけではない。ヨーロッパのすべての国々はその方を崇《あが》め、ぬかずき、拝礼をしております」

日曜日、サン・フランシスコ大聖堂にベラスコはひとつの目的のために三人を列席させた。この日、レルマ司教が日本人使節のために特別のミサをあげることになっていた。朝から石畳を敷いた路《みち》に馬車が車輪を軋《きし》ませて続々と大聖堂の入口に向い、着飾った貴族や商人たちが石柱の並んだ聖堂を埋め、あまたの燭台《しょくだい》の炎が金色の祭壇を照らし、オルガンの音が石の壁に響きわたった。渦巻きのような装飾に飾られた説教台からレルマ司教は人々を祝福してこう語った。

「今日、このミサにはセビリヤを故郷とする神父ベラスコに伴われ、東洋の日本から波濤《はとう》万里、参られた使節が列席されている。我々はそれゆえ、このミサをその使節と日本人のために捧げたいと思う。我らの祖先が今日まで多くの異邦人の土地に教会を建て、神の国となしたよう、いつの日か使節の国もまた主を讃美《さんび》することを祈ろう」

聖堂を埋めた人々はすべて跪き、合唱隊が聖歌を歌った。

聖なるかな《サンクトゥス》 聖なるかな《サンクトゥス》 聖なるかな《サンクトゥス》
主にまします《ドミヌス・デウス》 万軍の天主《サバオト》
充ちみてり《プレニスント・チェリ》 天と地とに《エト・テルラ》

ベラスコは両手に顔を埋め、こみあげてくる感動に身を任せた。(日本《ハポン》よ、日本《ハポン》よ)と彼は心のなかであの国に呼びかけた。(この声を聞け。日本《ハポン》よ、日本《ハポン》よ、お前がいかに主を無視しようと、お前がいかに我ら司祭を殺そうと、お前がいかに信徒たちの血を流そうと、いつの日かお前は主に従うだろう)そして彼は頭《こうべ》を垂れて祈った。(主よ、そのために……戦いに勝たせてください。ヴァレンテ神父に勝たせてください)

ミサが終り、感激の覚めやらぬ人々が日本人たちをかこみ、奔流のように大聖堂の外に流れ出た。彼らはもみくちゃにされた日本人たちの肩を叩き、握手を求め、レルマ司教がベラスコと使者衆たちとを大聖堂の地下室に避難させるまでそばから離れなかった。

「さあ、我が子よ」

人々の歓声が消え、湿った暗い地下の一室に逃れた時、レルマ司教はベラスコに不

安そうな表情をみせ、

「儀式は終った。現実に戻らねばならぬ。あの熱狂にだまされてはならぬ。状況はお前にとって決して良くはないのだ。マドリッドではお前のために司教会議を開くことになっているが、その会議はお前の考えに決して有利ではないようだ」

「存じております」ベラスコは使者衆たちに視線を走らせてからうなずいた。「だが先ほど司教さまも今日のミサをこれら使節と日本人とのために捧げようとおっしゃいました。いつの日か日本が主を讃美する国となることも皆と共に望まれました」

「たしかに、いつの日か、と私は言った。だがそれは今ではない。日本人たちがこの二十年間、いかに宣教師を嫌い、いかに信徒たちを迫害したかは、遠くにいる我々も知っているのだ」

「状況は変っております」ベラスコはメヒコの大司教に言った言葉と同じことを早口で繰りかえした。「で、なければ、日本はこれらの使節をエスパニヤに送らなかったでございましょう」

「我が子よ、ペテロ会の会士はその状況がもっと悪くなっていると報告している。そしてこの使節たちは日本の一領主の騎士たちであり、決して日本皇帝の公式の使いではないと……。我々はこれ以上、あの国で司祭たちの血を流したくはないのだ」

「布教は……戦いと同じだと信じております。私はあの日本と戦う宣教師です。宣教師は主のために死ぬことを怖れてはならぬ兵士に似ています。使徒ポーロは異邦人のために血を流すことを決して厭《いと》われませんでした。布教は修道院や陽のあたる場所でぬくぬくと神の愛を語るのとは違いましょう」

「そう」と司教はベラスコの皮肉に気づいた。「布教が戦いに似ていることには同意しよう。そしてすべての兵士がその指揮者に従うように、お前もまた従順でなければならぬ」

「指揮者が戦いの場所から遠く離れ、戦いの実情について何も知らぬ時もございます」

「お前は」司教はベラスコの顔をじっと見つめた。「我が子よ……烈《はげ》しすぎる。その烈しさが将来、お前の魂を損わぬように反省せねばならぬ」

顔を赤らめてベラスコは黙りこんだ。司教が指摘した通り、彼の性格の烈しさは長い修道生活でいつも上司から忠告を受けてきたものである。(だがその烈しさがなかったならば)とベラスコは思った。(どうして私はあの東洋の島国に赴いただろうか。日本《ハポン》よ、お前と戦うためには私は……烈しくなければならないのだ)

「我々は……これからマドリッドに参ります。そして大司教に直接、お願い申しあげたいと思いますが……」

「何を」

「この日本の使者たちに王が謁見《えっけん》してくださることを……」

レルマ司教はあわれむようにベラスコを眺め、手をさしのべて彼の口づけを受けた。

それから諦めたような声でくりかえした。

「大司教がお前の望みを聞き入れられるように……。だがお前は烈しすぎる。その烈しさがお前の魂を損わぬように」


群集が去りレルマ司教も司教館に姿を消し、日本人たちを馬車で宿舎の修道院に帰した後、ベラスコは一人、大聖堂の祈禱台《きとうだい》に跪いていた。広い聖堂は四方の色硝子《いろガラス》の窓から差しこむ幾条かの光の当るほかは暗く静かで、祭壇には聖体燭台が赤くともり、その傍らでは威厳に充《み》ち満ちた基督《キリスト》が片手をあげてこちらを見おろしていた。それはまさしく使徒たちに「行きて全世界の人々に福音を宣《の》べ伝えよ」と言われたあの時の御姿だった。

（主よ）ベラスコは手を組みあわせ、基督の眼を見つめて訴えた。（あなたは福音を世界の果てまで伝えよとお命じになりました。私はその御声に自分の生涯をかけ、日本に渡りました。だがその日本からあなたは御手を引かれるおつもりでしょうか）
（主よ、お答えください。日本は今、あなたのその御声から棄《す》てられようとしていま
す。ほかならぬあなたの作られた教会が日本を見放そうとしているのです。大司教も司教たちも枢機卿《すうきけい》もあの国を怖れ、あの国に司祭たちの血がこれ以上流れることを嫌い、残った信徒たちを置きざりにしようとしています。主よ、お答えください。私もまたその教会の命令に従わねばならぬのでしょうか）
（主よ、私に戦えとお命じください。私は一人ぼっちです。私を妨げる者、妬《ねた》む者と戦えとおっしゃってください。私は日本から離れることはできませぬ。あの東洋の小さな国こそ、私があなたの福音によって征服せねばならぬただひとつの国なのです）
額から汗が流れ、その汗が眼にしみるまでベラスコは顔をあげて基督の顔を凝視していた。彼の脳裏には、あまたの日本人たちの顔が浮んだ。彼らはこのベラスコを嘲《あざけ》るうす笑いを浮べていた。それはいつか彼が京都の寺院のほの暗い内陣で見た仏像の顔とよく似ていた。彼らは口をそろえてこう呟《つぶや》いた。（日本は切支丹《キリシタン》バテレンのくることを悦ばぬ。日本は教会の建つことを悦ばぬ。日本はイエスなしで生きることができる。日本は……）

(行くがよい)突然、ベラスコは耳の奥にひとつの声を聞いた。(私がお前を遣わすのは狼《おおかみ》の群れに羊を送るようなものだ。だから蛇のように敏《さと》く、鳩《はと》のように素直でなければならぬ。私の名のためにお前はすべての人に憎まれるだろう。しかし最後まで忍ぶ者は救われるのだ。蛇のように敏くあれ)

それはイエスが弟子たちをユダヤの町々に派遣した時におっしゃった御言葉だった。

(蛇のように敏くあれ)ベラスコは長い間、顔を手に埋めて動かなかった。この言葉のなかにはこれからの自分と、自分がやらねばならぬことがすべて含まれているように思えた。(私は人々に憎まれるだろう。ペテロ会の会士たちに。ここの司教たちに。だが私はマドリッドに行き、そこで開催される司教会議でペテロ会と対決をしよう。そしてその対決で勝ちを得るためには蛇のように智慧《ちえ》をめぐらさねばならぬ。私の武器は言葉であり、そして連れてきた日本人たちだった。私の言うことは日本人たちの言うことであり、私の希望が日本人たちの希望であると司教たちに信じてもらわねばならぬのだ。そのためには……)

ベラスコが宿舎の修道院に戻り、日本人の部屋に入ると、使者衆たちは従者と共に陽のさした露台に集まり、この町の人々が自慢しているヒラルダの塔の周りを歩いている人の流れや馬車の往来を見おろしていた。グワダルキビル河にはあまたの舟が集まり、舟荷を売り捌《さば》く商人たちの声も陽気である。

ベラスコを見ると従者たちは腰をかがめ、そっと部屋を出ていった。露台でベラスコは三人の使者衆と肩を並べ、秋の柔らかな陽に上り下りするグワダルキビル河の舟を指さし、そこから多くの船が色々な国に出発した頃のことを語った。そして、

「二日後、我々はエスパニヤの都、マドリッドに出立いたします。エスパニヤの王にお目通り頂くためでございます」

「王にお目通りが……いよいよかなうのか」

田中太郎左衛門は声をはずませた。殿にも会ったことのない使者衆たちの心にはこの破格の栄に浴する悦びが土にしみこむ水のように拡《ひろ》がった。

「正直に申しあげねばなりませぬ。……思いがけぬ邪魔が入りました」

ベラスコは一瞬ためらった後、口を開いた。

「そのマドリッドには、我々を快く思わぬ者たちもおります」

使者衆たちは顔を見あわせ、ベラスコの説明を待った。ベラスコがしゃべっている間、田中は怒ったように虚空《こくう》の一点を見つめ、侍はいつもの癖で眼をしばたたくだけで何も口をはさまなかった。二人が何を考えているのかはその土臭い顔から読みとることはできなかったが、若い西九助は不安そうに腕を組んだり、手を握りしめたりし

ていた。彼らはベラスコの語る教会の情勢や日本の布教をめぐって二つの会が争ってきた歴史をどうやら理解したようだった。

「私はそのために討論の場に出ねばなりませぬ。討論の場には教会《イグレシア》の高位の方々が立ちあわれ、私の申しようが正しいか、讒《ざん》をなす者たちの言葉が是かを裁くことになっております」

ベラスコはそこで言葉をきった。それから自分自身に言いきかせるように呟いた。

「私は……勝たねばなりませぬ」

使者衆たちは体が凝固したように動かなかった。

「讒をなす者は……日本は国をあげて切支丹を禁制となしたと申し、パードレを迎えるとの殿の御書状も偽りである、と言いふらしております。その疑いを晴らすためにも……もし皆さまのお一人でも切支丹になられるならば……」

そう言った時、無表情だった田中と侍との顔に子供のような驚愕《きょうがく》が走った。その驚愕を圧《お》しつぶすようにベラスコはたたみかけた。

「もしそうなれば、私の申すことも当地の教会《イグレシア》は信じましょう。切支丹を粗略に扱わず、パードレたちを悦んで迎えるという殿のお約束もまことと考えましょう。エスパニヤの教会《イグレシア》は日本が切支丹を殺し、パードレを苦しめていると申す者たちの言葉をそのまま受けとっておりますゆえ」

侍はベラスコを睨《にら》みつけていた。従順そのもののこの男の顔に怒りの色が浮んできたのをベラスコははじめて見た。

「パードレ」と侍は声を震わせた。「なぜ、ノベスパニヤでそれを申されなかった。ノベスパニヤでもこの事、はっきりとわかっていたであろうに」

「讒言がこれほど拡がっているとは、正直、気づきませんでした。いや、我々がノベスパニヤにいる間に、あの者たちは日本よりエスパニヤに手紙をたびたび送り、この旅を妨げようと致したのでございます」

「俺は……」侍は呻《うめ》くように答えた。「切支丹にはならぬ」

「なぜでございます」

「切支丹は好かぬ」

「切支丹の教えを御存知なくば、好くも好かぬもございませぬ」

「学んだとて、信ずる気持にはなれぬ」

「学ばねば、信ずることはできませぬ」

ベラスコの顔と首とが次第に赤くなった。それは彼の感情が激していることを示していた。彼はこの時、一人の策略家ではなく、自分の信じるものをそれを知らぬ者に吹きこもうとする宣教師になり変っていた。

「メヒコにて日本の商人たちも心からではなく、利のために切支丹に帰依《きえ》いたしました。だが私はそれでよしと思いました。なぜなら主の御名を一度でも使った者はやがては主の虜《とりこ》になると思ったからでございます」

ベラスコの耳もとでひとつの声が聞えた。(お前が今、やろうとしているのは、主を信じぬ者を、おのれの利のために受洗させる冒瀆《ぼうとく》と瀆聖ではないのか。洗礼の秘蹟《ひせき》によって、信じぬ者の罪まで主に背負わせる傲岸《ごうがん》な行為ではないのか)

ベラスコは耳もとに聞えるその声をうち消そうとした。彼は聖書に書かれた主イエスのひとつの御言葉をその楯《たて》にした。それは何も信じていない者が、イエスの名を利用して病人を治しているのを見たヨハネが腹をたてた時、主が言われた御言葉だった。

「汝等《なんじら》に反せざる者は、汝等の為《ため》にする者なり」

侍は頑《かたく》なに黙っていた。小心な彼はそれだけにこういう時、強情になるのだった。それは谷戸の百姓の性格でもあった。田中も相変らず虚空の一点を見つめている。西は西で自分の態度を決めるためにもこの年上の同僚の答えを不安げに待っていた。やがて侍は動かすことのできぬ重い石のように、

「いや、できぬ。切支丹になることはできぬ」

強い声で答えた。

ベラスコが部屋を出たあと、三人の使者衆は椅子《いす》に腰をおろし、長い間、動かなかった。開け放した窓からトゥリアーナ門のざわめきが流れこんでいる。午後になるとしばらくはセビリヤもひっそりとする。人々は家に閉じこもり、ゆっくりと休むのだ。

「白石さまは」と西は疲れきったような田中と侍との顔を上眼使いに窺《うかが》いながら、「この旅の間は、万事、ベラスコ殿の指図に従うよう仰《おお》せられました」

「だが、西」と侍は吐息を洩《も》らした。「日本を発《た》って今日まで、ベラスコ殿がどれほど我らを騙《だま》しつづけて参ったか。松木の言うた通りだ。ノベスパニヤに渡れば、すぐにもお役目が果せるように言い、そのノベスパニヤに着けば、更にエスパニヤに行かねば確かな返事は得られぬと言う……そして今日は、事は首尾よく運んでおらぬと語る。そしてその首尾を果すために……切支丹になれと奨《すす》めて参った。あの男の本心、もう信じられぬ。西はそう思わぬか」

侍がこれほど自分の気持を打ち明けたのは初めてのことだった。口の重い男だけにその言葉のひとつ、ひとつには重みがあり、田中も西も侍が語り終ったあとも黙っていた。

「しかしベラスコ殿に頼らねば我らは何もできませぬ」

「そこがベラスコ殿のつけ目であろう。あの男は我らを無理矢理にも切支丹にさせることだけを願うている」

「だがお役目のために形だけ切支丹になることなど、些細《ささい》なことでございましょう」

「だがなあ」侍は顔をあげ溜息《ためいき》をついた。「この長谷倉の家はな、知行替《ちぎょうがえ》で稲も麦もろくにとれぬ痩《や》せた谷戸を頂いた。だがその山あいに先祖の墓、父の墓を移してある。先祖や父の知らぬ南蛮の宗派におのれ一人が帰依することはできまい」

侍はそう言って眼をしばたたいた。彼は自分の体に長谷倉の代々の血や習慣が流れ、染《し》みついているのを感じた。自分一人がその血や習慣を勝手に変えることはできなかった。

「それに……」と彼は言葉をつづけた。「メヒコで松木がこう言うた。ベラスコは烈しすぎる。ベラスコの烈しさに誘われ切支丹だけにはなるな、と。西は憶《おぼ》えておらぬのか」

「憶えております」

ノベスパニヤの東海岸に向って出発する一行が修道院を出ようとした時、見送った商人たちのなかから松木が駆けより、侍の眼を見つめながら言った言葉を侍は忘れてはいなかった。

「憶えてはおりますが……」

侍の話を聞いた西は叱《しか》られるのを怖《おそ》れてか、おずおずと上眼使いに田中と侍とを窺って、

「御評定所も、日本のこれからは戦ではなく、南蛮、天竺《てんじく》の国々との取引きの世と考えておられましょう。更に天竺はともかく、南蛮の国々との取引きには切支丹をぬきにしては叶《かな》わぬことも、よう存じておられます。そのお考えがある限りは、我らが切支丹になりましても、それはお役目を果す手だてであったとおわかりくださいましょう」

「お前は帰依するつもりか」

と田中がこの時、口をはさんだ。

「わかりませぬ。都のマドリッドまで参る道すがら、ようよう思案いたします。だがこの旅で、つくづく世界は広いと思いました。南蛮と申しておりました国々が日本よりも富み栄えていることも知りました。ならば私は南蛮の言葉も学びたいと思うております。その広い世界の方がたがひとしく信心しております切支丹の教えに眼をつぶ

るわけにはいかぬと考えました」

いつものことながら侍は西のみずみずしい若さが羨《うらや》ましかった。自分や田中とは違い、この男は異国の新しいもの、眼をみはるものを何の抵抗もなく存分に味わい、吸収しようとしている。一方、自分は今、別の運命に身を委《ゆだ》ねようと思いながら、いざとなると蝸牛《かたつむり》とその殻が離れられぬように、谷戸や家と結びついたものがそれを邪魔するのだ。

「どう思われる、田中殿」

救いを求めるように侍は腕組みをしている田中に声をかけた。何か考えねばならぬ時、いつも腕組みをするのがこの田中の癖だった。侍はこの男の太い腕と厚い背とを窺いながら、その体に自分と同じ、地侍の血が流れているのを感じた。地侍のその血――長い間、祖先が守った土地や習慣を頑なに守り続けていこうというあの血だった。

「俺も……切支丹を好まぬ」しかし、田中はいつになく弱々しい溜息をついた。「だが、長谷倉、俺がこのお役目を引き受けたのは、御評定所の御指図があったからではない。すべて二本松の旧領をお返し頂きたいためだ。あの地をとり戻したいと思えばこそ……馴《な》れぬ船旅に、異国の暑さ、食べ物にも耐えて参ったのだが……」

侍も同じだった。白石さまや石田さまのお言葉がまことなら、この辛《つら》い旅を終えたあと、黒川の土地が恩賞として長谷倉の家に戻るかもしれなかった。

「でなければ、祖先にも一族にも」と田中は泣くように呟《つぶや》いた。「面目がない。顔がたたぬ。俺は切支丹は好まぬ。だが、旧領を返して頂くためには……土をなめよと言われれば、俺は土もなめる」

「お役目のためにございます」と西が横から口を入れた。

「松木は……切支丹になるなと言うた」侍は頑なに首をふった。「俺は松木は好かぬが……切支丹にはなれぬ……」


マドリッドを目指し、彼らはふたたび長い旅を続けた。ノベスパニヤの時のように強い陽が焼けつく荒野の旅のかわりに、代赭色《たいしゃいろ》の丘陵とオリーブ畠《ばたけ》との拡がるアンダルシアの平原を、日本人たちと荷車と荷馬車とが一列になって進んだ。

丘とオリーブ畠とは波のように次々とあらわれた。丘陵は赤くオリーブの葉は風にひるがえり、無数の刀身のように銀色に光った。夕闇《ゆうやみ》が近づくと大地は急激にひえた。

ここでも時々、ノベスパニヤと同じように塩の塊のような白い村が見えた。白い村は時にはそこに糊《のり》づけされたように岩山の中腹にへばりついていた。古い城塞《じょうさい》がそうした岩山の上に威嚇《いかく》するようにそびえていた。

オリーブ畠と赤い土地とが尽きると弓のように地平線まで曲線を描いた麦畠が拡がった。その地平線の彼方《かなた》に小さな針のようなものが見え、近づくに従ってその針は教会の尖塔《せんとう》であることがわかった。尖塔の先端は青空を刺し、そこに吸いこまれていた。

「これこそヨーロッパでございます」ベラスコはそんな風景に出会うと馬をとめて誇らしげに指さした。「地には地の営みがございます。その営みはあの塔となって空に向い主を求めております」

セビリヤを発ってから、彼はもう二度と使者衆たちに力ぞえを強要しなかった。切支丹になれと暗に強制もしなかった。彼はしかし、まるでそれが決ったことのように自信ありげな微笑を馬上で浮べていた。使者衆たちは使者衆たちでその問題に触れるのを怖れるように話題にもしなかった。

タホ河の色が変り褐色をおびた水が野を流れるのを見た頃、一行は古都トレドに入った。ここでも丘陵に建てられたこの町の大教会の尖塔が、遠くから一同の眼にうつった。大きな夕陽が金色の空に沈みつつある時刻で、夕陽を受けて十字架がまぶしく反射していた。汗まみれになった日本人たちはいつものように人々の好奇心のこもった視線を浴びながら、石畳の坂路《さかみち》を黙々とその大教会に向って歩いた。

「ハポネセス」と坂路の片側に並んだ人々のなかから誰かが叫んだ。「メ・アン・エンコントラード・コン・ハポネセス・アンテス」乱杭歯《らんぐいば》の人のよさそうな男だった。

その声を聞くとベラスコは驚いて馬をとめ、馬上からその男に何か話しかけた。

「この男は」ベラスコは使者衆たちに教えた。「子供の頃、ここを訪れた日本人の少年たちを見たと言っております」

「日本人の……」

「三十年ほど前、九州の生れの十四、五歳の少年たちが皆さまと同じような切支丹の使節としてこのエスパニヤに参ったとか。御存知ありませぬか」

田中も侍も西も初めて耳にする話だった。三人は自分たちが最初にこの南蛮の国々を訪れた日本人だと勝手に思いこんでいた。だが、四人の少年を中心とした日本人たちが宣教師に連れられ、マドリッドにもこのトレドにも三十年ほど前に訪れ、更にローマで法王の謁見《えっけん》を受けたのだという。

ベラスコは男とまだ話をつづけていた。周りで人々が聞き耳をたてていることがその男を嬉《うれ》しがらせたらしく、得意そうに笑った。

「日本人の少年たちはこの町で時計を作るトゥリアノと申す老人の家をたずね、いたく悦《よろこ》んだとのことでございます。その時、この男は老人の家で仕事の見習いをしていたそうです」

中年の男は黄色い歯をみせて自分の顔を指さし、幾度もうなずいた。侍たちはその男から、少年たちの一人がここでひどい熱病にかかったが、人々の手厚い看病と祈りとのお蔭《かげ》で恢復《かいふく》し、やがて仲間たちと迎えにきた四輛《りょう》の馬車でマドリッドに向ったことも聞いた。

日本人たちは西陽のさす石畳や家々を眺めまわした。自分たちより先にこの坂路を歩いた同国人がおり、そして彼らもこの薔薇色《ばらいろ》の夕陽の染《し》みのさした異国の家を見たのだと思うと言いようのない不思議な気持がした。

「十四、五歳の子供たちがのう……」

そう呟いた田中だけではなく他の日本人も自分たちの長い辛かった今日までの旅を思い、そんな旅を少年たちがしたことが信じられぬ気持である。

「そして、その子供たちは」西はベラスコにたずねた。「つつがのう、日本に戻りましたか」

「戻りましたとも」とベラスコは大きくうなずいた。「皆々さまもいつの日か同じようにつつがなく日本に帰られましょう」

ベラスコがそう答えると、日本人たちの間にふかい沈黙が拡《ひろ》がった。自分たちもいつの日か無事に帰国できるだろうか。それはすべての者の思いだった。やがてその一人、一人の顔に泣き笑いのような微笑がかすめた。

トレドから彼らが遂《つい》にマドリッドに入った日は雨だった。雨はカスティーリャ広場をぬらし、アルカラ通りにも音もなく降っていた。霧のように煙った空にエスコリアール宮殿が灰色の蜃気楼《しんきろう》のように浮びあがっていた。石畳に馬車が泥と水とをはねあげながら通っていく。

宿舎にあてられたサン・フランシスコ修道院で、日本人たちは一日、石のように眠りこけていた。エスパニヤに来てからの疲労と気疲れとが、やっと最終の目的地のマドリッドに到着して一時に出たのであろう。修道院の修道士たちもそれを知ってか、彼らの眠りを妨げないように、宿舎の建物に近づかず、刻《とき》を告げる鐘も鳴らさなかった。

侍は夢のなかであの旅だちの日の光景を見た。馬がいななき、村の年寄りたちが家《や》形《かた》の門の前に並び、与蔵が侍の槍《やり》を持ち、清八、一助、大助は荷をくくった三頭の馬を引いていた。侍は馬にまたがると、叔父に頭をさげた。そのうしろに泣き出すのを怺《こら》えている妻のりくがいた。長男の勘三郎と下女の抱いた次男の権四郎に笑顔を向けた。すると門前になぜか石田さまが馬で待っておられた。石田さまがなぜわざわざ谷戸まで迎えに来てくださったのか、侍はふしぎに思った。

「よいか」と石田さまは笑ってうなずかれた。「もう一度、このお役目、きっと果して参れよ。今度こそ、黒川の土地のこと決して悪うはせぬ」自分は二度、この辛い旅を繰りかえすのかと思うと侍は息がつまりそうだった。しかしそれが自分の運命だと思うと、それに従わねばならなかった。忍耐することと甘受すること、彼は谷戸の百姓と同じようにそれに長い間、馴れていた……。

眼をさましたあと、ここが日本ではなく南蛮異国の修道院のなかだと気づくまで少し時間がかかった。異国の町の見馴れぬ建物の窓に雨が伝っている。静かだった。侍は泣きたいほどの寂しさをおぼえた。

西を起さぬように衣服をつけ、廊下にしのび出た。与蔵たちの部屋を覗《のぞ》くと寝台の縁に与蔵が一人、ぼんやりと腰をかけ、そばで一助、大助はいぎたなく眠り続けていた。

「起きていたのか」侍は小声で与蔵にたずねた。「俺は……谷戸の夢を見た」

「谷戸は今頃、もう薪をつくりはじめておりましょう」

「そうであろうな」

旅立ってからほぼ一年半の月日が流れている。侍は二年前の今頃の、雑木林で百姓たちと薪にする木を切っていた毎日を思いだした。木に斧《おの》を入れると音は葉の落ちかけた沈黙の林のなかに鋭く拡がっていった。勘三郎は弟とその林のなかで茸《きのこ》をとっていた。

「今少しの辛抱だぞ」侍は雨に曇った窓に眼をやりながら呟いた。「この都でお役目が終れば……あとはあの谷戸に戻るだけだ」

与蔵は膝《ひざ》に手をおいたまま、うなずいた。

「ただ、万事が首尾よう運べばの話だが……ベラスコ殿はそのために、俺たちに切支《キリシ》丹《タン》に帰依《きえ》せよと申したが……」

びっくりしたように顔をあげた与蔵に、

「お前は……どうする」

「清八が死にました時から……」と与蔵は言いかけて一瞬口をつぐみ、「いえ、お家形さまの御指図通りに致します」

「俺の指図通りにか」侍は寂しそうに笑った。「長谷倉の家にそのようなことはなかった。あの叔父上がお許しにはなるまい」

侍は先ほど見た谷戸の夢を嚙《か》みしめていた。おし潰《つぶ》されたように農家のかたまった谷戸。だが谷戸では侍の家を中心にして、すべての者が生活を共にしていた。生活だけではなく、生きかたもすべて一致していた。どの家も同じように畠を持ち、同じように種をまき、同じように祭りを行った。誰かが死ねばその葬《とむら》いも皆でやった。侍は囲炉裏のそばで叔父が傷痕《きずあと》のある右脚をさすりながら、時折、唱える阿弥陀和讃《あみだわさん》を思いだした。

弥陀成仏のこのかたは
今に十劫《じゅうごう》をへたまえり
法身の光輪きわもなく
世の冥盲《みょうもう》を照らすなり

唱え終ると叔父はいつも低い声で南無阿弥陀仏、南無阿弥陀仏と、数度くりかえし、安心したような顔をする。そんな叔父の声が今、侍の耳に聞えてくるようだった。そう、谷戸ではすべてが一体だった。侍はそのような和讃を唱えはしなかったが、父や叔父が敬い信心したものを棄《す》てることはできなかった。それは血縁を、谷戸を、裏切ることだった。

私は馬車で、従兄《いとこ》ドン・ルイスの邸《やしき》に出かけた。その邸に宿泊している彼の父のドン・ディエゴ・カバリェーロ・モリーナはセビリヤの元市長だったが、今でも教会や王宮にも勢力を持っている老人であり、ドン・ルイスは宗教裁判所の長官をつとめている。

従兄の邸に着くと、知らせを受けていたらしく階段からあまたの男女や子供たちが駆けおりてきた。子供たちはとびつき、女たちは相変らず大袈裟《おおげさ》に私を抱きしめ、男たちは威厳をおとさぬ程度に握手を求めてきた。彼らは東洋の見知らぬ国から戻ってきた一族の私をとり囲んで、次々と体験したことを聞きたがった。客間でも食堂でも一同はまるで祖先の征服者たちが大陸や未知の島々を占領した話を聞くように、私の話に聞きほれていた。

晩餐《ばんさん》と客間での雑談とが終ると、伯父のモリーナは眼くばせをした。そして息子のルイスと共に私を書斎に伴った。他の者たちはあらかじめ教えられていたと見え、素直に別れの言葉をのべてくれた。

長い間、私たちは今後の対策について語りあった。痩《や》せた長身の伯父は部屋を歩きながら、やがて開催される司教会議の見通しが私にとって明るくないことを教えてくれた。ルイスは衛兵のように直立したまじっとその話に耳を傾けていた。

「布教は戦いだとお前は言うが、戦いには退却せねばならぬこともあろう。今、ここの司教たちは日本から退却することを望んでいる。もし司教会議がお前に不利ならば、我々一族がお前にできることは……日本ではなく、マニラでの修道院長の席だ」

伯父は私のため、ポーロ会のマニラ修道院長になれるよう尽力するつもりだと説明した。

「その可能性なら大いにある。枢機卿《すうきけい》も司教たちも決して反対はなさるまい」

部屋を歩きまわっている靴音がとまり、伯父は椅子《いす》に腰かけ、両手を組みあわせ、自分の言葉に耳を傾けている私の反応をみるために覗きこんだ。

「私には、よく意味がわからないのですが……」

「お前が主のためとはいえ、危険に曝《さら》されることを誰も望んではおらぬ。マニラの修道院長ならば、お前の才能はもっと生かされるだろう」

私は眼をつぶり、あの江戸の自分とディエゴとの乞食《こじき》小屋のような住居を思い出していた。癩者《らいしゃ》を収容していたあの病院には三つの部屋しかなかった。油虫と鼠《ねずみ》とが至るところを駆けずりまわり、家の外には汚水が流れていた。しかしマニラの修道院ならば、たしかに油虫や鼠の代りに鳥が庭の樹木で鳴き、腐った魚と臭い米とを食べる必要もないだろう。

「私は宣教師です」私は微笑したまま呟《つぶや》いた。「おそらく生れながらの宣教師なのでしょう。安全な美しい聖堂で祈るよりは、迫害のある土地でなお主の教えを説くよう定められているのです」

伯父は肩をすくめ溜息《ためいき》をついた。その仕草はセビリヤのあの司教が私の返事を聞いた時とそっくりだった。

「お前は子供の時からそうだった。幼い頃、お前はコロンブスのような船乗りに憬《あこが》れていたが……」

「もし死んだ母が私を小神学校に入れなかったら、私はたしかに軍人か、船乗りになっていたでしょう」

私は笑った。

「お前の母親はお前のそんな烈《はげ》しさを抑えるために小神学校に入れたのだが……」

「この体にはやはり征服者だった祖先の血が流れているのです……」

日本を見たことのない、そして日本を知らない伯父と従兄とに私の本心を理解させるのはむつかしかった。それに衛兵のように立っている従兄の眼には私にたいする不安があらわれていた。彼は私の巻きぞえをくい、自分と自分の家とがマドリッドの貴族や教会から白い眼で見られるのを怖《おそ》れているのだ。

「大司教に私はお目にかかりたいのです。そして国王陛下が日本の使者たちを謁見してくださるならば……」

「大司教の秘書には既に連絡したが」伯父は困ったように首を振った。「すべては司教会議の結果によると返事をしてきた。大司教も司教たちの意見を無視して日本人謁見の仲介はとれないのだ。それは貿易だけではなく……東洋の布教に関わる問題だからだ。だが努力しよう」

伯父の言葉で私は大司教もまた私との面倒な問題を回避しようとしているのを感じた。私は伯父と従兄の手を握り、車寄せまで送られて馬車に乗った。

冷雨が降っている。石畳の路《みち》を宿舎の修道院に戻った。角燈《ランタン》の灯が辻《つじ》や壁にはめこんだ聖母の御像を照らしているほか、町は真暗で静まりかえっていた。蹄《ひづめ》の音を聞きながら眼をつぶり、私は会ったことのないヴァレンテ神父の姿をまた思い描いた。この神父がどのように自分に反駁《はんばく》し攻撃してくるか、私は思いをめぐらせた。どこかの窓から女の高い笑い声が聞えてきた。

宿舎の建物の扉をあけ、玄関においてある燭台《しょくだい》に火をつけ、長い廊下を部屋に戻ろうとした時、私は自分の寝室の扉の前に立っている日本人の影に気づいた。

「どなたですか」

燭台の炎が三人の使者たちの顔と着物とを照らした。私は自分の衣服にも雨滴が光っているのを知った。

「お休みになれませぬか」

「ベラスコ殿」と長谷倉は思いつめたような声を出した。「国王にお目通りの事、いつ御沙汰《さた》があるのか」

「なぜ、そのようなことをお聞きになります。私も力を尽しております。一カ月の後……」

一月半ばには司教会議が開かれる。その席上で自分はペテロ会と対決をする、と私は燭台を片手に持ったまま答えた。日本人の従者たちは既に眠っていて、建物のなかはつめたかった。この国では聖職者たちの決定が王室の外交にいかに影響を与えるかを、私は顔を強張《こわば》らせた三人に語った。

「その討論さえ、うまく運べば……」

「そう望んでおります。国王のお目通りも、それにて決りましょう」

「勝算はあろうか」

「それはわかりませぬ」と私は微笑した。「しかし、たとえ勝ち目なき戦でも侍である皆さまがたは御出陣になりましょう。私も同じでございます」

「ベラスコ殿」西が一歩、前に出た。「お役にたつならば……私一人でも切支丹に帰依致します」

私には燭台の炎に照らされた田中の顔がいつもと違って自信なげに見えた。

「田中さまと長谷倉さまとは」と私は訊《たず》ねた。「同じ心にございますか」

田中も長谷倉も何も答えなかった。しかし私はこの二人がセビリヤの話しあいの時のように頑《かたく》なではないことを感じとった。


司教会議が開かれる日も雨が降っていた。雨は宗教裁判所の屋根から落ち、中庭に黒い水溜《みずたま》りをいくつもつくった。泥と飛沫《しぶき》とをあげて、一台、一台、馬車が中庭に入ってくる。守衛が馬車の扉をあけると、マントをひるがえし、赤い丸帽を頭にのせた司教たちが、さし出された傘にかがめた体を入れて裁判所のなかに消えていった。

厚い扉の前で黒い制服を着た二人の男が、次々と入ってくる司教たちをそれぞれの席に連れていった。その席に向いあってベラスコはヴァレンテ神父と腰をかけていた。

(これが……ヴァレンテ神父か)

彼は軽い驚きを感じながら少し離れた椅子で膝においた手を組みあわせている小さな老人を窺《うかが》った。みすぼらしい修道服を着て眼をつぶりくたびれた顔をしているその年寄りがヴァレンテ神父だった。

ベラクルスで伯父からの手紙を受けとってからベラスコは、やがて対決せねばならぬこの神父の姿をいつも想像していた。想像のなかではヴァレンテ神父はいかにも頭の鋭そうな顔で、時折、皮肉な笑い方をする男だった。こんな疲れきった表情をみせる老人ではなかった。だがすぐそばにいるのは、人生に消耗しきったように肩を落し、膝に手を組みあわせている小さな年寄りだった。その姿はベラスコを安心させるより自尊心を傷つけた。こんな老人のために不安を感じつづけていた自分が許せないように思えた。

ベラスコの刺すような視線を感じたのか、ヴァレンテ神父はつぶっていた眼をあけ、顔をこちらに向けた。そしていたわりをこめた微笑をうかべて軽く会釈《えしゃく》した。制服を着た男が鈴を振った。それが討論のはじまる合図だった。禿鷹《はげたか》のような顔をした司教たちはベラスコとヴァレンテ神父との正面にそれぞれ腰をかけ、重々しく咳《せき》ばらいをしたり、たがいに顔を近づけて何かを語りあったりしていた。

議長格の司教が立ちあがり、手にした紙を読みはじめた。それは今からマドリッド司教会議の権限でペテロ会とポーロ会との間に生じた日本の布教の方法に関わる軋轢《あつれき》を討議し、ならびにマドリッドに到着した日本の使節の資格を決定したい、という内容だった。

その低い声が静かな部屋に流れている間、他の司教たちは身じろぎもせず死人のような眼でベラスコとヴァレンテ神父とを見つめていた。

「問題を整理すれば」朗読を終った司教は同僚たちのために説明した。「十五年前、法王クレメンテ八世が勅書『オネローサ・パストラリス』を公布され、それまでペテロ会のみに許されていた東洋の日本《ハポン》の布教を他の修道会にも許可された。ポーロ会はただちに十一名の宣教師を日本に送ったが、このベラスコ神父もその一人である。彼は一五四九年にフランシスコ・ザビエルが渡日して以来の日本での布教の衰退をペテロ会の失敗と考え、その改善を望み、希望は充分にあるとのべている。一方、ペテロ会は日本における権力者の急速な交代が布教を困難ならしめたと述べ、それは布教方法の欠陥によるものではなく、別の面によるものだと訴えている。それ故《ゆえ》、この両者からより詳しく事情を聞くことにしたい」

一列に並んだ司教たちは、小声で左右の同僚と相談しあった後、この提案を受諾した。この間、ベラスコは相変らず傲然《ごうぜん》と司教たちを眺め、ペテロ会のヴァレンテ神父は組みあわせた両手を膝《ひざ》においたまま身じろぎもしなかった。

指名されるとベラスコは立ちあがった。彼はわざと微笑をその頰に浮べた。恭《うやうや》しく彼は日本の布教についての考えと体験をのべる光栄を与えられたことを感謝してみせた。

「半世紀の間、たしかにペテロ会士の献身によって、日本の布教は順調に進みました。その点について私はペテロ会の努力、その犠牲的な行為に深い尊敬を抱いております」

自分を讒言《ざんげん》した者たちに賞讃《しょうさん》の言葉を送るのは心地よかった。それはあとの自分の言葉に客観性を与える方法だと知っていたからである。ペテロ会の業績をひとつ、ひとつ挙げながら、彼は讃辞を惜しまなかった。そして司教たちの眼にやっと好奇心の光があらわれた時、「しかし」と強く言った。

「しかし……そのペテロ会も知らずして過《あやま》ちを犯していました。彼らはその過ちがいかに日本の布教に重大な挫折《ざせつ》をもたらすかを予想しませんでした」

ベラスコはそう言うと、ペテロ会から来たヴァレンテ神父のほうに向きをかえた。だがヴァレンテ神父は今までの発言を聞いていたのかいなかったのかわからぬように、疲れたように眼をつぶったまま動かなかった。

「ペテロ会の過ちは、日本を他の国々と同じように考えたことにあります。だがあの日本は我々の祖先が征服した他の国々とは違っております。それは太平洋という大きな海によって保護され、基督教《キリストきょう》を知らぬにもかかわらずみごとな秩序を保ち、強力な軍隊によって武装されているからです。怠惰な人種とは異なり、日本人は利口で狡猾《こうかつ》であり、自尊心がつよく、自分や自分の国が侮辱されれば蜂《はち》のように一致して反撃してきます。そのような国では、その国に適した布教の方法をとらねばなりますまい。彼らを侮辱してはなりませぬ。彼らを怒らせてはなりませぬ。だがペテロ会はそれに反した行動をとってきました」

ベラスコはそこで口を噤《つぐ》んだ。そして先程まで死人のような眼で自分を見つめていた司教たちの顔に興味と関心の色が浮んでいるのを確かめると、頭をさげて質問した。

「私はそれを具体的に申しあげて宜《よろ》しいでしょうか」

「そのために」と司教の一人がうなずいた。「我々は集まっている」

「たとえばペテロ会はナガサキという港に無用な領地を持ちました。彼らにとっては布教のための財源ではありましたが、これは異端の日本人には不安と疑惑を与えたようです。日本人は狭い自分の島々のいずれにも異民族が植民地を持つことを許さぬからです。のみならずペテロ会士のなかには布教に熱心なあまり、日本人の多くが信仰する仏像を焼いた者もおります。たしかにノベスパニヤではインディオの祭壇を焼いても布教の妨げにはなりませんでした。しかし日本で同じことを行えば、これから神の子となるべき者に無用な反感を起させるだけなのです。タイコウとよばれる権力者がこの事実を知り、それまでの寛大な態度を棄《す》てて迫害に踏みきった事実がそれを証明しております。迫害はむしろそれらの過失から生じたものです。ペテロ会はその責任から逃れることはできませぬ。だが彼らは眼をつぶり、ローマやここマドリッドに自分たちは万全を尽したが、布教は至難となったと言っているのです」

一気にそこまで言うと彼はまた恭しく頭をさげ、沈黙した。その沈黙は聞く者に好奇心を起させる間《ま》だった。「しかし」とベラスコは強い調子で話を続けた。

「しかし……日本の布教にはまだ希望があります。……現状は好ましからざる状態にあることは確かですが、それを改善することができる、そう私は考えております。この希望はペテロ会が私を非難したように、現実から離れた空想ではありませぬ。でなければ、私は信書をたずさえた日本の使節をここまで連れて参りませんでした」

この時、首垂《うなだ》れていたヴァレンテ神父が顔をあげた。ベラスコはその顔に苦笑がゆっくりと浮ぶのを見た。その苦笑は、下手な道化師を見て憐《あわ》れむ大人のような笑いに似ていた。こみあげてくる怒りを抑え、ベラスコは話を続けた。

「使者たちは――いや、日本人たちはノベスパニヤから貿易の利を得ようとしています。日本は小さく、貧しいのです。それゆえに日本人は利のためにはいかなることも致します。それが彼らの強味であり、弱味でもあるのです。彼らにわずかな利を与え、そのかわりに布教の自由を得ることは教会にとって決して損ではありませぬ。彼らを侮辱せぬこと、彼らの反感をかわぬこと、そして布教を認めさす代りに利益を与えれば、迫害は必ず終ると存じます」

雨の音はまだ、この部屋に聞えていた。司教たちは沈黙を守りながらベラスコの提案に耳を傾けていた。

「日本人は利のためには如何《いか》なることも許すでしょう」とベラスコは繰りかえした。

「時には心までも許すでしょう」

雨の音はまだ聞えていた。侍は寝台に腰をおろし、当惑した眼で部屋のなかを見まわした。この部屋もノベスパニヤ以来、自分たちがいつも泊ってきたあまたの修道院の部屋と同じだった。質素な寝台が一つ、質素な机が一つ、そしてその机には唐草模様の陶器の水差しと水盤とが置かれている。むきだしの壁には両手を十字架に釘づけにされた痩《や》せこけた男が首垂れていた。

（こんな男が……）侍はいつものことながら、この時も同じ疑問を感じた。（なにゆえに拝まれるのであろう）

彼はいつか同じような罪人を見たことを思いだした。裸馬に乗せられ両手を木に縛られて引きまわされた罪人だった。この男もあの囚人と同じように醜く、汚かった。肋骨《ろっこつ》が浮き出て、その腹は長い間、食を絶たれたように凹《へこ》み、わずか腰に布をまとっただけで、針金のような両脚で馬上の自分を支えていた。侍は壁の像がその罪人に似ているような気がした。

（もし、俺がこんなものを拝めば……谷戸の者たちは何と思うであろう）

するとと心にそんな自分の姿がうかび、たまらない恥ずかしさがこみあげてきた。彼は叔父のように仏を心底からは信じていなかったが、しかし、寺参りをする時、うつくしい仏像にはおのずと頭がさがる思いもしたし、きよらかな水の流れる社《やしろ》殿の前にたてば、手を拍《う》つ気持にもなれた。しかし、これほど無力で見すぼらしい男に、神々《こうごう》しさも尊さも感じられる筈《はず》はなかった。

（あの商人たちは……）

ノベスパニヤで別れた日本の商人たちも本当はこの自分と同じ思いだった筈である。だが彼らはノベスパニヤでの取引きと商いとを円滑にするために教会で進んで跪《ひざまず》き、南蛮人から洗礼を受けた。あの光景を見て、侍は蔑《さげす》みと羨望《せんぼう》とのまじった複雑な気持をおぼえた。利のために心を平気で売れるあさましさには軽蔑《けいべつ》を、利のために何でもできる図太さには羨望を感じた。だが西九助は今、使者衆のお役目を果すため、形だけの洗礼を受けようと言っている。たしかにそれは心からのものではなく形だけのことにすぎぬ。侍も殿のためとお役目を果すためとならば、どのような偽りもあえて行わねばならぬとは知っていた。知ってはいたが、それはできなかった。

（それはできぬ……）

切支丹になることは谷戸を裏切ることである。谷戸はそこで生きている者だけの世界ではない。生きている者たちすべての祖先や血縁がそこでひそかに見守っている。

侍の死んだ父も祖父も長谷倉の家がある限り谷戸から離れる筈はない。それら死者たちは侍が切支丹になることを許す筈はない。

ペテロ会のヴァレンテ神父はゆっくりと椅子《いす》から立ちあがった。彼も司教たちに頭をさげ、胸の上で手を組みあわせた。そして少し嗄《しわが》れた声で話しはじめた。

「三十年、日本に住んだ私はベラスコ神父が訴えたわがペテロ会の過ちをこの眼で見て参りました。それゆえ今、彼がのべたことを否定はいたしません。たしかにわが会はあせりすぎました。あせりすぎたために、時には行きすぎも犯しました。けれども日本の迫害のすべてはこの行きすぎのためだけではありません。ベラスコ神父の言葉には巧みな誇張があります。そしてその希望にも見通しの甘さがあります」

ベラスコは膝《ひざ》の上の拳《こぶし》を握りしめたが、無理矢理、頬に笑みをつくった。彼は司教たちの前で心の余裕を見せねばならなかった。

「申し上げておかねばならぬのは……ベラスコ神父の連れてきた使節は、日本のショウグンとよばれる皇帝の使節ではありませんし、彼らの主君は日本の東国に所領を持つあまたの貴族の一人にすぎません。たとえこの使節派遣が日本皇帝の認可を得たものでも、彼らはすべてを代表する公式の使節とは言えぬと思います」

彼は口に手をあてて弱々しげに咳をした。ヴァレンテ神父はベラスコのように強い声を出したり、間をとって司教たちの心をひきつけようとしたりはしなかった。むしろ抑揚のない間のびした調子で事情を話しているだけだった。だがこの神父は最初から、ベラスコにとって一番痛い部分を衝《つ》いてきている。

「先程ベラスコ神父は、日本人は侮《あなど》り難いと言いました。東洋の他の国々と同じに扱ってはならぬほど彼らは智慧《ちえ》があり、狡猾で利に敏《さと》いとも言いました。が、我々も同じ考えでございます。同じ考えなればこそ、ここで尊敬する司教各位にお考え頂きたく存じます。ベラスコ神父と同道した日本の使節は、公式の使節でない以上、彼らの持参した信書のなかに布教についていかなる甘い約束が書かれていようとも、日本人たちはやがてこう言うことができましょう。あれは皇帝の約束ではなく、一人の貴族の約束にすぎなかった、と。あれは公式の使節ではなく、個人の使者だった、と」

ヴァレンテ神父はこう言いおわるとまた弱々しい咳をした。

「私の長い間の経験では、これが日本人のよくやる駆引きの一つです。いつでも言いのがれができるように口実を作っておくこと、それが日本人のやり方なのです。たとえば、戦いがはじまり、勝ち目のわからぬ時、日本の貴族は兄弟が別々の側に味方をすることがよくあります。どちらが勝っても、その貴族の家は勝者にこう弁解できるからです。自分の兄弟の敵側についたのはわが家の責任ではない。彼一人が勝手にやったことだ、と。あの使節も日本人のそうした智慧から、ノベスパニヤに送られてきたのです。つまり日本人は布教を望んでいるのではなく、布教の自由を餌《えさ》に別のことを狙《ねら》っているのです」

「では彼らは何を望んでいるのか」

黒い禿鷹《はげたか》のような一人の司教が手で顎《あご》を支えたまま訊《たず》ねた。

「ノベスパニヤとの通商のほかに日本人は何を狙っているのだ」

「太平洋を渡る航路と航海技術とを盗むことです。それを彼らは今度の航海で盗み知った筈です」

ざわめきが司教たちの間に拡《ひろ》がった。そのざわめきが鎮《しず》まると彼らの視線はヴァレンテ神父から、椅子に腰をかけて強張《こわば》った顔をあげているベラスコに注がれた。ベラスコは片手を少しあげ、発言を求めた。そして司教の一人がうなずくと、彼は顔を赤くし、震えた声で、

「司教各位に申しあげます。今日の日本ではいかなる貴族も、皇帝の許可なく抑留されたエスパニヤ人を釈放することはできぬことをお知りおき下さい。私たちは抑留さ

れたエスパニヤ人の船員たちとノベスパニヤまで参りました。それは日本から来た使節が、皇帝の認可を得たことを証明するものです。そして日本の皇帝自身もノベスパニヤとの貿易を望んでいることは、十年前、フィリピン宛《あて》に、直接、信書を送ったことでも明らかなのです。ついでながら申しあげますが、ヴァレンテ神父の属するペテロ会が今をさる三十年前に、日本の乞食《こじき》同然の子弟を四人、名誉ある大侯の子息と偽り、公式の使節と嘘《うそ》をつき我々の国とローマとに送ったことは誰でも知っております」

ベラスコが着席するとヴァレンテ神父はゆっくりと椅子を軋《きし》ませながら立ちあがった。今度もまた彼は胸の上に手を組みあわせたまま二、三度、空咳をした。

「たしかに……日本の皇帝はノベスパニヤとの貿易は望んでおりました。だがその折も、貿易は認めるが布教は許さぬという方針で貫かれており、実際、かの都では多くの信徒が火刑に処せられ、宣教師はすべてその領地から追放されました。いずれは使節たちの主君もその方針に従わねばならぬことは明らかです。それ故、この使節たちの主君が宣教師の保護と布教の自由とを約束しても、それはそのまま日本の皇帝の約束にはなりませぬ」

「あなたは……」着席したままベラスコは相手の声を遮った。「いや、あなた方ペテロ会はその迫害を終らせることができぬと諦《あきら》めておられるようだ。だがこの私は……あなたたちが引き起した基督教にたいする日本人の嫌悪《けんお》をふたたび消すことができると考えているのだ」

司教たちが注目しているのを忘れてベラスコは声をはりあげた。ベラスコの真赤になった顔を見てヴァレンテ神父はさきほどと同じように、あわれむような苦笑を頬にうかべた。

「消すことができるでしょうか。私はそれが容易《やさ》しいこととは思いませぬ」

「なぜ」

「あの日本人たちは……私の長い滞在生活でわかったことですが……この世界のなかで最も我々の信仰に向かぬ者たちだと思うからです」

神父はその時、皮肉な苦笑を頬から消して、今度は悲しそうな眼差《まなざ》しでベラスコを眺めた。

「日本人には本質的に、人間を超えた絶対的なもの、自然を超えた存在、我々が超自然と呼んでいるものにたいする感覚がないからです。三十年の布教生活で……私はやっとそれに気づきました。この世のはかなさを彼らに教えることは容易しかった。もともと彼らにはその感覚があったからです。だが、怖《おそ》ろしいことに日本人たちはこの世のはかなさを楽しみ享受《きょうじゅ》する能力もあわせ持っているのです。その能力があまりに深いゆえに彼らはそこに留まることのほうを楽しみ、その感情から多くの詩を作っております。だが日本人はそこから決して飛躍しようとはしない。飛躍して更に絶対的なものを求めようとも思わない。彼らは人間と神とを区分けする明確な境界が嫌いなのです。彼らにとって、もし、人間以上のものがあったとしても、それは人間がいつかはなれるようなものです。たとえば彼らの仏とは人間が迷いを棄てた時になれる存在です。我々にとって人間とはまったく別のあの自然さえも、人間を包みこむ全体なのです。私たちは……彼らのそのような感覚を治すことに失敗したのです」

司教たちは思いがけないヴァレンテ神父の言葉に重く沈黙した。遠い国に送られた宣教師のなかでこれほど絶望的な言葉を洩《も》らした者は今までなかった。

「彼らの感性はいつも自然的な次元にとどまっていて、決してそれ以上、飛躍しないのです。自然的な次元のなかでその感性は驚くほど微妙で精緻《せいち》です。が、それを超える別の次元では把《と》らえることのできぬ感性です。だから日本人は、人間とは次元を異にした我々の神を考えることはできません」

「では……」と一人の司教が納得できぬというように首をふった。「一時は四十万人もいたという日本の信徒たちは……何を信じていたのか」

ヴァレンテ神父はうつむいたまま低く答えた。

「わかりません」彼は苦しそうに眼をつぶり、「皇帝が基督教を禁ずると、彼らの半ばは霧のように消えてしまいました」

「霧のように、消えてしまった？」

「はい、今まで私たちがこの者こそ良き信徒と思っていた日本人までが、迫害と同時にその信仰を失った例は限りなくあります。貴族の領主が切支丹《キリシタン》の教えを棄《す》てるとその一族や騎士たちが、村の長《おさ》が棄教すると村人のほとんどが教会から離れていきました。そして驚くことには、彼らはまるで何ごともなかったような顔をしていました」

「神を棄てた心の呵責《かしゃく》もなくか」

「地図をみるたびに、時として日本は」眼をつぶったままヴァレンテ神父は呟《つぶや》いた。「その形がむかし私に一匹の蜥蜴《とかげ》を連想させました。しかしその国だけではなく……日本人の本質もそうだったのだと、私はあとになってわかったのです。私たち宣教師は蜥蜴の尾を切って悦《よろこ》んでいる子供のようなものでした。蜥蜴は尾を失っても生きつづけ、失った尾はやがてまた元通りに生えて参りました。六十年にわたる我々の会の宣教にもかかわらず日本人は一向に変っていなかったのです。もとに戻ったのです」

「もとに戻った……それを説明してほしい。ヴァレンテ神父」

「日本人は決して一人では生きていません。私たちヨーロッパ人の宣教師はその事実を知らなかったのです。ここに一人の日本人がいます。私たちは彼を改宗させようとします。しかし『彼』という一人の人間は日本にはいなかったのです。その背後には村があります。家があります。いや、それだけではない。更に彼の死んだ父母や祖先がいます。その村、家、父母、祖先はまるで生きた生命のように彼と強く結びついているのです。だから彼とは一人の人間ではありません。村や家や父母や祖先のすべてを背負った総体なのです。もとに戻ったとは、彼が……その強く結びついた世界に戻ったことです」

「我々には、ヴァレンテ神父、よく理解できないが」

「ではひとつの例を出すことをお許し下さい。日本の最初の布教者、フランシスコ・ザビエルが日本の南で布教をはじめた時、彼がぶつかった最も大きな障碍《しょうがい》はこれでした。日本人たちはこう言いました。『切支丹の教えは善いものだとは思う。だが自分は自分の祖先がいない天国《パライソ》に行くことは祖先を裏切ることになる。死んだ父母や祖先と自分たちとは強く結びついている』断っておきますが、これはたんなる祖先崇拝ではないのです。強い信仰なのです。その信仰を消すには我々には六十年では足りませんでした」

「尊敬する司教各位」ベラスコはヴァレンテ神父の言葉を遮って叫んだ。「この神父の今の言葉は甚だしい誇張です。日本にも切支丹の教えのために命を棄てた殉教者たちがいるのです。日本人が主を信じなかったと、どうして言えましょう。日本では布教の希望は決して消えてはいないのです」

そして彼は自分の言葉を立証する切札をこの時、使った。

「その事実は、私がノベスパニヤまで連れてきた日本人の商人が三十八名もメヒコのサン・フランシスコ教会で受洗したことでもわかります。そして今、司教さまの公平な判決を忍耐づよく待っている三人の日本人使節の一人も、このマドリッドで、教会の子となることを進んで私に約束したのです」

侍は雨の音を聞きながら寝台に仰向けになり、両手を首のうしろで組みあわせて壁につるされた男の裸体を眺めていた。部屋のなかには侍とこの男しかいなかった。扉をあけて田中太郎左衛門が入ってきた。雨粒がその衣服に露のように光っていた。

「大儀でしたな。西も戻りましたか」

侍は寝台から起きあがり、胡座《あぐら》をかいた。召出衆《めしだししゅう》という身分は同じだが、年上の田中にはやはり遠慮があった。

「あの男、この雨のなかをまだ町を歩きまわっておる。俺は人目がうるさくて帰ってきた」

やりきれぬようにそう言うと田中は腰から刀を抜き、湿った後鞘《ひきはだ》を布でふいた。町を歩いて人に見られるのはノベスパニヤでも同じだったが、このエスパニヤに来てもっとうるさくなった。ついてくる連中が物珍しげに衣服や刀にふれ、何か話しかけてくる。なかには金をせびる子供もいる。滑稽《こっけい》なのは日本人たちが路《みち》に棄てる鼻紙を大人までが争って拾うことだった。はじめはそれを笑っていた日本人たちも、次第に無遠慮な視線や質問に辟易《へきえき》しはじめていた。

「ベラスコの討論、終ったろうな」

田中は雨にぬれた皮靴をぬぎ、独り言のように呟いた。その皮靴はセビリヤで侍も西も供の者も買い求めたものだ。

「まだでしょうな」

「気がもめる」

侍はうなずいた。田中も同じように寝台に胡座をかいて、

「長谷倉、もしその討論にベラスコが敗れればどうなる……おめおめと、このまま日本に戻るのか」

侍は眼をしばたたいたまま黙っていた。どう答えてよいか、彼にもわからなかった。国王のお目通りを頂くことも御書状を奉呈することも、すべて今日の討論の成否によるとベラスコは言っていた。そしてベラスコがその討論に出るため、今朝、馬車で出かけてからも、三人は落ちつかなかった。雨のなかを西が歩きまわっているのもわかる気がする。

「それでいいのか、それで」

と田中は強い眼で侍を見つめ、

「俺はいやだ。一族縁者に顔がたたぬ。長い間、旧領を戻して頂くことを望みとしてきた縁者に面目もない」

侍とて同じだった。彼は窓を流れる雨に眼をむけた。

「なあ、長谷倉」田中は思いつめたように呟いた。「俺は西と同じように切支丹になろうと思う。俺は切支丹は嫌いだ。だが今となっては……仕方あるまい。俺はこう思うた。戦の折、あざむく敵の前に手をつき頭をさげることもあるとな。だが心まで許すのではない。そう昨夜もおのれの心に言いきかせた」

「松木忠作は……」

「今更、松木の言うたことを信じてどうなる。松木は召出衆の旧領戻しの願いを断ちきるため、御評定所が我らをこの旅に送ったと言うたが、俺はそうは思いとうない。この旅の間、俺の心がすがっているのは、白石さまとのお約束だ。俺はあの松木には白石さまに異を唱える御重臣がたの息がかかっていると思うている……なあ、長谷倉、お前はどう考える」

「切支丹に帰依《きえ》すること……方便とは申せ……長谷倉の家や祖先に背くような気が致し……」

「それは俺も同じだ。俺とて祖先の信心した宗旨を棄てたくはない。だが心から棄てるのではない。それに祖先より受けた土地をとり戻さねば、更に大きな不孝ではないか」

侍は心が崩れそうになるのを怺《こら》えた。雨の音は彼に谷戸の梅雨をふと思い出させた。来る日も来る日も雨に閉じこめられ、家のなかにはさまざまの臭《にお》いがこもり、囲炉裏に放りこんだ枯枝がくすぶって子供たちが咳《せき》をしている谷戸の梅雨。その雨に土が崩れていく……。

「考えてくれ、長谷倉」

壁にかかった男の像を侍は眺めた。あの広い海を渡る船のなかで毎日、商人たちはベラスコの話を、この男の物語を聞いていた。ベラスコはこの方は人間の罪業《ざいごう》を背負って死んでいったのだと言った。戦に敗れた城主は家臣たちの命を救うために進んで自決いたします、とベラスコは微笑しながら説明した。神に背いた人間たちの許しを神に求めるため、この方は亡《な》くなられたのです。それではこの男も他の者と手を組んで神に背いたのか。いいえ、そうではありませぬ。この方は何も過《あやま》ちを犯さなかった。神に背いたことは一度もなかった。にもかかわらずこの方はみんなの身代りになって亡くなられた。

商人たちはこの荒唐無稽な話を信じもせぬのに背《うなず》いてみせた。こんな男は彼らにとって槌《つち》の代りに使う路傍の石と同じようなものだった。路傍の石は用がすめば棄てればよい。この男に手を合わせることが南蛮人との取引きに役立つならば、拝むふりをして棄てればよい。商人たちの本心は結局、そうだったのだ。

(この俺と……)侍は眼をしばたたいた。(あの商人たちとどこがちがうのだろう)

醜い痩《や》せこけた男、威厳もなく見ばえもせず、ただただみすぼらしい男、利用したあとは棄てるためにある男、見たこともない土地に生れ、既に遠い昔に死んでしまった男と自分とはなんの関わりもないと侍は考えた。

「その洗礼の事実を私は否定しません」

ヴァレンテ神父は溜息《ためいき》をついて椅子《いす》から立ちあがった。彼はベラスコに反駁《はんばく》するのも辛《つら》いように肩で大きく息をした。

「だが同時に彼らが本心、それを求めたかどうかもわかりません」

「それはどういう意味なのだ」とさきほどの司教が訊《たず》ねた。

「もう、申しあげました。迫害がはじまると日本の信徒たちの半ばは、まるで霧のように消えてしまった、と。迫害がもっときびしくなればあとの半分もまた何ごともなかったように切支丹の教えを棄てるでしょう。洗礼を授けることよりも、その信仰をどう守りつづけるかが、そしてその迫害のなかで、かりそめの信徒をつくるよりは……」

「尊敬する司教各位」まだヴァレンテ神父の発言が続いているのにベラスコはたまりかねたように口をはさんだ。「ただ今のヴァレンテ神父の侮辱的な言葉にたいし、三十八人の日本人とまた悦びを持ってまさに改宗しようとしている使者との名誉のためにも抗弁したいと思います。今の言葉は聖職者として悲しむべき言葉です。なぜなら、それは彼の手によって洗礼を受けた多くの日本人信徒をも侮蔑《ぶべつ》しているからです」

「私は侮蔑していません。事実だけを言っているのですが……」

「たとえ、その言葉が事実としても」とベラスコは叫んだ。「洗礼という秘蹟《ひせき》は人間の意志を超えて神の恩寵《おんちょう》を与えるということを、あなたはお忘れのようだ。そう、彼らの受洗に万が一、そのような不純な動機があったとしても、主は決してその者たちをその日から問題にされない筈《はず》はない。彼らがその時、主を役立てたとしても、主は彼らを決して見放されはしない。そして……」

そして、と言って彼は言葉を切った。

「そして私は聖書のなかでヨハネをさとされた主の御言葉を今、思いだします。主の名を利用して人々の病を治していた男をヨハネがとがめようとした時、主はこう、おっしゃった。『汝等《なんじら》に反せざる者は、汝等の為《ため》にする者なり』と……」

突然、ベラスコの胸は、一瞬だが、鋭い刃でえぐられたように痛んだ。彼はあの日本人の商人たちが、自分の説教を信じたのではないことを知っていた。ただ貿易の利を追うために洗礼を利用したことを承知していた。承知しながら彼はすべてに眼をつぶったのだった。

「司教会議は洗礼についての神学を聞いているのではない」

端に腰をかけた司教が手をあげて発言した。

「我々は今回の使節がまず日本の公式の使節なのか、一貴族の私的な使節なのかを決めねばならぬ。しかしその前に、日本における基督教《キリストきょう》迫害が一時的なものか、それとも長く続くのかの見通しを知らねばならぬ」

「私は日本での迫害を一時的とも恒久的とも考えませぬ」ベラスコはその司教を注目して、「現在の権力者の大きな城があるエドとその勢力範囲とでは、基督教にたいする迫害があったことは事実です。ペテロ会はこの迫害と圧迫とがいつまでも続くと考えていますが、私たちはそうは思いませぬ。この権力者はたしかに基督教を嫌悪《けんお》してはいますが、彼は同時にマニラ、マカオとの貿易からあがる利益を無視するほど愚かではないからです。彼にマニラやマカオ以上の利をノベスパニヤが与えるならば、迫害は緩和してもいいというのがその本心であると私たちは見通しております。このことは幾度も申しあげました。つまりこの権力者に利を与えることによって、我々の布教の自由をたとえ多少の制限があっても認めさせること、これが私の意見なのです。迫害は一時的でも恒久的でもありませぬ。我々によってやめさせることができるのです」

「ヴァレンテ神父の意見をききたい」

発言した司教はベラスコの言葉に一応うなずいてみせてから、両手を組みあわせうつむいているヴァレンテ神父を促した。

「迫害は続きましょう」神父はまた咳《せ》きこみ、痰《たん》のからんだ声で物憂《ものう》げに答えた。「今は一部しか行われていない禁教も日本全体に拡《ひろ》がりましょう。十五年前ならまだかすかな希望もありましたが、それはベラスコ神父の口にしました権力者にはトヨトミという強敵がいたからです。しかしそのトヨトミ家は次第に力を失いオオサカと呼ばれる町で孤立したままやがては滅ぼされるにちがいありません。またこの権力者に対抗できる貴族は日本には一人もおりません。彼はたしかに貿易の利を狙《ねら》ってはおりますが、しかし新教徒の国々に接近するほうがよいと考えはじめています。新教徒たちは布教ではなく貿易だけに専心することを彼に約束しているからです」

「だからといって」ベラスコは大声を出した。「新教徒たちに日本を委《ゆだ》ねていいのでしょうか。それはこのエスパニヤの東洋進出にもひびく問題であり……」

討論は長々と続き、外は既に夕闇《ゆうやみ》に包まれていた。司教たちは疲れきり、欠伸《あくび》をかみころしたり、肩を動かしたりしていた。ベラスコも体じゅうに疲労を感じた。眼をつぶって彼は基督が息を引きとる時、口にした最後の言葉を心のなかで呟いた。(主よ、すべてをあなたに委ねます。私はすべてをやりました。あとはあなたが決定してくださるのです)

古い修道院特有のかび臭い湿った階段をおりた時、間のぬけた嗄《しわが》れ声が聞えてきた。

「お田の神さま　よい来た　はか　お坐れ　晩のあがりのハー」それは侍もよく知っていた。殿の御領地で田植えの時、女たちが苗を植えながら口ずさむ唄《うた》だった。踊り場で侍はしばらくその下手な唄声に耳をかたむけた。灰色の壁に靠《もた》れていた男があわてて歌うのをやめ、頭をさげて部屋に姿を消した。西九助の供の者だった。

廊下の奥で怒っている声がした。与蔵が一助と大助とを叱《しか》りつけていた。

「帰りたいのは誰もじゃ。お家形《やかた》さまとて一日も早うお役目をすませたいと思うておられるのに……この我儘《わがまま》もんが」

それから平手で叩《たた》く音と泣きながら弁解する声とが続いた。

暗がりのなかに立ったまま侍は眼をしばたたいてその音と声とを聞いていた。一助と大助とが谷戸に戻りたいと愚痴をこぼしたのを与蔵が耳にしたにちがいなかった。戻りたいという一助や大助の気持も、それを叱りつけねばならぬ与蔵の気持もともに侍には胸が痛くなるほどよくわかった。

（何にこだわっている）彼は耳のなかでもう一つの声を聞いたような気がした。（お前一人の我儘であの供の者たちが谷戸に戻るのも遅れるのだ。お役目のためにもあの者たちのためにも、表むき、切支丹になってもよいではないか）

「この我儘もんが」

また濡《ぬ》れた雑巾《ぞうきん》を打ちつけるような平手打ちの音がした。（もういい、もういい、俺は疲れた）と侍は自分に言いきかせた。我儘なのは一助や大助ではなく自分だった。

「与蔵」

と彼は小さく声をかけた。三つの灰色の影がこちらを向いて恐縮したように頭をさげた。

「叱るのはよせ。一助や大助が里心のつくのも無理はない。俺とて同じ気持だ。この頃、谷戸の夢ばかり見る……与蔵、俺も田中殿、西と切支丹に帰依することにした」

彼がそう言い終ると、三つの影は震えるように動いた。

「それが、この国でお役目を果すためにも、……お前たちを谷戸に戻すためにも……役にたつからだ」

与蔵はしばらく主人の顔をいたわるように見あげていた。

「わたしも」と彼は聞えるか聞えないほどの声で答えた。「帰依いたします……」

別室で司教たちが結論を出している間、小さな控室のかたい木椅子《いす》にベラスコは腰をおろし、(主よ、すべてをあなたに委ねます)と呟《つぶや》き続けていた。

(主よ、すべてをあなたに委ねます。もし主があの日本をこの広い世界からお見棄てにならないのならば、そしてその日本のためにも十字架を背負われたのならば、主よ、すべてをあなたに委ねます)

(日本。小賢《こざか》しい日本。狡猾《こうかつ》そのものの日本。立ちまわりのうまい日本。すべてヴァレンテ神父の言う通りです。あの国には永遠や人間を超えたものを求める心は毫《ごう》もない。その通りです。あの国にはあなたの話を聞く耳などどこにもない。その通りです。聞くふりをして肯き、しかし心のなかでは別のことを考えている日本。その通りです。尾を断ち切っても、結局はもとに戻ってしまう蜥蜴《とかげ》。私は時にはその蜥蜴のような島国を憎みましたが、憎む以上に、そのような国であればこそ、征服したいという闘志にかられました。一筋縄ではいかぬ国であればこそ、その日本と戦いたいのです)

控室の扉がかすれた音をたてた。つば広の帽子を持って従兄《いとこ》のドン・ルイスが雨にぬれたまま立っていた。彼は帽子のつばを指でまさぐりながら従弟《いとこ》を気の毒そうに見

て、

「司教たちは今、引きあげた」

「勝ち目はあるだろうか」

とベラスコは顔を覆《おお》っていた手を離し、疲れきったように吐息をついた。

「わからない。セロン司教たちはきびしく反対し、サルバチェルラ司教は日本の使節はたとえ公式のものではなくても礼儀をもって待遇すべきだと言っている」

「それは陛下の謁見《えっけん》を上奏するということか」

ルイスは、何とも言えぬというように肩をすくめ、

「いずれにせよお前が勝つためには何かがなければならぬ。司教たちの心を動かすような何かが」

「日本人たちが洗礼を受ければ司教たちの心は動くだろうか」

「わからぬ。うつべき手はすべてうつことだ。我々もそのためには手を貸そう」

第七章

祭壇にむかって最前列に腰かけた田中太郎左衛門と侍と西九助との背後に、主人たちと受洗する供の者が並んだ。祭壇の左右には受洗者の代父になるベラスコの伯父や従兄《いとこ》たち、それに褐色の修道服を着て腰に帯を巻きつけた修道士たちが整列した。一般の信徒も入場を許されたため、入口近くまで席は埋まっていたが、その大半はベラスコの一族と彼らが招いた客たちだった。

田中は眼をつぶっている。西は祭壇で蛾《が》のように動いているあまたの燭台《しょくだい》の炎に顔を向けている。背後では与蔵たち供の者が時折、鼻をすすり、咳《せき》ばらいをするのが聞えた。その一人、一人がどんな気持で今、腰かけているのか侍にはふしぎに思えた。

侍自身は夢のなかにいるような気持だった。谷戸で冬に備えて百姓たちと粉雪を顔に受けながら木を切っていた自分。囲炉裏のそばで叔父の長い愚痴にうなずいていた自分。それは遠い昔のことのように思えた。あの時、その自分がこんな遠い異国にくることも、こんな切支丹の教会で南蛮人にかこまれて洗礼を受けることも、絶対に考えたことはなかった。叔父や妻のりくがこの光景を見たならば、どんな衝撃を受けるだろうと思ったが、その顔さえ想像できなかった。

朱色の服に白い上衣を着た少年が蠟燭《ろうそく》を手に持ってあらわれた。続いてこのサン・フランシスコ教会の司教がベラスコともう一人の司祭とを従えて祭壇の前で跪《ひざまず》いた。日本人たちは代父たちの合図で、かねて教えられていた通り、古びて罅《ひび》のはいった大理石の床に両膝《りょうひざ》をついた。

わけのわからぬラテン語の祈りが長々と続いた。侍は祭壇の背後の大きな十字架を直視してそこに釘づけにされたあの痩《や》せこけた男と向いあった。

(俺はなあ……お前を拝む気にはなれぬ）と侍は眼をしばたたきながら、すまなそうに呟《つぶや》いた。（なぜ南蛮人たちが、お前を崇《あが》めるのかもわからぬ。お前は人間の罪業《ざいごう》を背負うて死んだというが、そのために我らの暮しが楽になったとも思えぬ。俺は谷戸で百姓たちがみじめな暮しをおくっているのをよう知っている。お前が死んだところで、何も変るものではない）

侍は家畜小屋のように押しつぶされた家々に風が通り過ぎる谷戸の冬を思いだしていた。飢饉《ききん》の時、食べられるもののすべてを食べつくし、食べ物を求めて村を棄《す》てた百姓たちの話を思いだしていた。このあわれな男は人間を救ってくれるのだとベラスコは言ったが、救いとはどういう意味なのか、彼にはわからなかった。

この数日、侍たちは朝から晩までこの洗礼式のための準備をベラスコから受けた。そのたびにベラスコは切支丹《キリシタン》の教えと、この痩せこけた男の生涯を語った。それは日本人たちにとっては縁遠い、実感の伴わぬ話だった。多くの者は欠伸《あくび》を嚙《か》みころし、ある者はうつむいたまま居眠りをしていた。居眠りをしている者に気づくとベラスコの顔に怒りの色が走ったが、彼はそれを抑えるために無理矢理、微笑を頰につくった。

ベラスコの語るイエスの生涯は侍にも奇怪なものに思えた。その母は男に接することなく馬小屋でこの男を生み、ひそかにその後、大工の妻となった。だがイエスは生れた時から人と国とを救う王となるべく定められており、天の声に従って故郷を棄て、ヨハネとよばれる法師のもとで修行した。イエスはやがて故郷に戻り、多くの弟子を持ち、多くの人々にふしぎな業《わざ》をみせ、生きるべき道を教えた。彼はその人気のゆえに、本山や僧侶《そうりょ》から憎しみを受け、さまざまな艱難《かんなん》を蒙《こうむ》り、無実にもかかわらず極刑に処せられた。イエスはそれを天の定める道と心得、この苦患《くげん》を抗《あらが》うことなく受けた。そして三日の後、墓において蘇生《そせい》して天にのぼった。

奇怪きわまるそのような話をなぜベラスコほどの男が信じているのか、侍にはわからなかった。ベラスコだけではなく、南蛮人たちすべてがまことと思っているのも理解できなかった。そして日本にもこのようなおぞましき切支丹の教えに従う者のいることもふしぎだった。

「人間に罪業まぬがれ難きことは、皆さまもよくおわかりと存じます。だがそれを自力にて救われるか、このイエスと申す方によりて救われるかによって路《みち》は分れます。イエスを憎んだエルサレム本山の僧たちはおのれの力によって救われると過信いたしました。だが切支丹はこのイエスの力添えあればこそ、真実浄土に参ると考えております。なぜならばイエスは救いがたき我々の罪業を一身に背負うため、進んで艱難辛苦を受け入れられたからでございます」

侍はベラスコの話をぼんやりと耳にしながら、眼をつぶっている田中や西をそっと窺《うかが》った。(すべてお役目のためだ)という田中の声が侍の耳に甦《よみがえ》った。ひとたび死んだ後に蘇《よみがえ》る——そんなことを信じられる筈《はず》はなかった。

「皆さまは死を怖《おそ》れられる。この世の無常を歎《なげ》かれる。日本の僧侶たちは死したる後の輪廻《りんね》を説き、永劫《えいごう》流転《てん》と申します。だが切支丹ではイエスと同じようにおのれも高き浄土に蘇ると説いております。それもイエスのお力添えあればこそでございます。イエスは我々に罪業の泥沼より這《は》いあがる力と死を解脱《げだつ》する望みとを、力強く確信をもって教えられました。さればこそイエスは我々を率いる王と申せるのでございます」

ベラスコはここで急に声を落し、皆の心を惹《ひ》きつけるように静かに呟いた。

「皆さまが永劫流転の輪廻を良しとされてこの世に生きられるか、それとも大いなる果報にみちた天国《パライソ》に蘇ることを望まれるか、日本の僧侶たちの言うように善本修習《しゅじゅう》こそ救いの道と思われるか、それともおのれの力の至らなさを悟ってイエスの慈悲にすがるか。いずれが賢き道か、愚かな道か、思案されれば、その答えは明らかでございます」

だがなぜベラスコの言うような玄妙、ふしぎな力を天がイエスに与えたと言えるのだろう。ベラスコはそれをイエスの生れる前からの言い伝えであり、その言い伝えは神《デウス》の言葉であったと語った。

（お役目のためだ）と侍は自分に言いきかせた。（すべてお役目のためだ）

両側に並んだ人々から使者衆たち三人の代父が立ちあがり、身振りで田中と侍と西とに祭壇のそばまで進むように指示した。水盤を持ったベラスコと銀の水差しを手にした司祭とが司教を真中にはさんで近づいてきた。

栄養のゆき届いた血色のいい司教の唇が小きざみに動き、田中と侍と西にはわからぬラテン語で何かを質問していた。ベラスコが口早にそれを日本語に訳し、「信じ奉《たてまつ》る」と答えるように三人に囁《ささや》いた。「主イエス・キリストを信じるか」

「汝《なんじ》は」と司教はたずねた。「主イエス・キリストの復活と終りなき命とを信じるか」

「信じ奉る」

「信じ奉る」

ベラスコに促されるたび、田中と侍と西とは口を揃《そろ》え、「信じ奉る」と、愚かな鸚《おう》鵡《む》のように繰りかえした。と、侍の胸に後悔の念がこみあげてきた。心からではない、これもお役目のためだ、と自らに言いきかせても、父や叔父やりくを今、この瞬間に裏切ったような哀《かな》しい気持が、にがい感情を伴って起ってくる。それは、愛してもおらず、信じてもいない男と、仕方なしに寝た女の抱く嫌悪《けんお》感に似ていた。

三人が首を横に傾けると、司教は司祭から銀の水差しを受けとり、それぞれの額に水を注いだ。額を流れる水は侍の眼や鼻にも伝い、ベラスコが手にした水盤をも濡《ぬ》らした。それが洗礼だった。侍たちにとっては形だけのもの、教会にとっては動かしがたい秘蹟《ひせき》だった。

愛《イエス》する神《デウス》なるイエス《アモル・メウス》

御心の愛を我に刻みたまえ《コルディス・エストゥム・イムプリメ》
願わくは愛の炎を燃やし《ウラト・イニィス・ウラト・アモル》

その瞬間、聖堂の入口のあたりから軽いざわめきのような声が拡《ひろ》がってきた。日本の使者衆たちが、神の栄光の前に伏したことを祝って参列者が声をそろえて祈りを唱えはじめたのである。司教は田中と侍と西とに炎のゆらぐ蠟燭を持たせ、代父であるベラスコの親類を左右につき添わせ、席まで戻らせた。その時、侍はすぐそばでベラスコが例の微笑を浮べ、祈っている参列者と自分たちとを眺めていたのに気がついた。（形だけのことだ）侍は手を合わせながら苦々しくおのれに言いきかせた。（俺は心から、信じ奉る、と言ったのではない。やがてこの日のことは忘れるだろう。この日のことは……）

供の者たちもそれぞれの主人に続いて水盤の上に額をさしだした。

人々が起立すると田中も侍も西も立ちあがり、人々が跪くと田中も侍も西も跪いた。洗礼式はミサに移り、司教は祭壇に手をひろげて福音書を読み、パンと聖杯との前に頭をさげた。それはパンが基督《キリスト》の肉体となり、葡萄酒《ぶどうしゅ》が基督の血となる儀式だったが、秘蹟の意味も内容もわからぬ三人にはただ不思議な奇妙な動作にしか見えなかった。

三人のそばに跪いたベラスコは小声で教えた。

「あのパンこそ主の御体でございます。私に倣《なら》って司教の捧《ささ》げるパンと聖杯とを拝んでくださいませ」

聖堂はふかい静寂に包まれ、司教は白く小さくそしてうすいパンを両手で捧げ、口のなかで何かを祈った。修道士も信徒も跪きふかぶかと頭をさげた。侍たちにはそれらの意味は何も理解できなかったが、今、自分たちにとって厳粛な瞬間が来ていることだけはわかった。

(形だけのことだ) 侍は祈るかわりにまたおのれに言いきかせた。(俺はあのみじめな男なぞ拝む気にはなれぬ)

鈴が鳴った。静寂のなかでふたたび司教はパンをおき、純金の聖杯を両手に持って頭上に捧げた。それは葡萄酒が基督の血となる一瞬だった。

(形だけのことだ) 皆が頭をさげるのを真似《まね》ながら侍はくりかえした。(俺はなにも信じてはおらぬ)

なぜこの痩せこけ、両手を釘づけにされた男にむきになるのか、侍は自分でもふしぎだった。もし本当に形だけのことならば、このように心に繰りかえし同じ言葉を言いきかせる必要はなかった。胃液のようににがい感情がこみあげてくる筈もなかった。

父や叔父やりくを裏切ったような哀しい思いがする筈もなかった。

侍は眼をしばたたき、ベラスコや代父たちにわからぬように首をふった。首をふることで、この拘泥《こだわり》を心から追い払おうとした。やがて忘れる、気にすることではないと、彼は幾度も自分に納得させようとした。

こうして長かった洗礼式が終った。司教とベラスコと代父のベラスコの伯父とは、両手をさしのべて三人の使者衆の手を握ると、その姿勢をすべての参列者に誇示するように長い間、手を離さなかった。日本人たちが出口に向うと、周りの席から幾つかの花束が投げられた。ベラスコが人々の祝辞を通訳した。

「あなたがたの国、日本《ハポン》が神の国となりますように」

洗礼を受けた日からもまたマドリッドの石畳の坂路を毎日、霧雨がぬらした。その霧雨のなかを三人の使者衆はベラスコに連れられ馬車でさまざまな有力者や貴族への訪問を行った。馬車のなかで彼らの援助がどんなに必要かをベラスコはくりかえし説明した。

お役目のためとは百も承知していながら、有力者の前で頭をさげ、長々とした礼の言葉をのべるのは谷戸育ちの侍には苦痛である。特に昼餐《ちゅうさん》や晩餐に招かれた時は、いつものことながら三人は言葉のわからぬなかで面目を失わぬよう緊張しつづけねばならなかった。

訪問の気苦労や食卓での辛《つら》さはともかく、耐えられなかったのは、訪問した有力者や聖職者たちの日本についての無知な質問だった。彼らが日本人とノベスパニャのインディオとを同じように考えていることがわかった時、侍たちは屈辱をおぼえた。

「ホトケとよぶ迷信と邪宗の神から離れ、我々の主を信じた日本人たちの来訪を悦《よろこ》びたい」

聖職者たちが見くだしたような態度でそう言う時、侍は貧者に恩恵を施す富者の傲《おご》りを感じた。まがりなりにも父や叔父やそしてりくが信じてきた仏が、このように軽《けい》蔑《べつ》されるのは愉快ではなかった。(俺は切支丹ではない)侍は眼をしばたたいた。(この者たちの崇める基督など今後は拝みはせぬ)

だが、人々の前で洗礼を受けた以上、日本人たちは宿舎の修道院で毎朝行われるミサに出なければならなかった。寒い朝、まだ夜のあけ切らぬうち、鐘がなり、一同は修道士たちと燭台を手にして長い廊下に一列に並び、聖堂に入る。蠟燭の炎だけが周りを照らしている祭壇では、あの痩せた男が両手をひろげている。司祭はひくい声でラテン語のミサ典文を唱え、やがて、パンと聖杯とを頭上に捧げる。そのたびに侍は谷戸を思った。谷戸の山にある父や一族の墓に詣《もう》でる時の自分を思った。（これは俺ではない。これは俺の本心ではない）と侍は自分に言いきかせた。

「お前は」とそんなミサのあと侍はそっと西九助にたずねた。「切支丹にさせられたこと、辛うはないか」

すると西は屈託なげに笑った。

「ミサもミサの唄《うた》もオルガンもすべてが珍しゅうございます。あの唄やオルガンの調べを耳にいたしますと、時折、酔うたような気もいたします。西洋を知るためには切支丹はぬきにできぬ、とようわかりました」

「では」と侍はこの時も自分のように違和感をおぼえぬ西の若さと好奇心とに羨《うらや》ましさを感じながら、「あの男を拝む気になったのか」

「拝む気持はございませぬ。が……ミサは決して嫌ではありませぬ。あれは日本の神社や寺には決してないものでございます」

ベラスコは得意そうだった。司教たちは日本人の受洗に好感を持ちはじめ、使者衆たちを公式の使節として扱うべきだという声が日ましに強くなっているからだった。その結果、王室も正式な謁見《えっけん》の日取りを通達するだろう。そして使者衆たちの持参した殿の御書状は受理され、その要請は公平に考慮されるだろう、とベラスコは侍たちに教えた。

そうなれば間もなく帰国することができる。それを思うと、長い冬のあと谷戸の百姓が待ちのぞむ春の雪解けが来た時のように喜悦の思いが侍たちの胸に溢《あふ》れるのだった。

「皆さまの受洗が酬《むく》いられたのです」ベラスコは例の微笑を頬にたたえた。「主は主の教会の門をくぐる者に必ずなにかをお与えになります」


地の果てからこの国に来た日本人たちが基督教に改宗したと知った時、マドリッドの教会は頑《かたく》なな偏見を一挙に棄てた。私たちは毎日、高位の聖職者を訪問し、その祝詞を受けている。今やすべてが好転しているのだ。

司教会議の結論は数日のうちに公布されるが、伯父と従兄《いとこ》との感触では、ほとんどの司教が使者たちを日本の公式の使節として認め、それに相応する扱いをなし、国王謁見も要請して然《しか》るべし、という意見に傾いているという。それにたいしヴァレンテ神父も彼の背後にあるペテロ会もなぜか沈黙している。その不気味な沈黙を、彼らの敗北感のあらわれと受けとるべきか否《いな》かはまだわからない。

「彼らは負けたのだ。そして私もお前に負けた」

伯父は上機嫌だった。

「障碍《しょうがい》があればあるほど執拗《しつよう》に戦うのがわが一族の特徴だが、それにしてもお前にはその血が特に強い。お前は政治家になればよかったのだと思うことがある」

彼に肩をだかれながら私も気を許した。

「主の御弟子のなかでも雷とよばれたヤコブに私は似ているのかもしれません。その烈《はげ》しさを主も持てあまされたというあのヤコブに……」

今日、従兄の家で司教会議の判決にたいする打ち合せをすませ、私は馬車に乗らず徒歩で宿舎の修道院に戻った。修道院に近い雨あがりの石畳の坂路《さかみち》をのぼりながら、雨雲が流れていくのを見あげた。坂路の横で馬車引きたちが数人、樽《たる》の上に腰をかけ、何かを話していた。ほかには人影はなく、私は主に感謝するため、いつもの癖でポケットのロザリオをまさぐろうとした。

その時だった。どこかで嗤《わら》い声が聞えたような気がした。何かにむせた女のような嗤い声だった。ふりかえったが馬車引きたちはもう見えず、坂路には誰もいなかった。瞬間、私は自分のやったことすべてが雪崩《なだれ》のように崩れ落ちたような空虚感に捉《とら》えられた。自分のやったことは悉《ことごと》く徒労となり、意志したことはすべて無意味となり、信仰であったものは実は自己満足のためであったことを眼前に突きつけられたような気がした。この時、嗤い声がまた聞えた。前よりももっと大きい哄笑《こうしょう》がひびいた。動けなかった。灰色の雲の流れる空を凝視していた。そのなかに私は今まで見たことのないものを感じとった。自分の転落だった。

私が主から愛されているのではなく、主から見棄《みす》てられているのではないかと思った。（我らを試みにひき給《たま》わざれ）と私は祈った。（今も臨終の時も……）

お田の神さま　よい来た　はか　お坐れ
晩のあがりのハー　よい来た　早いように
唄の折り節　ところで変る

田中も侍も西も椅子《いす》に腰をかけ、一人の供の者の唄に耳をかたむけていた。旅だちの日から供の者たちにこれほどの喜色があふれたことはない。今日まで彼らの顔にはいつも疲労と諦《あきら》めとが染《し》みついていた。だがその顔には悦びがあかるくみちてきた。もうすぐお役目は首尾よく終り、あとは帰国のことを考えればよい、とベラスコが今朝、宗教裁判所に向う馬車に乗る時、自信ありげに一同に話をしたからだった。

「俺の土地では今頃、厄落しの祭りを致す」

と田中もいつもの仏頂面《ぶっちょうづら》をやめて西に笑顔をみせた。

「墨塗りと申してな、厄年の者を待ちうけてその顔に墨を塗るのだ。それでその者の厄が落ちるという」

「それに似たことを、我らの村でも致します」西もうなずいて、「若い衆が藁縄《わらなわ》を焼いた灰を雪で練り、家々をまわって、誰かれとなく顔に塗りつけます。嫁入り前の女は逃げまわりますが、それが終れば一同にて、『花おさまりました。今年は豊年』と言いあい、酒盛りを致します」

「日本に戻るのは来年の今頃か」田中は指を折って首をかしげた。「そうすれば、厄落しの祭りの頃であろう。ベラスコの言う通りすべて首尾よく捗《はかど》ればの話だが」

「首尾よく参りましょうとも」

西は侍に体をむけて、

「帰国の望みができれば、妙にこの国を去るのが名残惜しゅうなります。正直、ここに居残り、言葉もおぼえ、さまざまなものを見聞きし、学びなどして帰りとうございます」

「若いことは羨ましいのう」と侍も笑った。「田中殿や俺は一日も早う故郷に戻り、米、味噌《みそ》を味わいたい。近頃、夢でおのれのその姿をよう見る」

宗教裁判所の広間でベラスコはヴァレンテ神父とこの前と同じ位置に腰をかけていた。彼らと向いあって黒服をまとった司教たちが、あの日とそっくりに重々しく並んでいた。そして合図の鈴がなり、審議が開始された。

中央の司教が立ちあがり、象牙色《ぞうげいろ》の紙を手に持って司教会議の結論を読みあげた。

「我々は先に行われたペテロ会東洋巡察師ロペ・デ・ヴァレンテ神父とポーロ会フライ・ルイス・ベラスコ神父との報告を検討した結果、一月三十日、マドリッド司教会議の権限の下に、次の如《ごと》き回答を当事者及び国王陛下宗教審議会に提出するものとする。司教会議はフライ・ルイス・ベラスコ神父の提案を認め、日本人使者を公式の日本の使節と承認し、彼等にその資格に値する待遇を行い、その滞在費を支払い、その帰国の安全を保証すべきすべての方法に意を払うべきことを上申する。更にまた国王陛下にこれら日本の使節との謁見を上申し、その信書に充分なる考慮を払われんことも要請する」

ども〔り〕、閊《つか》えながらその司教は判定文を読みあげた。ヴァレンテ神父はこの前と同じようにうつむいたまま、時折、咳《せき》をした。なぜか、まるで自分とは関係のない話を聞くように彼はぼんやりと見ていた。ベラスコはできることなら背後をふりかえりたかった。背後の傍聴席では伯父や従兄《いとこ》やその他の一族の者が傍聴しているからだった。（主よ、感謝いたします）と彼は膝《ひざ》においた手を握りしめた。（あなたはこのように善きことしか、なさらぬ。あなたはやはり、この私を必要とされていた）悦びはふしぎに烈しくは湧《わ》いてこなかった。そのかわり小波《さざなみ》が岸をぬらすように彼の胸の襞《ひだ》をゆっくりと濡《ぬ》らしていった。彼にはまるでこの結論がずっと前から決っていて、自分もそれを予知していたような気さえした。

「以上の判定を司教各位が改めて承認する前に、ベラスコ神父並びにヴァレンテ神父に、判定にたいする異議申し立てを聞くことにする」

象牙色の紙を巻きながら司教は二人を見おろした。それは慣例であり、形式だった。宗教裁判所では判定文もしくは判決文が読みあげられたあと、異議が申し立てられることはないのが普通だった。ベラスコは首をふり、ヴァレンテ神父は……。

ヴァレンテ神父はゆっくりと椅子から立ちあがった。司教たちは神父がその古びた修道服から一枚の折りたたんだ紙を出すのを訝《いぶか》しげな眼で眺めた。口に手をあてて空咳をするとヴァレンテ神父は物憂《ものう》げに口を開いた。

「司教会議の判定を謹んでお受けする前に、ここで一週間前にマドリッドのペテロ会本部に送られて参りました、マカオのペテロ会、デ・ビベロ神父からの緊急書簡を御一読頂きたいと存じます」

折りたたんだ紙は中央の司教に受けとられ、机の上に展《ひろ》げられた。司教はしばらくその手紙を黙読していた。ヴァレンテ神父はふたたび椅子に腰をおろし、先程と同じようにうつむいたまま眼をつぶっていた。

中央の司教はその手紙を隣席の司教にまわした。そして彼が読み終るのを待ってから、小声で対策を協議していた。

「この手紙を司教各位の前で朗読することを許されたい」と中央の司教は左右を見まわした。「私はこの手紙にはそれだけの意味があると考える」

彼はふたたび立ちあがり、どもり、悶えながら、ゆっくりと読みはじめた。

「日本における新しい情勢の変化が二つ起りました。ひとつは、我々の敵であるイギリス人はしばしば日本の王に我が国にたいする中傷を繰りかえして参りましたが、国王はその中傷を聞き入れ、さしあたってルソン、マカオとの貿易を断絶する準備としてイギリスとの通商を認めることを布告し、日本の西南、平戸にその商館を作ることを許可したことです。今ひとつの変化は、これまで比較的、布教にたいして寛大だった東北の貴族で、先にノベスパニヤにその個人的な通商使節を送った有力な領主が迫害をはじめたことです。我々が当地で受けた報告によれば既に少数ながら殉教者が出ておりますが、それは、その貴族が我が国と組んで日本国王に反逆する意志があるという一般の噂《うわさ》をうち消すためと言われております」

ベラスコは嗤い声を聞いた。それは数日前、あの雨あがりの坂路で、馬車引きが数人、樽の上に腰かけ何かを話しているそばを通りすぎた時、突然、どこからか聞えてきた何かにむせた女のような嗤い声だった。灰色の雲の流れる空をその嗤い声は突きぬけた。今、その嗤い声が耳のなかでする。

お田の神さま　よい来た　はか　お坐れ
晩のあがりのハー　よい来た　早いように
唄の折り節　ところで変る

供の者たちの笑い声が急にやんだ。

雨にずぶ濡れになった男のように、みじめな姿でベラスコが入口に立っていた。日本人たちの視線が注がれるなかで、

「ベラスコ殿」

と西が嬉《うれ》しそうに椅子から立ちあがった。

「皆々、吉報の参るのを待っておりました」

それから彼は自分の腰かけていた椅子を指さした。

ベラスコはいつものように微笑してみせた。だがその微笑は弱々しく悲しそうだった。

「御使者衆たち」力のない声で彼は答えた。「申しあげねばならぬことが……起りました」

侍はそのベラスコを凝視した。胸に起ってきた不吉な予感を追い払うように、彼は

床に畏《かしこま》って正座している供の者に顔をむけた。すべての者がある気配を感じて、怯《おび》えたようにベラスコを見あげていた。

「どうされた、ベラスコ殿」

侍は震えた声でたずねた。そして、西を制する身振りをして、うしろ向きになったベラスコのあとに続いた。田中も立ちあがった。三人は冬の陽の弱くさしこむ午後の廊下を黙ったまま歩き、ベラスコの部屋に入った。かたく閉ざされたその扉はそのあといつまでも開かない。供の者たちの部屋からも、ふたたび笑い声も唄声も聞えない。

その夜、修道院は早くから灯を消し、日本人たちの宿泊している建物は闇《やみ》に塗りこめられたまま死んだように静かだった。十一時になると、凍《い》てついた石畳の坂路をいつものように大きなマントをかぶり片手に鉄のカンテラを持ち、腰にあまたの鍵《かぎ》をぶらさげた夜警《セレノ》の男が、木靴の音を響かせながらのろのろと歩いていく。町角までくると男は思い出したように、「アン・ダード・ラス・オンセ・イ・セレノ」と寝しずまった家々にむかって叫んだ。

第八章

机で蠟燭《ろうそく》の炎がゆれていた。ゆれる炎は憔悴《しょうすい》しきったベラスコの顔に影をつくった。いつもの自信ありげな表情はすべて消えて、打ちのめされた男のしおれた表情がそれに代っていた。

「望みは……」ベラスコはうつろに呟《つぶや》いた。「消え失《う》せました」

三人の使者衆もまた臨終のように羽ばたいている蠟燭の炎を力なく見ていた。炎はまるでその力を使い果して消えゆく蛾《が》のように懸命に踠《もが》いていた。

「日本に戻るほか、仕方ありませぬ」

さきほどの供の者たちの田植唄《たうえうた》が侍の耳のどこかでかすかに聞えた。故郷に戻れる悦《よろこ》びに酔いながら供の者たちはあの唄を歌ったのである。谷戸に戻れる。だが先程と今とでは何もかもが根底から違ってしまった。日本は切支丹《キリシタン》禁制に踏みきったのだ。禁制に踏みきったということは、ノベスパニヤとの通商も棄《す》てたということである。自分たちに托《たく》された役目も旅もすべてが空《むな》しく、無意味に変ったということである。

長かった旅。広く大きな海。焼けつくようなノベスパニヤの平原。白い円盤のような太陽。竜舌蘭《マゲイ》とサボテンのほか何も茂っていない荒野。風の吹きぬける町。そのひとつ、ひとつがまぶたに浮び、かすめ、通りすぎていく。なんのため、なんのため、なんのため——太鼓の音のようにその言葉が同じ調子で、同じ繰りかえしで、耳もとに聞えてくる。

西九助が嗚咽《おえつ》していた。口惜《くや》しさと恨みとをいっぱいにこめてこの若者は肩を震わせていた。

「望みはことごとく」田中太郎左衛門がぼんやりと、「ことごとく消えたのか」

ベラスコは答えなかった。この南蛮人もまた自分の苦しみと闘っていた。

「その手紙に書かれしことは、まことであろうか」

「まことと存じます。いかなるパードレも偽りの知らせを送っては参りませぬ」

「聞き違いということもあろう」

「それを私も考えました。だが日本より遠きマドリッドでは事の真偽を確かめるすべはございませぬ。あるいは法王《パッパ》さまのましますローマには別の知らせが……」

「そのローマでも地の果てでも、俺は参る」

田中は一気にこの言葉を言い放った。両手を顔から離し、ベラスコは、

「ローマに参られる……」

「長谷倉や西の所存は知らぬ。だがこの俺は……この俺はな……もう、空しゅう日本に戻ることはできぬ。戻るのであれば松木と共にノベスパニヤより帰国の船に乗っておったぞ」田中の声は呻《うめ》き声のようだった。「それを、このエスパニヤまで旅に耐えて参ったのも……ひたすらお役目への一念ゆえだ。俺はもう空しゅう日本には戻れはせぬ。地の果てでも……俺は参る」

侍も衝撃を受けた。この男が旧領を返して頂く願いをどんなに強く心に持ち、親類縁者から期待を一身に受けてお役目を引き受けていたかを知ってはいた。しかしその願い、その一族の期待が、かほど烈《はげ》しく、かほど強いことが、今はじめてわかったような気がした。地の果てでも参ると田中は言った。だがもし、どこに赴いてもどこまでたどりついても事が成就《じょうじゅ》しなければどうする。突然、心に不吉な予感が、谷をかすめる大きな鳥のように横切った。もし事が成就しなければ、親類縁者に詫《わ》びるためにこの男が為《な》すことは一つしかなかった。田中の実直な性格はそれ以外の事を考えぬであろう。自決しておのが力の足りなかったことを謝罪すること。腹を切ること。侍は田中の横顔を見つめたまま、暗い想念をあわてて追い払おうとした。

「長谷倉さまはどうなされます」

「田中殿が参られるならば……」と侍は答えた。「俺も従うてまいる」

ベラスコはこの時はじめて弱々しい微笑をうかべた。

「ふしぎな気がいたします。旅に出る前、旅の間、皆さまと別の道を歩いているような気が私にはいたしました。正直、心のかよわぬものをいつも感じておりました。だが今夜、はじめて皆さまとなぜかひとつの紐《ひも》で結びあわされた心地がいたします。これから皆さまも私も同じ雨にうたれ、同じ風に吹きさらされ、同じ道を肩をならべて歩いていく。そのような気がいたして参りました」

蠟燭の炎がゆらぎ、一日の最後を告げる鐘が鳴った。侍は眼をつぶり、まだ何も知らぬ供の者たちに、また旅を続けねばならぬことをどう告げようかと思った。与蔵はともかく、他の二人がうつむいて暗い顔をするのは彼には耐えられなかった。なつかしい谷戸の風景、囲炉裏の臭《にお》い、妻と子供の顔、それらが引潮のように遠ざかっていく。

(だが明日は言わねばならぬ。今夜は何もかも忘れて眠ることだ。俺はもう疲れた)

その夜、侍はまた谷戸の夢をみた。冬の曇り空にあのしらどりが二羽飛んでいるのを見ている夢だった。二羽のしらどりは気流にのり、のびのびと旋回しながらゆっくりと沼のほうにさがっていった。与蔵が急に銃をかまえた。侍がとめる暇もない。耳をつんざく銃声が枯れた林のなかに拡《ひろ》がり、渡り鳥は不意に重心を失い、くろい渦巻きをえがきながら小石のように沼に落ちていった。硝煙の臭いのなかで侍は与蔵をみつめ、なぜか彼にかすかな怒りを感じていた。あわれな殺生《せっしょう》ぞ、と彼は言いかけて口を噤《つぐ》んだ。なぜ撃った。あの鳥は俺たちのように遠い国に帰らねばならぬのに……。

日本人と私とは安住の地を求めて放浪する流浪《るろう》の民に似ていた。雨の闇夜《やみよ》に人家の灯を探す旅人のようでもあった。「人の子に枕《まくら》するところなし」という主の御言葉はマドリッドを発《た》ってから毎夜、私の心にしばしば浮んだ。

司教会議の結論が出てから我々は掌《てのひら》を返したように人々から冷たく扱われた。もはや誰からの招待もなく、一人の訪問者もなくなった。宿泊している修道院の院長までが、これ以上、長期にわたって日本人に建物の一部を貸すことは他の修道士の生活を妨げる、という手紙を司教団に送ったほどだった。

わずかな援助者は伯父とその一族だった。そして、ふしぎなことにそれまで我々に冷淡だった一人の公爵《こうしゃく》が味方になってくれた。彼はいかなる事情があるにせよ、基督《キリスト》教徒《きょうと》であるエスパニヤ人が同じ宗教に帰依《きえ》した日本人を冷遇することに反対し、我々のため、ローマの有力者ボルゲーゼ枢機卿《すうきけい》に助力を求めてくれた。そのため伯父もやむをえずバルセロナからイタリヤに行く帆船と二千ドゥカードの旅費とを用意してくれたが、もしも日本人の願いを法王庁が裁可せぬ時は、この私がすべてを諦《あきら》め、ノベスパニヤかフィリピンの修道院に温和《おとな》しく住む、という条件も突きつけてきた。

冬のマドリッドを発った我々は、グワダラハラの枯れ果てた高原を通りサラゴサやセルベラの町を経てバルセロナに向った。

風は寒く大気は冷たい。日本人たちが黙々と旅を続けるのを見ると、言いようのない悔いと呵責《かしゃく》とのまじった痛みが私の胸を走る。日本人の感情をあらわさぬその顔がかえって辛《つら》かった。私は自分があてのないさすらいの旅に、民を連れて歩くイスラエルの偽《にせ》の預言者のようにさえ、思えた。ローマに赴いても、果して法王庁が我々を受け入れてくれるか、我々の希望が受諾されるか、私には自信がなかった。そして日本人たちも私もただひとつの奇蹟《きせき》を当てにして歩いたのである。

我々は共に挫折《ざせつ》した者だった。当てにならぬ泉を求めて今日も明日もまた砂漠を旅する流浪の民に似ていた。口に出してこそ言わぬが、彼らは信じていた殿と評定所とに裏切られたという悲しみを胸に抱いていた。同じように私も私の夢みたものを主から見棄てられた苦痛を嚙《か》みしめつづけていた。裏切られた者と見棄てられた者との間に、互いを労《いたわ》りあい互いの傷口を舐《な》めあうような友情が今、やっと出来てきたような気がする。私はこの日本人たちに言いようもなく心の通うのをおぼえた。今まで感じたことのない切実な連帯感が使者たちと私との間に生れてきたように思えた。今日まで確かに私は策を弄《ろう》し、彼らを自分のひそかな目的のために引き摺《ず》ろうとし、言葉もできず行く先さえわからぬその弱味を利用してきた。そして彼らもまた時には狡猾《こうかつ》な心で私を役目のために使おうと試みてきたのだ。そうしたつめたい心の隔たりがもう、私と使者たちとの間にはなくなったようだった。

だが主イエスは本当にこの私をお見棄てになったのだろうか。灰色に拡がる空を見ながら、私は主もまた父なる神に見棄てられたような孤独を味わわれたことを思った。そう、主イエスはその生涯の間、決して栄光と祝福とに充《み》ちた旅をされたのではなかった。主は人々の誤解と罵声《ばせい》とのなかで、追われる者としてトランス・ヨルダンを歩き、ツロやシドンの町を経めぐられたこともあった。「今日も、明日も、また次の日も」その時、主は悲しく呟かれた。「進んでいかねばならぬ」むかし、私はこの主のみじめな言葉に深い印象を持たなかった。が、今、日本人たちとバルセロナまでの路《みち》を進みながら、その時の主の苦しげな御顔を考えた。

今日も、明日も、また次の日も進んでいかねばならぬ。だが日本人たちはなぜそんな絶望に耐えることができるのだろう。束の間《つかま》の悦びは今は根こそぎ崩れ、彼らはまた長い旅を続け、見知らぬ国を訪れねばならぬ。日本人たちが私に幻滅し、恨みと憎しみとを持ったとしてもふしぎではない。だが彼らはそれを決して口には出さなかった。笑顔は消え、口数も少なく、ただ私のあとを黙々と従《つ》いてくる彼らを見て、私はどれほど自分を責めただろう。こうして我々はバルセロナの港から小さく粗末なベルガンティン船に乗りこんだが、その日、海には氷のような雨が降っていた。

海に出て二日目、嵐《あらし》が我々をフランスのサン・トロペの港に避難させた。この小さな町の人々は、はじめて目撃する日本人たちに驚きながらも心あたたかく領主の館《シャトオ》を宿舎にあててくれた。領主夫妻も住民たちも好意にみちた好奇心を抑えることができず、終日、日本人たちの一挙手一投足をじっと眺めた。彼らは使者たちの衣服にさわり、刀を見たがり、それをトルコの新月刀のようだと言った。西九助が皆を悦ばすため、一枚のあつい紙を刀の刃にのせて、静かに動かして紙を切って見せると、感嘆の声をあげぬ者はいなかった。我々は嵐が去るのを待ってこのサン・トロペを出航したが、二日の滞在の間、それまで暗かった日本人たちの顔にははじめてかすかな冬の陽のような微笑が浮んだ。

だがそのサン・トロペが視界から消え、ふたたび地中海が眼の前に拡がると、甲板にしゃがみこんだ日本人たちの顔には憂鬱《ゆううつ》な表情が戻ってきた。特に皆から一人離れて海を見ていた長谷倉の顔を見て私は、それほどの期待もなく彼が旅を続けていることがわかった。その表情はすべてを運命として諦め、受け入れる日本人独特のものだった。「明日のことは誰にもわかりませぬ」と私は彼に語りかけた。「ローマに参れば雨のなかに不意に陽のさしこむように、すべてが明るく変らぬと誰が申せましょう。この私は望みを失いませぬ。最後まで望みを失いはいたしませぬ。神《デウス》が考えられますことは……我々には計り知れませぬ」

水平線に眼をやりながら私は呟いた。長谷倉にではなく自分の憔悴《しょうすい》した心に私はこの励ましの言葉を言いきかせているようだった。正直、今、私には神の御心《みこころ》がわからなくなってきた。あの日本に、主の教えを植えつけようとするこの意志を神が諾《うべな》っておられるのか、それとも拒まれておられるのか、摑《つか》めなくなってしまった。そんな私の最後の拠《よ》りどころは、神の深い御意志は人間の察知するところではないという一点だけにかかっていた。我々にとって挫折にみえるものは、実は神の歴史のなかでは意味のある種であり、将来の成果のための布石なのかもしれない。このところ毎夜、私は祈りながら自分にそう言いきかせた。しかしそれだけでは私の心は慰められず、充たされる筈《はず》はなかった。

(神よ)と今、私は心の底から叫ぶ。(教えてくださいまし。あの日本をこの私が見棄てることをお望みだったのでしょうか。それとも最後まで望みを失うなと言われるのでしょうか。それが……知りたいのです)

だが私の前には沈黙しかない。ふかい闇のなかで神は黙っておられる。時おり聞えるのはあの嗤《わら》い声。女の声のようなあの嘲笑《ちょうしょう》。

神はすべての秩序の中心であり、すべての歴史の目標でもある。神はまた人間の歴史の背後に神御自身のお考えによる歴史を予定されている。そのことは私もよく承知している。しかしその神の考えておられる歴史のなかで、私のやったこと、意図したこと、夢みたことや日本は含まれていない。私は除《の》け者であり、邪魔者だったのか。

だが主イエスもまた今、私が味わっているこの絶望をその御生涯のなかで味わわれた。彼は十字架でこう叫ばれた。「神よ《エロイ》、神よ《エロイ》、なんぞ我を見棄て給う《ラマ・サバクタニ》」その時、イエスは今の私のように神の御意志を摑めなくなったにちがいない。しかし彼は息を引きとられる直前、その絶望に克《か》たれたのだ。そして「すべてを御手に委《ゆだ》ね奉《たてまつ》る」という幼児のような信頼の言葉を神に寄せられた。私はそれを知っている。私はそうなりたい。

「ベラスコ殿」

突然、そんな私の想念を破って長谷倉が話しかけてきた。それは暗い心の秘密を司祭にうちあける信徒のようにためらった口調だった。

「前々から申さねばと思うていたが……もしローマに参っても望みのかなえられぬ時は、ベラスコ殿はエスパニヤに残られるのか」

「私が……私も皆さまと同じように日本に戻ります。今は日本のほかに私には国はございませぬ。生れた故郷よりも、育った国よりも、あの日本こそ私はおのれの国と思っております」

おのれの国という言葉に私は力をこめ、

「最後まで私はお供いたします」

「ベラスコ殿、お気づきでないのか。万が一、ローマにてすべての望みが空《むな》しゅうなれば」

長谷倉は心に溜《たま》っていたことを思いきって吐きだすように、

「田中殿は……腹を切るぞ」

そして彼は二度とこのことを口に出さぬために灰色の海に眼をそらして黙りこんだ。

「切支丹であるからには」私は震える声で答えた。「神が与え給《たも》うた命をおのれで断つことは許されませぬ」

「俺たちは本心で切支丹に帰依したのではない。お役目のため、殿のため、心ならずも切支丹になったにすぎぬ」

長谷倉は今まで示さなかった冷たさをはじめて私に見せた。それはまるで私にたいする仕返しのように思えた。

「なんのために腹を切られます。甲斐《かい》なきことでございます」

「田中殿はそう致さねば面目がたたぬ。縁者、身内にも会わす顔がないからだ」

「面目や顔が何でございましょう。皆々さまがこのお役目のため、どれほど苦労されたか、このベラスコがよく存じております。私は旅の証人としてすべてを白石さまと御評定所の方々とに申しあげましょう」

「ベラスコ殿は」長谷倉は溜息《ためいき》をついた。「日本人を御存知ないのだ」

長谷倉が立ち去ったあと、海の色よりも暗い気持のまま私は甲板に残った。その甲板の端で田中が供の者たちと何か話をしていた。彼の姿には今、長谷倉が言ったような気配は微塵《みじん》も窺《うかが》えなかった。

サン・トロペを発って二日目の午後、ようやくサヴォナ王国のゼノアの港町が遠望できた。うすら陽をあびて狐色《きつねいろ》の山々を背に白い町が見えた。その真中に古い灰色の城塔が立っていた。それを指さし、私はここに生れたクリストファー・コロンブスという男が、東洋にある黄金の国を求めて、かつて海を旅だったことと、その男の求めた黄金の国こそ、ほかならぬ日本だったことを使者たちと従者に教えた。

その一角だけがあかるく午後の陽に照らされているゼノアの港町。甲板に靠《もた》れ、私もコロンブスと同じように黄金の国のことを思った。コロンブスにはそれは征服すべき神秘な東洋の宝の国であり、私にはあの島国はいつか神の御言葉を植えるべき宝の国だったのだ。コロンブスは黄金の国を探して遂《つい》に得られず、私も黄金の国から受け入れられなかった。(日本《ハポン》よ、何という傲岸《ごうがん》な国。奪うことだけを知って決して与えることのない国)

五日の間、イタリヤの沿岸を南にくだり、ローマの外港、チビタヴェッキア港に近づいた。そこに到着したのは夜。霧雨が降っていた。靄《もや》に包まれ雨に光った岸壁にカンテラを手にした数人の男と四台の馬車とが辛抱づよく影のように我々を待っていた。ボルゲーゼ枢機卿《すうきけい》が送られた出迎えの者たちである。礼儀こそ正しいが温か味のない態度に、私は彼らの困惑の程度を想像することができた。与えられた宿舎は枢機卿の所有されているサンタ・セヴェラの城だったが、その城で受けた待遇は決して外国人使節に相応《ふさわ》しいものではなかった。

マドリッドから我々についてどのような手紙が送られ、どのような指示が与えられたか、もう明らかだった。私は毎夜、眼ざめてそのことを考えることが多かった。

「日本人使節の一行はつつましやかで温和しかった。いずれも背がひくく、陽やけした顔だちをしている。タナカやハセクラやニシは、鼻も短く扁平《へんぺい》で長髪の先を白布で結んでいた。彼等はそれが日本の騎士の徴《しるし》だと言った。三人は外出の時は濃紫色《こむらさきいろ》の日本服を着たが、平生は小さなカラーを首にはめた修道服をまとい、エスパニヤ風の帽子をかぶっていた。彼等の帯びた大小二本の刀はきわめて鋭利にできていて、少しばかり反りかえっていた。食事の時、彼等は二本の細い棒を巧みに使い、ネギをまぜたキャベツのスープを好んだ」（ゼノア・コスト未亡人の見聞記）

マドリッドで私たちが受けたのと同じような疑惑の眼。同じ質問の繰りかえし、同じ答え。この数日、このチビタヴェッキアで私を審問したのはボルゲーゼ枢機卿の秘書官であるコスダクード神父とドン・パブロ・アラレオーネ師だった。私と二人とは初めから対立した意見を幾度もくりかえしていた。彼らはもはや日本での布教は絶望であり、これ以上、宣教師を送ることは不可能だとのべ、私はまだ希望のあること、その希望とは、日本人たちに貿易の利を与え、侵略の意志のないことを示すことだと例のごとく主張する。他方、彼らは法王庁がいかなる国々の内政にも干渉しない伝統を保《も》ってきたと言いはり、エスパニヤ国王の決定を法王といえども覆《くつがえ》す権利はないと論じる。私は私で、これは布教の問題であり、今や司教も教会も失ったあの日本の切《キリ》支丹《シタン》たちを永遠に孤立させることは法王にはできぬ筈だと反駁《はんばく》する。

言葉のできぬ使者たちは勿論《もちろん》、これらの討論には加わらず、ただ、サンタ・セヴェラの寒々とした城のなかで事のなりゆきを私から聞くだけだった。もうどんな楽観的な言葉や予測も、田中や長谷倉の暗い顔をあかるくすることはできなかった。無理もない。日本人たちはあまりにも度々、幻滅し続けてきたのだ。西は高熱を出していた。無理につとめて快活を装《よそお》い、他の日本人たちにくらべて若々しい好奇心を見せていたこの男も、心と体との疲労には勝てなかったし、そしてこの私も疲れきっていた。年齢よりは幼くみえる彼の寝顔を見ていると、どうでもなれという気がした。

ボルゲーゼ枢機卿の決定がくだされるまで、また二日、三日と待たされた。そして五日目に、パリドロに滞在されている枢機卿の別邸に私は召喚された。法王パウルス五世の甥《おい》に当り、法王庁において最も敏腕をふるっているこの有名な枢機卿に審問を受けるのはさすがに身のひきしまる思いだったが、私はこの人ならばひょっとすると私の日本にたいする熱情と日本の布教の重大さとを理解してくれるかもしれぬ、そんなかすかな希望を心に持ちはじめていた。

手入れのよく行き届いた庭園と水鳥の泳ぐ池とを見わたせる別邸の書斎で、マントをまとい赤い帽子をかぶった枢機卿は椅子《いす》に腰かけたまま私を迎えた。私はわざと長旅に色あせた修道服を着たまま出頭した。何を恥じることがあろう。泥まみれの軍服が兵士の血みどろの戦いを示しているように、この粗末な服こそはローマの高位の聖職者などが体験しなかった日本での布教の苦難をあらわしていると思ったからだ。だから、私は彼の前に跪《ひざまず》き、その指輪に恭《うやうや》しく口づけをしたが、挑むように頭をあげた。

「我が子よ、立ちなさい」

ボルゲーゼ枢機卿は私のそんな身構えに気づかないふりをされた。立ちあがった私をじっと見ておられたが、まるで御自分に言いきかせるように静かにおっしゃった。

「法王庁は常に公平であり、偏見のない判断をするよう努めるものだ。我々はお前とお前の会とがどれほど日本の困難な布教と戦ったか、よく知っているつもりだし、少なくともお前にたいして加えられた個人的な中傷など言葉通り受けとってはおらぬ」

彼はマントをひるがえして信頼をあらわすように大きなあつい手を私の肩にお置きになった。そしてその動作が私の心にどんな反応を示すかをじっと見ておられるようだった。

「法王庁はお前たちの努力が日本で実ることをどれほど願っていただろう。法王庁こそ、お前が戦ったあの日本という国に主の光が行き渡ることを何よりも願っていたのだ」枢機卿はそこで言葉を切り、今度はその葡萄色《ぶどういろ》の眼でじっと私の顔を覗《のぞ》き、「だが今は忍耐せよ、と言いたい。辛抱せよ、と奨《すす》めたい」

ほんの一瞬だが、私は枢機卿のこの声に負けそうになった。それほど彼の葡萄色の眼と声とには父親が息子に示すような優しさと愛情とがこめられていたし、彼もその演技の効果を知っているようだった。だがすぐに、私はボルゲーゼ枢機卿は聖職者というより狡猾《こうかつ》な政治家だと気がついた。

「わかってほしい」枢機卿は私の肩に手を置いたまま諭された。「法王庁はこれ以上、迫害の国にお前たち宣教師を送るに忍びない。敗れると知って戦場に兵士を送り、無意味に死なせる将軍はいないように……」

「いいえ」私は心のよろめきから立ちなおり、「枢機卿さま、日本は勝ち目のない戦場ではないと存じます。布教が捗《はかど》らなかったとすれば、それはペテロ会の戦術の幼稚さのためでした」

枢機卿はかすかに笑われた。それはむきになった少年に苦笑する老教師のようだった。

「枢機卿さま、宣教師は兵士とはちがいます。兵士の死は時には無意味ですが、宣教師が迫害のなかで死ぬことは、人々に見えざる種をまくことです。神の栄光を示すという種を……」

「お前の言う通りだ。かつて初代法王ペテロもローマでの迫害の折、殉教によって見えざる種を人間の心にまいていった」

「主もまたゴルゴタの丘での死をお怖《おそ》れにはなりませんでした」

「お前の言う通りだ」

枢機卿は幾度か、お前の言う通りだ、と繰りかえされた。だが急にその微笑が消え、

きびしい表情を浮べられると、

「だが……我々は主や使徒の時代には生きておらぬ。我が子よ、我々は大きな組織を持っている。我々は基督教国とその国民とに責任がある。組織である以上、その方針があり、それがたとえお前たちに臆病《おくびょう》で不純に見えようとも、それあればこそ組織は守られる。秩序は保たれ、基督教国の信徒たちは信頼をもって信仰を続けることができる」

「だが、あの日本にも数少ないが信徒がおります。迫害のなかで細々と信仰を守るため、家を棄《す》て、財産を棄て、鉱山や山中に身をひそめている信徒がおります」

私はそう答えながら、いつか雄勝《おがつ》の工事場でおずおずと私に告悔《コンヒサン》を求めてきた乞食《こじき》のような男の顔を思い出していた。あの男が今、生きているか死んでいるか、わからぬ。だが私はあの男のためにも、言うべきことを枢機卿に申し上げねばならなかった。

「その信徒には……もう教会もありませぬ。励まし、力づけ、模範をしめしてくれる宣教師もおりませぬ。法王庁が信徒を守る大いなる母ならば、そのやさしい腕に彼らも抱かれる権利はないのでしょうか。今、彼らは聖書に書かれた、群れから離れた一匹の仔羊《こひつじ》に似ていないでしょうか」

「一匹の仔羊を探すために他の多くの羊が危険に曝《さら》されるならば……」と枢機卿は悲

しそうにおっしゃった。「牧者はその仔羊を見棄てざるをえない。組織を守るためにはそれも仕方がないのだ」

「それは私にはあの大祭司カヤパが主イエスを殺すときに言った言葉を思いださせます。全国民を守るためには一人の者を身代りにするのはやむをえまい。あの時、カヤパもそう言いました」

そう、大祭司カヤパにはいつも秩序と安全とが大事だった。秩序と安全とを守るために彼は主イエスをその生贄《いけにえ》にしたのだった。

私の言葉に枢機卿は顔を横に向けられた。赤い帽子をかぶり、大きなマントに体を包んだ彼は、長い間、黙っていた。自分の不躾《ぶしつけ》な言葉がこの法王庁の権力者に怒りを起させたことを私は感じた。だが私にはもう怯《ひる》む気持はなかった。世界はあまりにも秩序と安全ばかりを求めすぎていた。

「その通りだ」

やがて私の方に向きを変えた枢機卿の顔には怒りの色ではなく、疲労とも悲哀ともわかたぬものがにじみ出ていた。

「我が子よ、私は大祭司カヤパのその言葉を肯定したくはない。しかし主はあの時、組織を持っておられず、カヤパには組織があった。組織を持つ者は、いつも、カヤパと同じように――大多数を守るためには一人の者を見棄てるのはやむをえない――そう言うだろう。主を信じている我々も、教団を作り組織を持った瞬間から、大祭司カヤパの立場になってしまった。あの聖ペテロでさえ、教団を守るために仲間だったステファノが石打ちの刑で殺されるのを見棄てておかねばならなかったのだから」

　私は立ちすくんだまま、この言葉を聞いていた。私はこのような言葉が枢機卿その人の口から出るとは思ってもいなかった。彼は苦しそうにうつむいたまま、

「私は、いつも……このことに悩んできた」

　と独りごとのようにひくい声を出された。

「それが組織の正義ということでしょうか」

「そうだ」

「法王庁はいつもそうなのでしょうか」

「それは私にもわからぬ。だが私が責任を負うている限り、私は日本の信徒にたいしカヤパの態度をとるより仕方がない。だが……その時、私の心に哀《かな》しみや呵責《かしやく》がないとは思わないでほしい。だれかがその苦しみを引き受けねばならぬ」

　枢機卿は顔をあげた。さきほどまで自信にみちていた顔がひどくみすぼらしく歪《ゆが》んでいた。言葉に窮したまま、私はまだ枢機卿の心を疑っていた。枢機卿ともあろう方

が、これほど率直に、正直に自分の苦しみをうちあけられるとは思えなかったからだ。

「それが、主の愛の教えからはずれることも私は知っている。だから私のこの方針は……他の枢機卿によって糾弾されるかもしれぬ。けれども、今の私は考えを変えはせぬ」

「なぜでしょう。主の愛の教えからはずれていることを、なぜ、あえてお続けになるのでしょう」

私は眼の前にいるのが枢機卿であることも忘れそうなほど心の昂《たかぶ》りをおぼえた。

「では主イエスはなんのために十字架で死なれたのです。枢機卿さまはさきほど組織のためとおっしゃいました。しかし私は今日まで法王庁という組織は国家のような組織ではないと信じておりました。それは国を超え、人種を超えた愛の組織だと考えて参りました」

逆上した私をボルゲーゼ枢機卿は当惑したように眺めていた。彼はあることを言うのをためらうように胸にかけた十字架を握りしめ、それから思いきったように口を開いた。

「我が子よ、お前は愛だけで……この現実の世界を切りぬけられると思うか」

「だが、イエスは愛のお方でした」

「愛のお方は……そのために政治の世界で殺された。そして悲しいことには我々の組織はその政治の世界から逃れることはできぬ。法王庁はカトリックの国々の力を弱めるような手段をとるわけにはいかないのだ」

「それが日本の布教と、どんな関係があるのでしょう」

「イギリスやオランダの新教徒たちも日本を狙《ねら》っている。だからこそ日本にこれ以上、布教の問題でカトリックの国のエスパニヤやポルトガルを憎悪《ぞうお》させてはならぬ。日本の権力者をこれ以上刺激せず、しばらく静観するほうが、エスパニヤやポルトガルのためにも有利だと私は判断した。法王庁は単独ではない。それは新教徒の国々に対立して、カトリックの国々を保持する組織の義務である」

愛のお方は愛のために政治の世界で殺された。枢機卿は遂にこの言葉を苦い毒薬でも吐き出すように口に出された。私は彼の位を象徴する赤い帽子と大きなマントとをじっと見つめた。

「我が子よ、わかってほしい」

これが長い旅の決着だった。

「私は……これからいつも……お前と日本とのために祈るだろう」

頭をふかくさげ、私は部屋を出た。枢機卿は椅子に腰かけたまま窓をじっと見ていた。彼がその時、何を思っていたのかわからない。

鳩《はと》の糞《ふん》と風雨とによごれたサンタ・セヴェラの城から日本人たちの襤褸衣《ぼろぎれ》のような群れが出てきた。病みあがりの西九助を守るようにその周りを囲み、のろのろと平地をおりていった。先頭に田中とベラスコと並んだ侍は、時々、若い同僚を案じるようにふりかえり、遅れがちな一行を辛抱づよく待った。ノベスパニヤを旅していた時は、きびしい陽差しにもかかわらず、まだ一同の歩みには希望と力とがこもっていたが、その希望が絶たれてからは、足を曳《ひ》きずるように日本人たちは歩いている。一人としてローマとよぶ都で事態が好転するとは思っていない。ローマに行っても、他のどんな国に行ってもこの旅はもう無意味なのだということは誰もがよく知っていた。ただ彼らは当てのないこの旅に決着《けり》をつけねばならなかった。決着《けり》をつけねば、日本に戻る名目がどうしてもたたぬ。長い間、幻影に引き摺《ず》られて続けてきた旅は今、終りを告げようとしていた。

既に春である。畠《はたけ》を縁どったアマンドのうす桃色の花が満開で、農夫が鍬《くわ》を動かしていた。その農夫が驚きの眼をみはりこの異様な風態《ふうてい》の行列を見つめた。アラブ人のような長衣をまとい、帯をしめ、髪をうしろで結んだ日本人たちを農夫は暑い国から来た人間たちかと思った。鍬を畠に棄てて、彼は家に走り戻った。

白い林檎《りんご》の花が咲き、鳥の声の聞える光景も侍には何の感慨も催させなかった。谷戸の春を懐《なつ》かしむ気にも今はならない。ただ馬の動くに任せ、彼はベラスコのあとに従っていた。思えばこの男のために、幾度、裏切られねばならなかったろう。希望を持たされ、その希望が崩れる。そして次の幻影を抱かされて旅を続けてきた。だが疲れ果てた心にはこの宣教師を恨む気持はもう起きなかった。侍にはベラスコもまた自分と同じように憐《あわ》れな男だったような気さえした。

幾つかの村を過ぎるたび路《みち》ばたの村人から怯《おび》えた眼で見られたり、時には陽気な声をかけられたりしたが、日本人たちはそれに気づかぬように無表情に歩いていた。それはまるで葬式の柩《ひつぎ》のあとから従《つ》いていく行列のようだった。

夕暮、春の雨がふり、その雨がやんだ頃、トッレヴェッキアの丘の上に彼らはたどりついた。永遠の都は少しかすみ、テヴェレ川が眠たげに曲りくねり、彼方《かなた》にうすみどりの森に包まれたピンチョの丘が見え、褐色の家々が重なりあい、空をあまたの教会の尖塔《せんとう》が刺していた。

丘に馬をとめベラスコはそれでも義務のように、あれがコロセウム、あれがフォルムス、ロマノスと教えたが、この日、日本人たちは肯《うなず》きもしなかった。

「法王《パッパ》さまのおられますヴァチカーノはあれでございます」

まるく白いクーポラが褐色の家々の間からのぞき、円形の広場を蟻《あり》のように人々が歩いていた。日本人たちは通夜のように陰気に黙りこんでいた。

やがてローマに入った。彼らが雨にぬれた石畳の路を進むと、まず子供たちがうしろを追いかけてきた。物見高い大人がそれに続いた。カピトリオの長い石段を日本人たちはのぼりアラ・チエリの修道院のなかに消えていった。そしてとじられた扉からふたたび姿を見せなかった。人々は、あれはハンガリアから来た使節だと噂《うわさ》して引きあげていった。

一週間のあいだローマは雨の多い春の気配のなかで復活祭を待っていた。教会ではイエスの死を悼《いた》むため祭壇をすべて紫色の布で覆《おお》い、聖燭台《せいしょくだい》の炎も消え、イエスの復活を祈っていた。ただ聖母マリアの像の周りにだけあまたの蠟燭《ろうそく》の火がきらめき、夕方になるとその蠟燭の火の前にあまたの男女が集まって償いの連禱《れんとう》を唱えた。だがアラ・チエリの修道院からあらわれる日本人を見たと言う者はなかった。

復活祭の朝、うす暗いうち、ヴァチカーノのサン・ピエトロ広場には、一群また一群と列をなして人々の影が集まりはじめる気配がした。遠くから巡礼に来た男たちや修道士の群れであった。彼らは大聖堂の前にたむろし、辛抱づよく何かを待っていた。乳色の靄《もや》のなかでこの連中が朝の冷気を我慢しながら、ひくい声で連禱を唱える声がいつまでも続いた。靄が晴れた頃には広場のほとんどはそういった巡礼者や修道士たちで埋まり、石段には銀の兜《かぶと》をかぶり赤い制服姿の若い護衛兵が槍《やり》を斜めに構えて一列に並んでいた。

八時、第一の鐘が鳴った。その鐘を合図にローマ中のあらゆる教会の鐘楼が次々に響いた。復活祭がはじまったのである。やがて荘厳ミサに招かれた貴族たちの豪奢《ごうしゃ》な馬車がサン・ピエトロ広場の入口まで溢《あふ》れだした。彼らは群集の間をぬって大聖堂のなかに次々と姿を消した。

九時少し前、大聖堂の左右の扉が開かれた。石段の前に集まっていた修道士や巡礼者は争ってその入口に殺到した。彼らにも聖なる法王の祝福を受けることが許されるのである。殺到する群集を槍をもった護衛兵が制止し、列を作らせた。外に溢れた者はそのままそこで跪《ひざまず》かねばならなかった。

大理石の柱の立つ大聖堂はもはや立錐《りっすい》の余地もない。枢機卿の徴《しるし》である金飾の帽子をかぶった高位の聖職者たちは祭壇を中心にして左右の椅子《いす》に腰かけ、法王の出御を静かに待っている。昨日まで紫色の布で覆われていた金色の祭壇は今日、あまたの銀の燭台に飾られた。ボルゲーゼ枢機卿は聖職者たちの上席で、咳《しわぶき》ひとつなく跪いている群集の頭をひややかに見おろしていた。間もなく大聖堂の入口近くでざわめきが起った。法王が通過される大きな正面扉が今、開かれたのだ。オルガンがなり、法王庁づきの合唱隊が復活祭の「我は水を見たり《ヴィディ・アクワム》」を歌いだした。

「われらが法王《ポンティフィチェ・ノストロ》　われらが法王《ポンティフィチェ・ノストロ》」

ポンティフィチェ・ノストロの声は最初、大聖堂の一角から始まり、そのすべてに拡《ひろ》がり、更に広場に集まった群集にも伝染し、今や大きなひとつの声となった。

「ポンティフィチェ・ノストロ　ポンティフィチェ・ノストロ」

この瞬間、突然、パウルス五世の姿が波間の船首の像のように浮びあがった。司祭たちの担《にな》う輿《こし》の上で、白い法王服をまとい、高い帽子をかぶられた法王が重そうに片手をあげて現われたのである。彼は熱狂する左右の群集に祝福の徴を与えながら、人間の海のなかをサン・ピエトロ大聖堂にむかってゆっくりと進んでいかれた。

「われら 祈らん われらが法王のために《オレムス・プロ・ポンティフィチェ・ノストロ》」

人間の海の一角には合唱のように声を揃《そろ》えた修道士の一団があった。その粗末な修道服についた泥は、彼らがこの復活祭のために、遠い地方から旅してきたことを示していた。

「主よ 願わくば 彼を守りたまえ《ドミヌス・コンセルヴェト・エウム》」

法王はその修道士たちに満足そうな顔をむけ、祝福の十字を切られた。それを見た群集の列が乱れた。一歩でも輿に近づき、同じように祝福を受けようとする者たちが前列を強引に押し、割りこんできたからである。だが海に漂う舟のような法王の輿は、追いかける連中をふりすてて大聖堂に流れていった。輿が石段をゆっくり登ると、殺到する巡礼者を制止するため、銀の兜をかぶった赤い制服の護衛兵が一列に垣をつくった。そして輿はサン・ピエトロ大聖堂の正面入口に吸いこまれた。

輿が大聖堂に入った瞬間、待ちかまえていた合唱の声が雪崩《なだれ》のように大聖堂いっぱいに響いた。主へ《アレルヤ》の讃歌である。強い、男たちの太い唄声《うたごえ》は高いドームの天井と広い四方の壁とにぶつかった。

たたえよ《アレルヤ》 主を・たたえよ《アレルヤ》 主を

汝等　主《コンフィテミ・ドミノ》をたたえよ

左右に跪いた貴族、聖職者、巡礼者たちは輿が通過する時、純白の法王服の手が祝福のために動くのを見るため、麦の穂のように頭をあげ、いっせいにその頭をさげた。前方では使徒を象徴して十二人の枢機《すうき》卿《けい》が起立して輿の近づくのを迎え、幾十という銀の燭台の炎が祭壇の周囲でゆれ、すべてが法王パウルス五世の荘厳ミサのはじまりを待っていた。

突然、左側の人々のなかから、数人の人間が立ちあがった。彼らは通りすぎる輿のそばにおどり出ると、その一人が大聖堂を埋めた者がはじめて耳にする言葉で何かを叫んだ。

この時、法王は右手をその頬ちかくに挙げて静かに十字を切ろうとされていた。しかし眼下に並んだ三人の男たちの切迫した眼に手を動かすのをやめられた。法王は彼らの顔がアラブ人のように褐色でしかも鼻がひくく、髪をうしろに固く結んでいるのに気がつかれた。

東洋人だった。しかしどこの国から来たのかわからぬ。いずれも足まで達する下衣をつけ、その足には白いみじかい靴下のようなものをはき、異様なサンダルをつけている。法王はその一人が何かを訴えているのは理解されたが、その言葉がおわかりにならない。

「我ら、日本人にござります」田中が夢中で叫んだ。「我ら、海を越え、日本から参った使者衆にござります」

三人の修道士がこれら日本人を輿から離そうとして、その体を強く引いた。だが日本人たちは足を突っ張って動こうとはしない。

「なにとぞ」三人は言葉を失った。そこまで言うと、胸にこみあげるものを三人は抑えきれず、パウルス五世のお顔を見あげた。三人の咽喉《のど》には「直訴を」という言葉がひっかかっているがそれが口から出ない。田中も侍も西も泪《なみだ》だけがその眼から溢れ、陽にやけた頬骨を伝っていく。

「なにとぞ……」

修道士たちは自分たちが背中をだいたこれら三人の東洋人がこの時、恭《うやうや》しく、深く、頭をさげるのを見て手をゆるめた。彼らが狂人でも敵意ある者でもないことがわかったからである。

法王は東洋人の肩ごしに跪いている人々に救いを求めるように眼を向けられた。法王はこの男たちが何かを必死で求めているのを感じた。その願いが何であるのか、お聞きになりたかった。

その視線を受けながら、人々にまじったベラスコは動かなかった。口も開かなかった。大聖堂を埋めた人間たちのなかで日本語を知っているのはただ一人、彼である。三人の男が何を叫ぼうとしているかを知っているのもただ一人、彼である。にもかかわらずベラスコは何かに力強く抑えつけられたように身じろぎもせず、輿の上の肥《ふと》った、穏やかな法王をじっと見ていた。白い法王服をまとい、宝石の指輪をはめた指を心持ちあげている老人。ベラスコの心に一つの声が囁《ささや》いた。(あなたがたにはこの日本人たちの悲しみはわからぬ。あなたがたにはあの日本で戦った私の悲しみはわからぬ)復讐《ふくしゅう》にも似た感情が、彼の口をかたく閉じさせていた。

誰一人として自分のためにこの男たちの求めるものを教えてくれぬのを知った時、法王は少し悲しそうな眼差《まなざ》しをされた。法王にはこの東洋人たちのために全世界のすべての信徒が待ちうけている復活祭の儀式を怠ることはできなかった。一匹の仔羊《こひつじ》のために他の多くの羊の群れを放っておくわけにはいかなかった。彼は輿の担い手たちに進むことを小声でお命じになった。

「なにとぞ……」

追いすがるように田中と侍と西とは最後の声をあげた。それをふり棄《す》てて輿はふたたび進みはじめた。法王はふたたび微笑《ほほえ》まれながら、左右の貴族や聖職者たちに祝福の十字を切られた。人々はいっせいに頭をあげ、頭をさげた。そして祭壇の前ではボルゲーゼ枢機卿が大きく肯きながらその輿をお迎え申しあげていた……。

サン・ピエトロ大聖堂の暗い小部屋でベラスコは枢機卿を待っていた。面会は彼が求めたものではなく、枢機卿の通達によるものである。

小部屋はこの建物の他の部屋と同じように静かで寒く孤独だった。床には大理石が敷きつめられ、天井は大きな翼をひろげた大天使ミカエルの槍を持ったフレスコで彩《いろど》られていたが、絵にはミケランジェロのような迫力もなく、罅《ひび》が入っていた。

枢機卿になぜよばれたのかベラスコにはわかっていた。法王にたいし日本人の使者たちが非礼を働いた事件は既にローマ中に拡がっていたし、それを敢《あ》えて抑えなかった彼が聖職者としての責任を問われるのも当然だった。

(私にあの時、どうして止められたろうか……)

日本人たちの今日までの苦労を誰よりも熟知しているベラスコには、群集のなかから飛び出て、悲しみをこめた声をあげた彼らをとても抑えることはできなかった。彼もまたその日本人と共に法王に訴えたかった。恨みと思いのすべてを申しあげたかった。弁解の余地はないにしても、ボルゲーゼ枢機卿から叱責《しっせき》を受けても、心に咎《とが》はなかった。

遠くから足音が聞えた。実直そうな若い神父をつれ、枢機卿はこの前と同じように赤い帽子をかぶり大きなマントを身につけて、疲れきった顔で小部屋に入ると椅子に腰をおろした。

「今日、なぜ、御命令を受けたか、わかっております」

枢機卿から差し出された厚い大きな手に身をかがめたベラスコは自分から先に詫《わ》びを言った。

「日本人たちの過失はこの私の責任だとも存じております。しかし、今日までの彼らの苦しみを知っておりますす私は……」

「咎めるためにお前をよんだのではない」枢機卿はベラスコの発言を遮った。「法王陛下はこの私からすべての事情をご聴聞になると、彼らの上に深い同情を寄せられた」

ベラスコはうつむいたまま黙っていた。同情や憐憫《れんびん》には代償はいらなかった。使者たちも彼も、憐《あわ》れまれるため、同情を受けるために波濤《はとう》万里、地の果ての日本から海を渡り、大陸を横切ってここまで来たのではなかった。

「お前をよんだのは」

枢機卿はベラスコを悲しそうに見ると、

「お前にまだ、かすかな希望が残っているならば、それを棄ててもらいたかったからだ」

「既に、この前のお言葉で……棄てております」

ベラスコは自分の声に反抗的な調子が含まれているのを感じた。

「いや、お前はまだ諦《あきら》めてはおらぬ」枢機卿は顔を曇らせて呟いた。「何も知らないからだ」

秘書の神父はその言葉をきくと、手に持った書類入れから、一枚の紙を取り出した。

「法王庁が二日前に受けたフィリピンの総督からの手紙だ。読むがいい」

茶色く陽に焼けた一枚の紙を受けとってベラスコは、おどりはねているような文字に眼を落した。枢機卿はその間、黙ったまま両手をこすっていた。

「諦めねばならぬ。その手紙に書いてあるように、日本の国王は日本に在住していたすべての宣教師と修道士との国外追放を断行した。更にいかなる宣教師も今後、日本に上陸することを禁止したのだ。お前も日本人の使者たちも……諦めねばならぬ」

その手紙は、一六二四年の十二月の日附になった公式の文書だった。総督のフワン・デ・シルバの署名はその最後の行で、小人のようにおどりはねていた。ベラスコは眼をつぶったまま、ふしぎなほど平静を保っていた。その時、彼のまぶたを横切ったのはマドリッドでの司教たちの判定の光景だった。禿鷹《はげたか》のような顔をした一人の司教がマカオから送られてきた手紙をベラスコの前で読みあげていたあの光景だった。

「法王庁はこれ以上の危険を冒したくはない。基督教《キリストきょう》をまったく拒絶し迫害する日本と通商を行うことをエスパニヤやポルトガルに勧告することは、法王庁にはできぬ。日本の使節たちの信書はこの状況では無意味になったと思ってほしい」

（主よ、御心《みこころ》のままになれかし）彼はあの祈りを思いだそうと努めた。（それが神の御意志だったのなら、私は従います。神の企てられた歴史のなかに私の意志は含まれてはいませんでした。今、それがはっきりわかりました）嗤《わら》い声が聞える。女のようなあの嗤い声が、遠くで、ずっと遠くで聞える。

「彼らは死ぬでしょう」

突然、ベラスコの唇から、弱りきった病人が口に入れられた薬を洩《も》らすように、この言葉が力なくこぼれ落ちた。

「この知らせを聞けば」訝《いぶか》しげに自分を見ている枢機卿にベラスコは繰りかえした。

「彼らはそうするより、仕方ないでしょう」

「なぜ」

枢機卿は驚きよりも怒りにみちた声を出した。

「なぜ、そのようなことをする」

「彼らは日本の侍たちです。日本の侍たちは面目を傷つけられた時は、死ぬことを教えられているのです」

「彼らは義務を果した。しかも自殺を戒める基督教徒ではないか」

ベラスコはその枢機卿の何もわからぬ顔に憎しみさえ感じていた。その憎しみのために彼は相手を脅かそうとした。

「法王庁が結局、彼らを殺すのです。自殺という大罪を基督教徒になったあの日本人たちに犯させるのです」

「止めることは、お前にはできぬのか」

「私には……もう、わかりませぬ」ベラスコは首をふった。「せめて法王庁は……彼らの面目だけでも守ってやって頂きとうございます」

「お前は何を要求しているのだ」

「法王の御謁見《えっけん》を。日本人たちを使節として扱ってくださることを……」

「御謁見を賜わったとしても日本人の望みに応《こた》えることはできぬ。既に我々は方針を決めている」

「望みを受けてほしいなどと申しておりませぬ。ただ、あの使者たちがあまりに……哀れでございます。せめて彼らの名誉のため、面目のため、法王の御謁見を……」

陽に焼けた彼の修道服に泪の染《し》みが次々とにじんだ。

「それだけでも……お願いいたします」


ローマ法王が日本の使者衆たちを引見する日が来た。彼らは宿舎の修道院でミサと朝食とをすませたあと、供の者に手伝わせて、日本から持参した謁見用の礼服をはじめて身につけた。

枢機卿から差し回された馬車が既に修道院の門前で彼らを待っていた。非公式の謁見であるために護衛兵はつかなかったが、しかし金の模様に飾られた漆黒の馬車には、制帽をかぶり制服を着た御者が三人乗っていた。修道士や供の者たちの見送るなか、田中や西やベラスコにまじって乗りこんだ侍は窓から、与蔵が神仏を拝むように手を合わせてこちらを見ているのに気がついた。

与蔵は侍に最後まで望みを失うなと励ましているようだった。何が起ろうとどこまでも従《つ》いていくと言っているようだった。だが今、形だけの謁見に出かける侍に望みなどある筈《はず》はなかった。謁見はただ長かった旅に終止符をうつための儀式にすぎなかった。

しかし侍にはその与蔵の身振りが泣きたいほど心にしみた。すべてから見棄てられ裏切られた暗澹《あんたん》たる気持になっている今、彼には幼い時から自分に忠実だったこの下男だけがただ一人、信じられるような気がした。眼をしばたたきながら彼はその与蔵に大きくうなずいてみせた。

馬車が動きはじめた。石畳の路《みち》に蹄《ひづめ》の音が鋭く、規則正しく響く。田中も侍も西もただ黙って腰かけている。二カ月前なら、王に会う、法王の謁見を受けることは彼らにとっては夢のような光栄に思われたろう。殿にさえお目通り頂いたことのない地侍の彼らには、それは想像もできぬ破格の出来事だった。

だが今、なんの悦《よろこ》びも胸に湧《わ》かぬ。かすかな感激も起らぬ。使者衆たちはこの謁見が、ベラスコの哀願を受け入れた枢機卿の同情で行われるのだと知っていた。自分たちに諦めという決着をつけるためにつくられた花道だとわかっていた。長かった旅はそれで終る。そしてその後はむなしくうつろな長い帰り路が残されている。

傘松の並木が両側に続く。馬の蹄の音は更に高く、大きくなる。曇り空を背景にしてサン・ピエトロ大聖堂のドームが遠くにみえる。馬車はパリオネ通りからボルゴ通りを通過し、法王庁の前の広場に入っている。

「法王《パッパ》さまが出御なされましたら」ベラスコがもう一度くりかえした。「三たび右膝《みぎひざ》を床につけ、その御足に顔を近づけます」

大聖堂の右側の鉄門をぬけた時、赤い制服を着て槍《やり》を持った護衛兵の儀礼を受けた。馬車がとまると、銀色の鬘《かつら》をかぶり白い長靴下をはいた男が無表情のまま扉をあけ、ベラスコと異様な礼服を着た使者衆たちとをひややかに見つめた。

石段をのぼって大理石の床が滑らかに光っている廊下に入った。黒いブロンズの立像がその片側に並んでいる。

通廊の奥で彼らを待っていた二人の神父が無言のまま客間のなかに四人を入れた。壁にはフレスコが描かれ、厚い敷物を敷いた床には金色の肘掛《ひじかけ》のある豪華な椅子《いす》が並べられていた。

四人は鐘の鳴るのを待っていた。その鐘の合図で謁見の間に入るのだと教えられたからである。

「私が先に立ち」ベラスコは念を入れて繰りかえした。「田中さま、長谷倉さま、西さまと一列になられ、お続きくださいませ」

長い長い時間がたったように思われた。田中と侍とは椅子に腰かけたまま瞑目《めいもく》し、西は烏帽子《えぼし》をかぶりなおしていた。長い長い時間のあと、やっと鐘の音が遠くで聞え、扉が開いた。

「落ちつけよ、西」

田中は西にひくい声をかけた。それは平生のこの男らしからぬ、いたわるような心のこもった声だった。

謁見の行われる枢機《すうき》卿《けい》会議室の両側に高位の聖職者たちが並んでいた。彼らのまとった赤い法衣と赤い帽子とのなかを、ベラスコを先頭にして三人は進んだ。左右からあまたの視線を感じた。遠くに一人だけ白い帽子をかぶった法王が背の高い椅子に腰をかけている。

法王は背がひくく小肥りで、親しみをこめたやさしい眼でこちらを眺めていた。王の王というような厳《いかめ》しさはどこにもなく、その椅子から立ちあがり、こちらに近寄ってくるのではないかと思われた。

ベラスコが足をとめ、右膝を床につけた。三人の日本人もそれに倣《なら》おうとしたが、その時、西が少しよろめいたのを見て、侍はあわててその体を支えた。法王のそばに直立したボルゲーゼ枢機卿が身をかがめ、何かを申しあげた。

「読むのでございます……殿の御書状を」

うつけたように立っている田中をベラスコは急いで促した。田中は御書状をとり出し、両手でそれをひろげた。

「全世界の聖主、羅馬《ローマ》法王パウルス五世陛下に呈す」

田中の声はつかえ、その手が震えているのが侍にもわかった。

「そもそもポーロ会の僧ベラスコの我国に来て耶蘇教《ヤソきょう》を講述するや、弊州を過訪せられ、余に説くに耶蘇教に関する秘訣《ひけつ》を以《もっ》てせり。是《ここ》に由て、余は初めて該教の旨《むね》を了知、断然之《これ》を奉ずることに決意したり。……然《しか》れども目下、最大事故あり。これが妨《ぼう》碍《がい》をなし……まだ……その志を果すをえず」

田中の声がまた、つかえた。田中がつかえるたび、侍の胸には言いようのないむなしい感情がこみあげた。この謁見の間のあまたの聖職者は今、日本人の使者衆が読みあげている言葉も内容もわかる筈はなかった。それがわかるのは侍たちとベラスコだけだった。

「蓋《けだ》し、余はこの教会の僧を愛敬せるを以て、寺院を設立し、力を極めて仁徳を附与せんとす。陛下もしなお聖務拡大のため必要と断定せる事あらば、幸に之を我国に設置施行せられよ。その費用と寺領とに至ては、余、優に之を寄附供合すべきに因《よ》り、陛下の憂慮を煩《わずら》わさざるなり」

もういい、と侍は咽喉まで出かかったこの言葉を抑えた。もういい、この愚かな芝居をあわれな田中にやめさせたかった。意味のないこの御書状の言葉。それを黙って聞いている白い帽子の人。その人も、その横にいるボルゲーゼ卿もこの愚かな芝居に耐えているようだった。

「余はまたノベスパニヤは我国より隔ること遠くにありと雖《いえど》も交際を通せん事を切望する由に、此《ここ》に併《あわせ》て陛下の威によって其志を遂げしめられん事を懇願す。願うに陛下もし助力を惜まずんば其事必ず成るを得ん」

どもり、つかえながら読み終った田中の額に汗がみにくく浮いていた。ベラスコはその田中が御書状を奉呈するのを待ち、今の御書状の通訳という形で、使者衆たちの挨拶《あいさつ》を代ってのべるため一歩、前に出た。

不意に法王が立ちあがった。それはあらかじめ予定されていた式次第にはないことだったから、謁見の間に軽いざわめきが起り、聖職者たちはいっせいに王座の方向に体を向けた。

「余は」

パウルス五世は田中と侍と西とに身をかがめるようにして囁《ささや》いた。その声はある悲しみに充《み》たされていた。

「日本と、卿たちのために……今日から五日の間、ミサのたびに祈ることを約束しよう。余は神が日本を決して見棄《みす》て給《たま》わぬことを信じている」

それから法王は椅子をおりて、もう一度、使者衆たちをじっと眺めた。ボルゲーゼ卿と三人の枢機卿とを従え、全員に祝福の手をあげながら別室に消えた。

聖職者たちの見守るなかで、使者衆たちとベラスコはふたたび控えの間に退いた。音をたてて厚い扉が閉じられたあと、四人はそれぞれ椅子にくずれるように腰をおろした。四人はそれぞれの思いにふけっていた。ふかい沈黙のなかでベラスコは膝に手をおいたまま、うなだれていた。

第九章

長い間、この手記を書かなかった。希望を絶たれ、ヨーロッパ大陸を雨に煙る海の遠くに見て去った私たちの姿を語るのはあまりに辛《つら》かった。

チビタヴェッキア港の波止場に我々を送ってくれたのはただ一人、ボルゲーゼ卿の秘書官である神父だけだった。その神父は枢機卿《すうきけい》の好意のあらわれとして三人の使者たちにそれぞれローマ市公民証書を手わたした。二度とこの国を訪れることのない使者たちにはその三枚の証書は何の価値もない紙屑《かみくず》だった。私たちは意味のない書状を法王に上呈したが、枢機卿もこの無価値な証書をおかえしにくれたのだ。

それにエスパニヤ政府も掌《てのひら》をかえしたような冷たい仕打ちを加えた。我々がマドリッドに立ち寄ることさえ認めず、直接セビリヤに行くように命じてきたのである。そのセビリヤでも私の一族のほか迎えてくれる者とてなく、すべての特権を失った日本人たちは貧しい流浪《るろう》の旅人にすぎなかった。そして費用に事欠く我々のために三千三百ドゥカードの帰国の旅費を用だててくれた私の会と私の一族とは、その条件として、私がノベスパニヤかマニラの修道院で働くことを要求した。要するに私はすべてにおいて敗北したのだ。

今の私は神が何を望んでおられたのか、わからない。長い間、私には神があの日本に主の福音の伝わることを望まれ、それゆえにこの私に人生をお与えになったのだという確信があった。確信あればこそ、どんな苦しみにも耐えられた。だが現在の私には自信がないだけではなく、怖《おそ》ろしいことだが、神から弄《もてあそ》ばれていたような気がする時さえある。人間の歴史は神が計画された歴史につながると私はいつも思ってきた。しかし神の歴史は私の考えや意志とは別に存在していたのだ。

チビタヴェッキアからセビリヤまで一カ月。更にセビリヤから大西洋に出て、二度の嵐《あらし》にあい三カ月。航海の間、私が屈辱にひしがれた毎日を送ったのにたいし、日本人たちは、はじめは感情を決して外にみせぬあの無表情な眼で海をぼんやりと眺めていたが、私のような西洋人とちがい、不運を受け入れ、諦《あきら》めることも早く、時には甲板に集まった彼らから笑い声さえ聞えることもあった。長い苦渋の旅からやっと解放され、やがて故郷の土を踏むという悦《よろこ》びが、日本人たちに時としてそのようなあかるさや陽気さを与えたのかもしれなかった。

使者たちのうち西九助は太平洋を渡った時と同じように、船員たちに近づいてはさまざまな質問をかたことのエスパニヤ語と身振りであびせている。文明と技術とにたいするこの青年の好奇心は非常に強く、船員から教えられたことを丁寧に筆記しているようだ。

そんな西を田中太郎左衛門はもう叱《しか》りはしなかった。彼はむしろ今までの頑《かたく》なな態度を棄《す》てて、供の者たちが甲板で歌ったりしても、それに手拍子をとっている時もある。長谷倉六右衛門が怖れていた行為をするとは、その手拍子をとっている田中の姿からは想像もできない。やるべきことをすべてやったという思いが、今はこの男の心に静かな諦めを与えたようにみえるのだ。

だが日本人たちの大部分は私が船であげる毎日のミサにも出席しない。彼らが本心から洗礼を受けたのではなく、ただ役目のために受洗したことを承知してはいるものの、しかしミサ典文を唱えながら、聖堂の代りに使う食堂で一人の日本人しか祈っていないのを見る時、私は言いようのない屈辱感を味わう。

（すべて……あなたのせいです。あなたがもし、あのような結果をお与えにならなかったなら、おそらく帰国の船は悦びに充《み》ち、あなたを讃美《さんび》する日本人の声も流れたろうが、あなたはそれをお望みにならなかったのだ。あなたが日本人を見棄てることを選ばれたのだ）

一人の日本人だけはそっとミサにやってくる。その男は仲間に気づかれぬようにミサの途中であらわれ、聖体をうけるとすぐ逃げるように消えてしまう。そのあわれな姿は私に、あの雄勝の材木置場で出会った乞食《こじき》のような切支丹《キリシタン》を思い出させる。その日本人とは使者ではない。田中も長谷倉も西もあのローマ法王謁見《えっけん》の日から一度もミサには出席しなかった。彼らは表だってこの私に怒りの言葉をあびせなかったが、この欠席によって自分たちの心をはっきりと示したのだった。そっとミサに来るのは長谷倉の召使の与蔵である。私は彼の眼を見ると、犬の眼を連想する。おどおどとした寂しそうなその眼。しかし彼は一度、忠誠を誓った主人を決して見棄てはしない。私は長い旅の間、長谷倉のそばにいつもより添っていたこの男を思いだすが、今、彼は主を同じように見棄てはしないのかもしれぬ……。

また長い間、筆をとらなかった。我々は大西洋で二度、嵐《あらし》にあった後、やっとベラクルスの土を踏んだ。往路この町には季節風が音をたてて吹きぬけていたが、今も人影は少なく、すべてを諦めた我々の心のように荒涼としていた。何ひとつ変っていない。宿舎の修道院も同じだし、その修道院に近い小さな広場では相変らず二時間おきに刻《とき》を告げる鐘が聞えている。挨拶《あいさつ》にいったサン・フワン・デ・ウルーワの要塞《ようさい》司令官が禿《は》げた額に軍帽の痕《あと》をのこしているのもあの時のままだったし、贈られた日本刀は執務室の壁に得意げに飾ってあった。

彼から夕食に招かれた。招宴には士官や夫人たちも現われ、親しみをこめて我々を迎えてくれた。日本人たちもあの時よりはくだけた態度で葡萄酒《ぶどうしゅ》を飲み、まずい料理をたべた。くだらぬ質問や話が長々と続いて宴《うたげ》が終った時、田中が皆を代表して重々しく礼をのべた。自分たちは所期の目的を果せなかったが、多くの国、さまざまな土地を見る悦びを得たのでもう悔いるところはないと彼はきっぱりと言った。

帰りの馬車が修道院近くの広場に来た時、酒場のなかでソンブレロをかぶり白い服を着た三人の男たちが楽器を鳴らしていた。田中は、あの曲は彼の故郷でよく歌う唄《うた》を思いださせると急に独り言のように呟《つぶや》いた。

使者たちは真暗な修道院のそれぞれの部屋に引きあげた。私も蠟燭《ろうそく》をつけると自室の机に向い二通の手紙を書いた。一通はセビリヤの伯父宛《あて》であり、もう一通はメヒコの修道院長宛で、院長には日本人たちを帰国させるためにフィリピン行きの船の手配をたのむことと、私自身も彼らと共にマニラに赴き、上司の命令通り、生涯、その修道院で働くことを告げたものだった。

手紙を書き終えた時、心はふしぎなほど静かだった。自分の生き甲斐《がい》だった情熱はこれで燃えつきたのだという悟りが、ローマを発《た》って以来得られなかった静けさを与えてくれたのだ。鵞《が》ペンをおき、ゆれ動いている蠟燭の炎をみつめながら、これで日本への私の長い執着も終ったと思った。

思えば日本という あの国の名を初めて聞いたのは、私がセビリヤのサン・ティエゴ修道院にいた一五九五年のことである。当時、私はノベスパニヤでの布教をするよう上司に奨《すす》められていたが、なぜかいつもかすかな不満を感じていた。それは一族から私が受けついだ性格のためだろう。この性格には既に平和なノベスパニヤで、安全で穏やかなインディオ相手の布教が向かないような気がしたのである。

弾圧があり迫害が行われているような国に赴き、主の兵士として戦いたいという欲求が私の心の奥にいつも疼《うず》いていた。上司たちはその私の性格を従順と服従との徳に背くものとしていつも戒めていた。

翌々年の一五九七年、日本《ハポン》という名と存在とが身近になった。前年、日本《ハポン》の権力者であるタイコウなる人物が基督教徒《キリストきょうと》の迫害を行ったという報告が現地のペテロ会から伝わったからである。捕えられた宣教師と日本人の信徒たち二十六人は都から九州の長崎に送られ火刑に処せられた。この事件はセビリヤでも話題になったが、その時、私は日本《ハポン》こそ骨を埋めるべき国だと思った。耳には「行きて福音を宣《の》べ伝えよ」というあの使徒たちに命ぜられた主の御声が聞えたのである。

一六〇〇年、法王クレメンテ八世の勅書「オネローサ・パストラリス」が公布された。私にとり、主の限りない御恵みだった。この勅書によってそれまでペテロ会だけに許されていた日本《ハポン》の布教がすべての修道会にも許可されたからである。フィリピンの我々の会はこのために日本での布教の志願者を本国から呼び、そこで日本語の習得の準備をしはじめた。

だが一族は、私の日本での布教の希望に賛成はしなかった。とりわけ母や伯母など女性たちは安全なノベスパニヤの修道院に赴くことを希望して、そのための運動さえ行っていただけに、私の気持を変えさせようとした。

この年、フワン・デ・サン・フランシスコ師の募集したフィリピン行き宣教団に私は加わり、六月十二日セビリヤからフィリピンへ向う帆船に乗った。その航海は日本人たちを連れた今度の航海よりもはるかに辛いもので、嵐、水と食糧との欠乏、疫病《えきびょう》などの試練を経ながら、私はほとんど半病人の形でマニラに到着した。しかし、主が背負われた十字架の苦しみにくらべれば、この航海の苦労など物の数ではない。マニラは、エスパはじめて見る東洋の町は不潔で猥雑《わいざつ》で、喧騒《けんそう》にみちみちていた。

ニヤ人、黒人、土着のフィリピン人、支那人《しなじん》が、溶鉱炉のような灼熱《しゃくねつ》のなかで、ひしめき、叫び、動きまわっている町だった。我々の兄弟たちはこの町にあまた住む支那人の布教に困《こう》じ果てていた。当時、洗礼をうけた支那人にたいしては十年間、租税を免除する特権が与えられたため信徒の数は多かったが、彼らが本心で基督教徒になったのでないことは確かだった。彼らは洗礼を受けても基督教徒としての生活は守らず、自分たちの仲間の間で怪しく不愉快な迷信と礼拝とに溺《おぼ》れていた。

このマニラではじめて会った二万人の支那人にくらべると、日本人の数は少なくその十分の一だったが、多くは貿易に従事していた。そして彼らのなかには二百人ほどの基督教徒もまじっていた。

それら日本の切支丹から日本語を習い、日本人が何者なるかを学んだ。見たところ、日本人は他の人種よりもはるかに頭の回転も早く知識欲と好奇心とに富んでいた。エスパニヤ人も及ばぬほどの自尊心の強さと礼節とを備えていた。このような人間たちが長年、神の恩寵《おんちょう》を知らずに生きてきたことは不可解に思われるほどだった。

マニラでの二年半、心に、いつの日か渡るであろう日本《ハポン》が夏の日の雲のように形づくられていった。あのコロンブスが黄金の国を求めて大いなる海を渡ったように、私の夢のなかで日本《ハポン》は黄金の国となり、神のために征服すべき島となり、戦うべき戦場になっていった。日本《ハポン》では既に権力者が死に、あらたに徳川将軍が実権を握っていたが、その皇帝もまた基督教を弾圧する方針をとっているということだった。ペテロ会の宣教師たちは九州に追いつめられ、気息奄々《えんえん》として僅《わず》かな布教活動を続けていると も聞いた。だがそれらの話が次々とマニラに伝わるたびに、この私は挫《くじ》けるどころか、更に闘志を烈《はげ》しくかきたてられた。

一六〇三年六月、機会が訪れた。フィリピンの総督は友好を求める日本の皇帝への応答使節を送ることになり、私は宣教師としてではなく、通辞としてそれに加わることになった。私たちの船は潮流にのって北上し、一カ月の後、私は遂《つい》に憬《あこが》れていた日本を水平線の彼方《かなた》に見ることができた。海には鳥が舞っていた。あまたの漁船が夏の陽の照りつける波の上で漁をやっていた。やがて柔らかでなだらかな山々と島影とがその海の彼方にゆっくりと現われた。それが日本だった。考えていた迫害と弾圧の国とはあまりにも違った日本だった。

だが船が入江に入ると、突然、小舟が幾隻《いくせき》もあらわれた。傲岸《ごうがん》な顔をした指揮官が銃を持った部下を従えて船に乗ってきた。彼らは囚人を引きたてるようにして我々を上陸させ、長い間、暑い浜で待たせた揚句、やっと我々がフィリピンの総督の使節であることを認めた。我々が上陸したのは皇帝の住む江戸に近い網代《あじろ》という湾だったのである。

蠟燭の炎をみながら私のまぶたに浮ぶのはあの時、はじめて海から眺めた日本の美しい山や海である。陽差しのあたるなかで一見、平和そのものの島のようにみえた日本である。あの時、私はこの国こそ主が、「幸いなるかな、柔和なるものよ」と祝福されるに相応《ふさわ》しい土地のような気がした。

だが現実の日本はそのような柔和な国ではなかった。私のまぶたにはやがて連れていかれた江戸城の奥で、ビロウドの椅子《いす》に腰をかけていた一人の老人の姿が思いうかぶ。西洋のどんな町にも劣らぬ秩序を保《も》った町である江戸。大名や武士の居住区には黒く長い塀が続き、黒い運河が幾重にも威嚇《いかく》的に睥睨《へいげい》する壮大な城を囲んでいた。私たちが連れていかれたその城の内部はマドリッドの華麗な王宮とはちがい、暗い黒光りのする陰険な廊下とくすぶったような金襖《きんぶすま》の連続だった。そして蟻《あり》の巣のように入りくんだ幾つかの廊下を通った後、私たちははじめてビロウドの椅子に腰をかけている六十歳ほどの中背の老人を見た。老人はその時、日本でも最高の領主を謁見していたが、その領主は床上で奴隷《どれい》のように這《は》いつくばり、まるで地に接吻《せっぷん》するように身をかがめて退出していった。老人はじっと我々を見すえるだけでほとんど口を開かなかった。質問をするのはすべて皇帝の席から五十歩ほど離れた場所にいる書記官だった。

その口を通して我々は皇帝がフィリピンとの貿易だけではなく、ノベスパニヤとの通商と、そしてまたエスパニヤ人の鉱夫たちを日本に送ることを求めているのを知った。使節はそれにたいしてマニラに問いあわせる約束をした。

使節が日本を引きあげる時、私は既に渡日していた数人のポーロ会の神父、修道士と相談して江戸に残った。名目は使節の残した仕事の処理であり、今後、日本にくる外国人使節の通辞を務めることである。私が基督教の神父であることを日本人たちは知っていたので、書記官は、一六〇二年、皇帝がマニラに宛てて書簡を送ったことをきびしく私に思いださせた。それは外国人は日本の国内に居住することは許すが、その宗教を布教することは禁ずるという命令だった。

もちろん私は挫けもしなかったし、その命令にも従わなかった。見棄てられた癩者《らいしゃ》のために粗末な病院を浅草に作るという名目で、二人の仲間と病人を看病しながらひそかに布教をはじめた。かくれていた日本人信徒たちがやがて連絡をしてくるようになり、それが最初の活動となったが、この禁じられた秘密の行動では私の理想は充たされる筈《はず》はなかった。心には、あの城の奥の一室で、ビロウドの椅子に腰をかけ、ノベスパニヤとの貿易を切に欲している老人の姿がいつも思いうかんだのだった。

あの老人と戦うことはもうなくなった。生き甲斐だった日本《ハポン》は今、手の届かぬ遠くに去ってしまった。敗れた私はマニラに行き、白い塀にかこまれ、手入れの行き届いた花壇が中庭にある修道院で生きるようになるのだ。修道士たちに当り障《さわ》りのない忠告を与え、会計簿を調べ、報告書を書く毎日。母親たちを祝福し、その子供の頭をなでる温和《おとな》しい修道院長になる生活。それが……主の、私の生涯にたいする「思召《おぼしめ》し」だったのだ。

床に膝《ひざ》をつき、手首を紐《ひも》で縛り、私は「思召しのごとくなれかし」と祈った。思召しのごとくなれかし、と祈りながら、不覚にも縛った拳《こぶし》が濡《ぬ》れているのを感じた。私はこみあげてくる激情を懸命に抑えた。

その時、入口に誰かが立っているのに気づいた。

「どうされました、長谷倉さま」

「田中殿が……」長谷倉は動かず静かに答えた。「自害された」

その言葉をまるで出発の時刻でも告げるように長谷倉は言った。田中殿が……自害された。跪《ひざまず》いたまま私は彼の持った燭台《しょくだい》の炎だけをじっと見つめていた。炎は長谷倉の手の上で痙攣《けいれん》したように動いていた。「思召しのごとくなれかし」しかしその思召しは今、氷よりも冷酷だった。

無言のまま長谷倉は私を田中の寝室に連れていった。真暗な廊下の壁に二つの影がうつし出されたが、私も彼も黙っていた。奥のひとつの部屋だけに灯がともり、部屋の前に西と何人かの供の者とが立っている。部屋に足を入れると、血だらけの敷布の上に顔を横にむけて寝かされた田中の体がみえ、枕元《まくらもと》には自殺に使った短刀と鞘《さや》とがきちんとおかれていた。田中の従者二人が燭台のそばで正座して、主人の死顔を命令でも待つように見守っていた。

私をみると従者たちは静かに場所をあけたが、彼らも主人の自殺をずっと前から予知していたように取り乱してはいなかった。それはまるで約束された儀式をやっているように私には思えた。修道院はこの階をのぞくと誰一人、起きている気配もなく、事実、誰も気づいてはいなかった。

死顔は穏やかだった。旅の間、彼がよく見せた傲岸で無愛想なあの表情は消え、むしろ、この死によって彼を苦しめたすべての旅の悩みから解放されたように平和だった。私には主よりもこの死のほうが彼に安息を与えたようにさえ思われたほどである。従者の一人が枕元に小さな仏像をおこうとしたが、その動作で私は、田中が洗礼を受け、そしてこの私がまがりなりにも神父であることを思いだして言った。

「仏像はいりませぬ。田中さまは切支丹《キリシタン》でございました」

恨むように従者は私を見たが、そのまま仏像をとりあげて自分の膝の上においた。

「永遠のやすらぎを得んことを《ハベアス・レクイエム・エテルナム》」

いつかこのベラクルスに近いバナナ林の窪地《くぼち》で私は傷ついたインディオの手を持ち、同じこの祈りを唱えた。しかし、あのインディオとちがい、この田中は自殺という教会の絶対に許さぬ大罪を犯して死んだのである。教会は自殺した者には死者の儀式を与えることは許さない。だがこの時、私にはそんな教会の定めなどもうどうでもよかった。私は田中の旅の苦しみを知っていた。田中や長谷倉や西がどのような思いで今日まで放浪してきたかも知っていた。田中がなぜこの小さな刀で腹を切らねばならなかったかも知っていた。私は若いインディオの青年の死を見棄《みす》てることができなかったように、この田中の死を見放すことはできなかった。

「死者に安らかな憩いを与えられんことを《レクイエスカント・イン・パチェ》」

人生の最後の門を閉じるように、その大きく見開いた田中の眼を私は閉じた。その間、従者たちも戸口にたった長谷倉も西も、私の祈りを妨げようとせず、隅にかたまって動かなかった。

やがて従者が主人の髪と爪《つめ》とを切り、胸にぶらさげた袋に入れた。それから血だらけの敷布のかわりに真新しい絹の布でその遺体を覆《おお》った。長谷倉はそれらの始末を見届けてから私にたずねた。

「朝が参ればここのパードレ、イルマンたちにお詫《わ》び申さねばならぬ。お助け願いたい」

日本人たちは仏教の儀式通り、黎明《れいめい》がくるまで死者のそばで待った。私も彼らと共に白布で覆われた遺体のそばで夜をあかした。

白い朝が来た。修道院の特別の許しをえて、町とサン・フワン・デ・ウルーワ港をつなぐインディオの墓地のそばに彼を埋めた。修道院からは一人の神父、一人の修道士も立ちあわなかった。自殺という大罪を犯した者の葬《とむら》いに彼らは列席することを好まなかったのである。私は二本の枯木を重ねあわせて十字架をつくり土饅頭《どまんじゅう》の上に突きさした。朝陽が林を染め、すぐそばで素裸のインディオの子供たちが指をくわえ、こちらをふしぎそうに眺めていた。西はしゃがみこみ、直立した長谷倉はじっと眼をつぶっていた。

ようやくサン・フワン・デ・ウルーワの要塞《ようさい》司令官が副官をつれて馬で来てくれた。

「インディオも同じだが」

彼は馬からおりて汗をふいた。

「劣った人種ほど自殺したがるものだ」

「日本人は恥を忍ぶより、死を選ぶことを徳としています」私は彼を睨《にら》みつけながら言った。「この日本の使者は、死なねば使節としての役目が果せぬと思ったのです」

「私には……よくわからぬが……」

司令官は驚いたように肩をすくめ、

「だがパードレの言葉は教会が禁じている自殺を認めているように聞える」

彼の眼には私にたいする当惑と警戒心とがかくされていた。ひょっとすると本国からの手紙で、私を教会に従わぬ野心家と知ったのかもしれない。


そう、たしかに私は混乱し、自暴自棄になり、主の御意志がどこにあったのか理解できなくなっている。そのくせ、自分の信仰がゆらぐことに言い知れぬ怖《おそ》れを感じている。

今度の旅はすべてあの日本を主の国にしたいという一念からはじめたものだった。だがそこには都合のいい自己弁護があり、利己的な征服欲がかくされていなかっただろうか。心底には自分がやがて日本の司教となり、日本の教会をこの手で動かしたいという野心がなかったろうか。そして主はそんな私の心を見ぬかれ、罰し給《たも》うたのだろうか。

（教会はたしかに自殺を大罪と見ています）うつむいたまま私は呟《つぶや》いた。（だがこの自殺した日本人を主が見棄て給うとは思いたくない……そう思いたくはない）司令官は私のかすれた呟きを理解できなかった。もし田中に自殺の大罪を犯させたとしたならばそれは私のせいである。私の傲慢な企《たくら》みがすべて彼を死に追いやったのだ。田中を罰するのならば、この私こそ罰せられねばならぬ。（主よ、彼の魂をお見棄てにならないでください。でなければ、この私にその罪の罰をお与えください）

我、地上に火を放たんと来《きた》れり。その燃ゆるほかに何を望まん。

我には受くべき、死の洗礼《バプティスマ》あり。そが遂げらるるまで、我が苦しみ、如何《いか》ばかりぞや。

我が来れるは、多くの人に仕えんため、多くの人の償いとして、命を与えんためなり。

これらの言葉を主が口にされた時、主はたしかに御自分の死を覚悟しておられた。この世には死によって遂げられる使命があるのだ。

ベラクルスからコルドバまでの路《みち》のり。山岳地帯は雷雲に覆われ、時折、稲妻が走った。竜舌蘭《マゲイ》とサボテンとがまるで奇怪な文字のようにはえている荒野。この荒野を私は日本人たちと黙々と進みながら、死を決意してやはりこのような荒野をエルサレムに上り給うた主を思った。主はその時、自分の死を予感され、「我には受くべき死の洗礼《バプティスマ》あり。そが遂げらるるまで、我が苦しみ、如何ばかりぞや」と言われたのだ。この世には死によって完成する使命があるのだ。田中太郎左衛門の自決は私にそれを教えたような気がする。だが田中の死と主の死とは一点においてはっきり違うのだ。あの日本人は使者としての使命が果しえなかったことを償うために自殺した。だが主は「多くの人に仕えんため」に死を引き受け給うた。

稲妻、そしてその直後、遠くで雷鳴が聞えた。私の心にも今、稲妻が走っている。私にもまた仕えねばならぬ多くの人間がいる。神父とは、この地上で人々に仕えるために生きているのであり、おのれのために生きているのではなかった。私はあの雄勝《おがつ》の海岸で、材木の屑《くず》を襤褸《ぼろ》衣《ぎれ》の肩につけ、おずおずと告悔《コンヒサン》を求めてきた男を思い出した。私が仕えねばならぬのは彼であり、彼のような日本人たちだった。「我が来れるは、多くの人に仕えんため」と足を曳《ひ》きずりながら私は自分に言いきかせた。「命を与えんためなり」

主は無意味なことをなさらなかった。田中の死も、私にこの事を教えてくれたゆえに決して無意味ではなかった。

「私たちは、この後、どうなるのでございましょうか」

西九助はコルドバの集会所で寝台に腰をかけ、窓を見つめたまま呟いた。あてがわれた部屋は往路、雨あがりのこの集会所に宿泊した時と同じものだったが、あの時は田中太郎左衛門はまだ生きていた。だがそのほかは何ものも変っておらず、壁には両手を釘づけにされたあの痩《や》せこけた男が燭台の暗い光に照らしだされていた。

「この後、と申すと……」

侍はくたびれたような声で訊《たず》ねた。肉体だけではなく、心の芯《しん》まで疲れきった気がする。これからのことは考えるのも物憂《ものう》く、面倒だった。

「日本に戻ってからのことにございます」

「俺にもようわからぬ。だが、殿も御重臣がたも、我らの苦労をおわかりにならぬ筈はない」

「空《むな》しく戻ってもでございますか」

侍はかつての西の若々しかった姿を思いだした。浅黒い顔に白い歯をみせて笑うその男の眼は、侍が時として妬《ねた》みを感じるほど好奇心で赫《かがや》いていた。その赫きは今は消え、病人のように血色もわるく生気がなくなっている。

「私はできれば、あのエスパニヤに残り、さまざまなことを学びとうございました」と西は燭台に向って力のない声をだした。「そして、まこと世界は広い、と思いました。このように戻るとは夢にも考えませんでした」

その言葉を聞いた時、侍は突然、月ノ浦を出航した瞬間を心にはっきりと甦《よみがえ》らせた。帆綱が急に軋《きし》み、波が船腹を叩《たた》き、海鳥が鋭い声をあげて船端をかすめ、ひろい海に向って船が動き出した時、彼もまた自分の運命がこれから変るのだ、と思ったのだ。あの時、彼は世界がこのように広いとは考えもしなかった。だが考えもしなかった広い世界を見たあとは、ただ疲れだけが残っている。心の芯まで疲れきっている。

「田中さまもやはり、これからのことに怯《おび》えられたのではございませぬか」

「何に怯えた、というのだ」

「殿も御重臣がたも、我らをお見かぎりになるのではないか、と」

いつもの癖で侍は眼をしばたたいた。田中の死を深く考えることは侍には辛《つら》く、こわかった。田中は死んで一族縁者に自分の面目を守ろうとした。侍もまた、囲炉裏のそばで自分の帰国を待ちわびる叔父の頬肉の落ちた顔を思うと真実、死にたいと思った。自決した田中が羨《うらや》ましかった。だが、彼は死ぬわけにはいかなかった。この西や苦労した供の者たちのためにも御評定所で旅のすべてを語らねばならぬ。語り人《うど》というべき務めを果す誰かがいなければならぬなら、それは自分だと侍は思った。

「お見棄てになる筈はない」侍はいつになく強い声で、「力を尽しても及ばぬことがある。それを御重臣がたに申しあげねばならぬ」

だがおのれにもそう言いきかせながら彼は本心、自信がなかった。それ以上、突きつめて考えるのも怖ろしかった。今後のことをあれこれ想像して何になろう。苦い諦《あきら》めの気持を侍は呑《の》みくだした。

開け放した窓から夜気が流れこんでいる。土の匂《にお》いがまた谷戸を思いださせる。たとえ黒川の土地を返して頂かなくとも、侍には谷戸があるだけで充分だった。父や叔父と違って彼の心も体も黒川よりはあの谷戸に結びついていた。

「だがエスパニャ国王の御返書ひとつ頂けなかったことを」西はしつこく訊ねた。

「御評定所はおとがめになりませぬか」

「もう、よい。考えても詮方《せんかた》あるまい。詮方ないことならば、考えぬことだ」

侍は話をうち切るために立ちあがった。西がうるさかったし、中庭に行って土の匂いのこもった夜の空気を吸おうと思ったのである。

昼の暑さがふしぎなくらい中庭はひえていた。三人の男がしゃがんで何かを話しあっていた。与蔵と二人の供の者だった。与蔵が二人をきびしい声で怒っていた。

「眠れぬのか」

三人の従者たちはばつが悪そうに立ちあがった。たった今の話を聞かれたのではないかと心配そうに主人を上眼使いで見た。

「夜の匂いは谷戸を思いださせるな」と侍は三人をいたわるようにわざと笑った。

「谷戸の夜もこのような土の匂い、木の匂いがこもっておったな。もうすぐ……あの匂いを嗅《か》ぐことができるぞ」

疲労やいらだちは西だけではなく、従者たちの間にも伝染していることが、今の三人の口論の声で侍にもよくわかった。自分だけは心を強うせねばならぬ、と彼はおのれの心に言いきかせた。

翌朝、コルドバを発《た》った。またしても暑い荒野。それがつきるとオリーブの畠《はたけ》やインディオの小屋とエスパニヤ風の屋根をもった地主の館《やかた》。往路に眺めた風景が繰りかえされる。しかし旅に馴《な》れた日本人たちの眼にはもう何の好奇心も起きない。自分たちの歩く一歩、一歩が日本に近づいていると思うこともあったが、なぜか感動もなかった。

侍は自分の傍で馬にゆられているベラスコの顔から例の微笑が消えて久しいのに気がついていた。正直いって侍はかつてこの南蛮人の自信ありげな微笑が愉快ではなかった。自分の意のままに日本人を従える時はベラスコはいつも微笑を顔にうかべていた。何かを企んでいるような微笑を見るたびに侍はいつも彼の真意を疑ったし、事実、その微笑ゆえに幾度もだまされたのである。だがローマを発ってからは傲慢《ごうまん》な微笑がベラスコの顔からなくなり、その代り思いつめたような孤独な表情が顔にあらわれていた。

(今はもう、どうしようもないではないか)侍は馬上からベラスコにそう言いかけて口を噤《つぐ》んだ。不安を起させ、怒りや憎しみさえ抱かせた南蛮人が、うち沈み、雨雲の覆った山岳地帯に眼をやっている。それを見るとあわれな気さえしてくる。この男がもう日本に戻れぬことは侍にもよくわかっていた。御重臣たちに誓った彼の約束は果されなかったのだ。

プエブラの町をとりまく灰色の城壁をくぐったのは十日後の夕暮どきだった。あの日と同じように城壁のそばに市《いち》がたち、辮髪《べんぱつ》のインディオが陶器や織物や果物を地面にならべ、石像のように黙りこくって、膝《ひざ》をかかえていた。

「長谷倉さま、あの日本人のこと、憶《おぼ》えておられましょうか」

「元修道士《イルマン》のことか」

西にきかれるまでもなく、侍もメヒコで自分たちを訪ねてくれた同胞のことを思いだしていた。テカリの血のように赫《かがや》く朝の沼のほとりに、インディオの女と葦《あし》の葉で屋根をふいた小屋に住んでいた元修道士。二度と会うことはあるまいと言ったが、それがもし本当ならばこのノベスパニヤのどこに去ったのだろうか。

「私は……あの沼にもう一度、参るつもりでございます」

西はベラスコに聞えぬように侍に耳うちをした。

「参っても無駄であろう。インディオは同じ畠を二度と耕さぬと、あの男、言っておった」

「あの男に会えぬとしても差し支《つか》えございませぬ」

「では、なぜ参る」

「あの男が……」西は悲しそうに笑った。「あの男の日本に戻れぬ心が、なぜか今は、わかる気がいたしますゆえ」

「お前もここに残りたいのか」

「広い世界を見た身には、日本が息苦しくなりました。召出衆《めしだししゅう》や足軽の家に生れた者が、生涯、そのまま生きて参らねばならぬ日本を思うと、心がふさぎます。だが、私にも……待っておる者たちがおります」

我儘《わがまま》は許されぬ。待っている者たちがいる。侍も同じ思いである。一族の総領である彼を支えにする叔父や家族や百姓たちがあの谷戸に生きている。自分は谷戸に戻るだろう。そしてこれまでと同じような生き方をするだろう。谷戸を離れ、広い世界に出ることはもう二度とないだろう。これは夢なのだ。消えてしまう夢と思えばいい。

翌朝、まだ暗いうち、一夜を明かした修道院を侍は西とこの前と同じように出た。路はもうわかっていた。暑さがまだ襲わず砂漠のように寝しずまった涼しい町を通りぬけて森に出た頃、空が薔薇色《ばらいろ》に割れた。小鳥がやかましいほど鳴いている。清冽《せいれつ》な渓流を馬は飛沫《しぶき》をあげて通りすぎた。樹々《きぎ》の間から朝の光が矢のように地面を刺したテカリの沼は相変らず静かで、葦《あし》の葉がかすかな音をたてていた。馬をおり西が手を口にあてて元修道士を呼ぶと辮髪のインディオの男が二、三人、上半身裸のまま小屋の戸口から顔を出した。彼らは侍と西とを憶えていて、潰《つぶ》れた鼻を拡《ひろ》げて笑った。肉塊のように肥《ふと》った妻に肩を借りながら元修道士はよろめきながら現われた。病気の彼は、朝の光に苦しそうに眼をつぶり、それからやっと侍と西とに気づいて、おお、と叫んだ。

「よう……戻られました」彼は生き別れた血縁に再会でもしたように両手をさし出した。「生きて二度と会えぬ、そう思うて……」突然、彼は話すのをやめた。胸に手を当てて肩で苦しげに息をついた。

「案じられますな。すぐに終ります、すぐに」

だが、発作が治まるまで時間がかかった。朝陽がすっかりのぼり、沼に陽光がけだるく拡がって、一日の暑さがはじまった。インディオたちは遠くからそんな三人をふしぎそうに見つめていたが、やがて飽きたのか姿を消した。

「ルソンまで参る船のあり次第、帰国の途につく。日本の知り人に送る物などあれば……」

「なにも、ございませぬ」と元修道士は寂しそうに笑った。「切支丹《キリシタン》の修道士《イルマン》が胞《とも》と知られれば、かえって迷惑をかけるだけにございます」

「この俺たちも」侍は恥ずかしげにうつむいた。「やむなく切支丹となった。心からではないが……」

「今も信じてはおられませぬか」

「信じてはおらぬ。すべて、お役目のためだった。お前こそ、まこと、あのイエスと申す男のこと、信心しておるのか」

「信じております。前にも申しあげました。だが、私の信じておりますのは、教会や神父《パードレ》たちの説くイエスではございませぬ。主の御名《みな》を借りてインディオの祭壇を焼き払い、主の御教えを広めるためと言ってインディオを村より追い払った神父《パードレ》たちと私とは同じ心ではございませぬ」

「あのような、みすぼらしい、みじめな男をなぜ敬うことができる。なぜあの痩せた醜い男を拝むことができる。それが俺にはようわからぬが……」

この時、はじめて侍は真剣に訊ねた。西もしゃがんだまま元修道士の顔を見あげ、じっと答えを待っていた。沼からは洗濯をするインディオの女たちの奇妙な声が聞えてきた。

「私も……むかし」と元修道士はうなずいた。「同じ疑いを持ちました。だが今は、あの方がこの現世で誰よりも、みすぼらしゅう生きられたゆえに、信じることができます。あの方が醜く痩せこけたお方だからでございます。あの方はこの世の哀《かな》しみをあまりに知ってしまわれた。人間の歎《なげ》きや苦患《くげん》に眼をつぶることができなかった。それゆえにあの方はあのように痩せて醜くなられた。もしあの方が我らの手も届かぬほど、けだかく、強く、生きられたなら、このような気持にはなれなかったでございましょう」

侍はこの元修道士の言うことが理解できなかった。

「あの方は、生涯、みじめであられたゆえ、みじめな者の心を承知されておられます。あの方はみすぼらしく死なれたゆえ、みすぼらしく死ぬ者の哀しみも存じておられます。あの方は決して強くもなかった。美しくもなかった」

「だが、教会を見るがよい。ローマの都を見るがよい」と西は反駁《はんばく》した。「我らの見た教会はすべて金殿玉楼のごとく、法王《パッパ》の住まう館はメヒコでは考えもつかぬほど飾りたててあったぞ」

「あの方がそれを望まれたとお思いか」元修道士は怒ったように首をふった。「あの方がそのような飾りたてた教会におられるとお思いか。そうではない。あの方が住もうておられるのはな……そのような建物ではない。このインディオの者たちのあわれな家のなかと思います」

「なぜ、そうなのだ」

「あの方の御生涯が……そうでございました」

ふかい確信のこもった声で元修道士は答えると、眼を地面に落して独り言のようにくりかえした。

「あの方の御生涯がそうでございました。あの方は一度も、心傲《おご》れる者、充《み》ち足りた者の家には行かれなかった。あの方は、醜い者、みじめな者、みすぼらしい者、あわれな者だけを求めておられた。だが今、司教も司祭もこの国では心富み、心充ち足りております。あの方が求められた人間の姿ではなくなっております」

元修道士はそこまで一気に言うと、急に胸に手を当てた。彼の発作がふたたび起り、それが治まるまで侍と西とは黙って彼を見つめていた。

「インディオたちはこんな私のために沼にとどまってくれました。でなければ私も」彼は照れ臭そうに笑った。「テカリから遠くに移っておりましたろう。時々、このインディオたちのなかにイエスの姿を見つけることがございます」

この日本人の寿命が長くはないことは、そのむくんだ顔やどす黒い顔色でもよくわかった。おそらく、この暑くるしい沼のほとりで彼は息を引きとるだろう。そして彼は玉蜀黍《とうもろこし》畠の隅に埋められるだろう。

「だがな、俺にはどうしても」と侍は申しわけなさそうに呟《つぶや》いた。「お前のようにあの男を思うことはできぬ」

「あなたさまがあの方を心にかけられずとも……あの方はあなたさまをいつも心にかけておられます」

「あの男のことなど考えずとも生きて参れる」

「まことにそうでございますか」

元修道士は憐《あわ》れむように侍を見つめると、玉蜀黍の葉をちぎった。陽差しは更に強くなり、沼の葦のなかで暑くるしく虫がなきはじめていた。

「人が一人で生きうるものならば、どうして世界の至る所に歎きの声がみちみちているのでございましょう。あなたさまがたは多くの国を歩かれた。海を渡り、世界をまわられた。だがそのいずこにても、歎く者、泣く者が、何かを求めているのを眼にされた筈《はず》でございます」

彼の言うことは間違っていなかった。侍は自分が訪れたすべての土地、すべての村、すべての家で、両手を拡げ、首垂《うなだ》れているあの痩せた醜い男の像を見た。

「泣く者はおのれと共に泣く人を探します。歎く者はおのれの歎きに耳を傾けてくれる人を探します。世界がいかに変ろうとも、泣く者、歎く者は、いつもあの方を求めます。あの方はそのためにおられるのでございます」

「俺にはわからぬ」

「いつか、おわかりになります。このこと、いつかおわかりになります」

侍と西とは馬の手綱を握り、もう二度と会うことのないこの病人に別れの言葉をのべた。

「何か、故郷《くに》の者に申しつたえることはないか」

「ございませぬ。私はやっとおのれの心にあわせてあの方の姿を摑《つか》むことができました」

沼は陽光にきらめいていた。その岸にそって馬はゆっくりと歩きだした。馬上からふりかえると、インディオたちが土塊《つちくれ》のように固まり、まだこちらを見送っている。そのなかに襤褸《ぼろぎれ》衣の元修道士が身じろぎもせず女に支えられているのが見えた。


十一月三日、チャルコ。往路と同じ荒野をメヒコに向う。

十一月四日、メヒコ郊外に宿泊。メヒコに入市許可を求める使いを出す。

そこからは、教会の尖塔《せんとう》が直立するメヒコ市街と、街をとり囲む白い城壁とが遠望できた。碧空《へきくう》を刺している尖塔には、日本人たちが洗礼を受けたサン・フランシスコ教会や私たちの宿泊した修道院もまじっているのだ。

だが私たちはメヒコを通過せず、直接、アカプルコ港に向うよう総督の要請を受けた。メヒコでは日本人たちを迎える準備ができていないというが、勿論《もちろん》、それが我々を避けるための口実だとわかっている。すべてマドリッドからの訓令によったものにちがいなかった。だが、メヒコの我が会の修道院長は私たちを憐れみ、葡萄酒《ぶどうしゅ》や食料をこの宿泊所まで運ばせてくれた。驢馬《ろば》にそれらの荷をつんでやってきた二人の修道士は、私に修道院長からの手紙を手渡してくれた。それにはローマで聞いたよりもさらに詳しい日本の情勢が書かれてあった。マニラの我が会附属の修道院から報告されたものの写しである。

私は日本における全国的な切支丹弾圧が、我々が日本を出発した翌年の二月から始められたのだと知った。ちょうど我々がハバナで船の出航を待っていた時だ。その頃、日本では、ビロウドの椅子《いす》に腰かけた老人が突如、すべての宣教師だけでなく日本人の重だった信徒まで国外に追放し、いかなる土地でも切支丹を奉ずることを禁ずる布告を出したのである。

何も知らなかった私と使者たち。何も知らずにひたすらひとつの夢を求めながらエスパニヤに赴こうとしていた我々。しかしそれは蜃気楼《しんきろう》の城だったのだ。

布告が出されると、すべての宣教師は家畜のように日本の各地から長崎に追いたてられたという。あの江戸の小屋で私の帰りを待っているディエゴ神父もきっとその一人だったのであろう。いつも泣いたあとのように赤い眼をしていたあの善良な同僚が、おどおどとなす術《すべ》もなく江戸を去った姿が眼にうかぶ。

宣教師と日本人修道士たちとは、長崎のそばにある福田に集められ、八カ月近く、家畜小屋に似た藁《わら》ぶきの家で生活させられた。長崎は未曾有《みぞう》の混乱を呈し、棄教する者、隠棲《いんせい》しようとする者との二つに分れ、我が会とドミニコ会、アウグスチヌス会とは二日にわたる祈禱《きとう》大会を開き、復活祭の日、町中を行列して殉教を叫んで行進したという。

十一月七日。雨の日、軟禁されていた宣教師と日本人修道士の八十八人が五隻《せき》のジャンクに詰めこまれ、日本を去ってマカオに向った。翌八日、三十人の神父と修道士、信徒とが小さな老朽船でマニラへ旅立った。共に永久の国外追放であり、マニラ行きの船にはウコン・タカヤマ殿やジュアン・ナイトウ殿のような切支丹の有力な軍人たちもまじっていたという。

写しを読みながら、ビロウドの椅子に腰かけた老人の顔と姿とを思い浮べた。支那《しな》人《じん》に似たあの小肥りの権力者は政治の世界で、ネロが使徒たちに勝ったように遂《つい》に我々基督教徒《キリストきょうと》に勝ったのである。だが、彼が勝利をしめたのは政治の面であり、基督教徒が戦いで勝つのは政治の世界ではなく魂の世界においてである。徹底的な追放にもかかわらず、実は四十二名の宣教師が日本人信徒のひそかな庇護《ひご》のもとにあの島国に潜伏したことを、あの老人はまだ知ってはいないだろう。潜伏した宣教師たちは政治や現実の世界では敗北することを承知の上で、おのれの血をあの国に——あの蜥蜴《とかげ》のような形をした国に捧《ささ》げようとしている。

すべては主の受難の状況とそっくりである。主もまた大祭司カヤパの住む政治の世界では翻弄《ほんろう》され、見棄《みす》てられ、ゴルゴタの丘で十字架にかけられ給《たも》うた。だがその敗北された主が勝利を得られたのは人々の魂の世界においてだった。たしかに私も今度の旅で、政治の世界では敗れた。だがあの蜥蜴のような国が私を打ち破ったのはその面だけなのだ。

主よ、主が一体、この私に何を望んでおられるかをお示しくださいまし。
主よ、すべて思召《おぼしめ》しのごとくあれかし。
主よ、私の心に今、芽ばえはじめたものが、主の御意志であるならば、それをお示しくださいまし。

アカプルコ。鈍く光っている湾内に、我々を乗せマニラに向うガレオン船が一隻、高地の停泊している。湾を囲む岬と湾のなかの小島はすべてオリーブの樹《き》で覆《おお》われ、高地のメヒコにくらべてここは暑い。

日本人たちはアカプルコの要塞《ようさい》の兵舎を宿泊所としているが、日中も死んだように眠っている。長かった労苦と疲れとが一挙に吹き出たように彼らは外にも出ず、ただ眠りこけている。兵舎のまわりは静かだ。そして、その静寂を破るように、時折、海鳥の鋭い鳴き声が湾内から聞えてくる。

船はあと一月後に出帆する予定だ。ふたたびあの太平洋を横切り、荒波に耐え、嵐《あらし》を切りぬけて、神の御加護があれば、春のはじめ、我々はマニラに到着するだろう。そして私はそのマニラに残り、日本人たちは船と船員とを手に入れて帰国するだろう。彼らに別れた私は、伯父と上司たちの命じた通り、手入れのよく行き届いた花壇のある真白な修道院に住むようになるだろう。

それとも……。

主よ、主が一体、この私に何を望んでおられるかをお示しくださいまし。

主よ、すべて思召しのごとくあれかし。
主よ、私の心に今、芽ばえはじめたものが、主の御意志であるならば……。

第十章

朝がた、ゆり起された。朦朧《もうろう》とした眼に与蔵の顔がゆっくりと、うつった。与蔵は子供を見おろす母親のように微笑をうかべていたが、その表情で侍はこの下男が今、言おうとすることがわかった。

「おお」

弾《はじ》かれたように飛び起き、そばで眠りこけている西九助をゆすぶった。

「陸前ぞ……」

この一言に侍は万感の思いをこめた。

日本人たちは転ぶように甲板に駆けあがった。陽が海いっぱいにあたっている。橙色《だいだいいろ》の海は穏やかである。間近に見憶《みおぼ》えのある島が見える。島の彼方《かなた》に淡紅色に霞《かす》んだ金華山が続いていた。金華山に見憶えのある樹《き》が茂っている。見憶えのある浜に舟がおいてある。

長い間、みんな黙って、島、浜、舟を見つめていた。

悦《よろこ》びがなぜか湧《わ》いてこない。泪《なみだ》さえ、流れない。あれほど長い間、この一瞬を思ってきたのに、まだ夢のなかでこの風景と向いあっているようだ。旅の間、幾度も幾度もこんな場面を夢で見たのである。

帆柱から支那人《しなじん》の水手《かこ》が島を指さし、何かを叫んだ。着いたのだと言ったのかもしれない。月ノ浦と教えてくれたのかもしれぬ。

誰もが黙りこくり、動かない。一人、一人がそれぞれの思いや感慨を嚙《か》みしめながら、眼前をゆっくりと動いていく故郷の風景をぼんやりと見ている。船にぶつかる波だけが鈍い音をたて、硝子《ガラス》の破片のように光って消えた。海鳥が数羽、その波頭をかすめて木の葉のように舞いあがった。

瞬間、侍の幾層にも重なった旅の記憶のなかから、出発の刻《とき》が甦《よみがえ》った。あの時、帆綱が軋《きし》み、波が船腹を叩《たた》き、今と同じように海鳥が船端をかすめて飛び去っていったのだ。あの時、彼は牙《きば》のような波頭が躍っている外海に眼をやり、未知の運命がこれから始まるのだと思った。

その未知の運命、それを今、終えてやっと戻ってきた。悦びよりも虚《うつ》ろな気持と疲れとのほか何も残っていないのはなぜだろう。あまりに多くのものを見すぎたために、見なかったのと同じなのだろうか。あまりに多くのものを味わったために、味わわなかったのと同じなのだろうか。

「お役人衆ぞ」

誰かが叫んだ。藩の紋所を浮き出した幕をはりめぐらした一隻《せき》の舟が湾のかげからこちらにあらわれた。幕の間から背の低い役人がこちらを眺めている。そのあとから二隻の小舟を船頭が漕《こ》いでくる。役人は手をかざし、自分たちを見おろす日本人一人、一人に視線を走らせていた。船と舟との間に問答がしばらく続き、やっと彼はすべてを了解した。

小舟に乗り移った侍たちの眼に、月ノ浦の入江が次第に近づいてきた。両側の岬には潰《つぶ》れかかった藁屋根《わらやね》の家が点々と並んでいる。背後に赤い小さな鳥居がのぞき、鳥居には朱の幟《のぼり》が立っている。子供たちが道を走っている。それはまぎれもなく日本であり日本の光景だった。

(帰った……)

侍はこの時はじめて烈《はげ》しい悦びを感じた。彼は思わず西の顔を見た。与蔵や一助、大助の顔を見た。

「日本の……浜……」と西は息を吸いこんだように絶句した。

くろい海草の散らばった浜に足をおいた時、透き通った小波《さざなみ》が押し寄せ、日本人たちの足を静かにぬらした。それでも彼らは長い間、味わうように眼をつぶったままじっと水の感触のなかで立っていた。その姿を番小屋からあらわれた役人たちがいぶかしげに立ちどまって眺めていた。が、その一人が、おお、と叫んだ。

「おお」

男は急に浜の砂を蹴《け》るように駆けより、「帰られたか」「帰られたか」

彼は侍と西との手を握り、しばらく放さなかった。

役人たちは侍や西の帰国について何も知らされてはいなかった。日本に戻る船がないため一年以上も滞在したルソンから、マカオ経由で送った手紙はやはり日本には届いていないようだった。突然の出来事に役人は驚くだけで途方に暮れていた。

華やかだった出発の日にくらべてすべてが静かだった。侍や西たちを迎えたのはこれら役人と、遠くからこちらを眺めている子供たち、そして物憂《ものう》げに浜を洗う波の音だけである。侍は自分たちを乗せた城塞《じょうさい》のような大船があの日、浮んでいた海に眼をやった。今は穏やかに光る海面がそこに拡《ひろ》がっているだけである。この浜にも荷を積むあまたの小舟が繫《つな》がれ、人夫たちが忙《せわ》しげに動きまわっていたのだ。それらすべてが今はない。

伴われて、出発の日に宿泊した寺に向った。寺はあの時と何も変っていない。彼らを憶えている住職に部屋に案内された時、陽にやけて赤茶けた畳をみて、突然、侍は田中太郎左衛門を思った。この畳の上で田中と松木と自分たち二人が一夜を送った。その田中の姿も松木もここには見えない。ベラクルスの林のなかのあわれな田中の墓。遺髪と爪《つめ》とを日本に持ってかえった。

役人は、入れ代り立ち代り部屋に入ってくる。休息をする暇はない。帰国のことを御評定所に知らせる早馬は既に月ノ浦を発《た》っている。御評定所からの御指図次第で、侍と西とは明日にでもここから城まで向うつもりでいた。

何もかもが懐《なつ》かしい。日本の部屋の匂《にお》いも、そこにある調度も、出された膳《ぜん》も、長い間、夢にみた日本のものである。別室をあてがわれた供の者たちのなかには柱をなでて泪を流す者もいる。

住職や役人たちは西の語る南蛮の国々の模様を信じられぬという面持で聞いていた。四層も五層もある石造りの街や、空を突く教会を語っても彼らに理解させるのはむつかしかった。歩いても歩いても竜舌蘭《マゲイ》とサボテンしか生えていないノベスパニヤの荒野を教えても無駄だった。

「世界は……」西は諦《あきら》めたように笑って、「この日本では考えられぬほど、広うございました」

西の話が終ると、今度は住職と役人たちとが、出発以後の御領内の出来事を話してくれた。侍たちがローマを後にした頃、日本では最後の大きな戦いがあった。大御所さまが豊臣家を滅ぼされたのである。だがさいわい殿は後詰めとして兵を京に送られただけで、大坂の戦陣にはお加わりにならなかった。御重臣の石川さまが亡《な》くなられた。そして侍たちと同行した商人、水手たちがルソンから長崎を経て帰国したのもその頃だという。あの大船はルソンに残し、別の南蛮船に乗って戻ってきたのである。

「松木殿もか」

役人はうなずいた。松木は帰国後、御評定所の徒目付《かちめつけ》にとりたてられたと教えてくれた。御評定所に勤められるのは召出衆《めしだししゅう》としては出世である。侍はさらに、

(切支丹《キリシタン》禁制のことは……)

そして自分たちをノベスパニヤに送った白石さまたちが今なお御評定所でお力を持っているかを訊《たず》ねたかった。だがその問いは咽喉《のど》まで出て、侍も西も口には出さなかった。なぜか、避けたいという暗い気持が働いたのである。住職も役人もそれについては何も語ってはくれなかった。

夜が来た。西と枕《まくら》を並べて床に伏したが、気が昂《たかぶ》っているためか、眠れない。遠くで波音だけが耳につく。これが四年ぶりで日本に戻って最初の夜なのだ。そう考えな

がら侍は、五、六日もすれば戻る谷戸の様子をまぶたにありありと思い浮べた。泪を流すであろう叔父の皺《しわ》だらけの顔、黙ったままこちらを見つめるりくの顔、とびついてくる子供たちの顔。彼はさきほど自分が書いた手紙を思いだした。「いそぎ便りに御座候《ござそうろう》。月ノ浦に相つき申候。みな〳〵いずれも息災に候。御用、相すませ、急ぎ急ぎ戻るべく候。事くわしく可申候え共《もうすべく》……」

西もまた寝つけぬのかしきりに寝返りをうっていた。侍が軽く咳《せき》をすると、その西が小さな声で言った。

「戻ったと……まだ、信じられませぬ」

「俺とて同じだ」

侍は吐息とも溜息《ためいき》ともつかぬものを洩《も》らした。

翌日の午後、早馬が戻ってきた。御評定所の御指図を持ってきたのである。

正座してこの御指図を承った。御評定所の御重臣が参られるまでは月ノ浦で待つこと、その間、家族との面会や便りもなさぬこと、と役人は伝えた。

「その御指図」と侍は少し顔色を変えて、「どなたが申されました」

「津村景康さまにございます」

津村さまは、白石さま、鮎貝《あゆがい》さま、亘理《わたり》さまと同じように御重臣のお一人である。

その津村さまからの御命令なれば従うより仕方がない。

「気になされますな」と役人はあわてて二人を慰めた。「戻りました商人、水手たちにも同じようにお取り調べがありました」

合点がいかなかった。自分たちが殿の御使者衆として遠い国に渡ったことは誰でも知っている。御重臣なら当然、その点を御存知の筈《はず》である。商人、水手と同じ扱いを受けるのは心外だった。

その上、昨日とはうって変ったように役人たちは部屋に寄りつかなくなった。その気配で自分たちと気軽に口をきかぬように命じられてきたとわかる。

「まるで座敷牢《ざしきろう》ではございませぬか」

西は眼に怒りの色を含ませて縁側から外を見おろしていた。役人たちがそれとなく警戒しているのが感じられた。

西陽のさしこむ部屋に坐《すわ》って侍は、なぜこのような仕打ちを受けるのかかすかに想像できた。自分たちが使者衆としてのお役目を果さなかったからか。だが、果さなかったのではなく、果せなかったことは、話せば御評定所も納得してくれるであろう。

このように寺から一歩も外に出ずに過した三日後の朝、顔を見せなくなっていた役人があわただしく部屋に入ってきて、

「津村さまが本日、お越しになられます」

と告げた。

その午後、侍は西やそれぞれの従者と共に寺の前に並び、津村さまの御一行をお待ちした。やがて浜からこの寺にのぼる坂路《さかみち》に人々の足音や馬のいななきが聞え、津村さまと五、六人の供の者の笠《かさ》が見えてきた。頭をさげる侍や西のそばをこの御重臣は無言のまま通りすぎて寺のなかに姿を消した。

それから長い間、待たされた。津村さまは寺のなかで改めて侍たちの帰国の模様、その人数、名前などを詳しく聞いておられるようだった。やがて役人が呼びに来て、二人は御詮議《ごせんぎ》を受けることになった。

津村さまの着座されている座敷に入ると、この御重臣はじっと視線を彼らに注がれた。たびたびの戦で鍛えられた眼光は鋭く強かった。傍に三人の供の者が控えていたが、侍はそのなかに、メヒコで別れたあの松木忠作の痩《や》せた姿を見つけた。驚愕《きょうがく》と懐かしさとのこもった侍の視線を避けて、松木はなぜか縁側に顔を向けていた。

「長旅、苦労であった。一日も早う、故郷《くに》に戻りたかろうな」と津村さまは、まず二人を労《ねぎら》った。「だが、藩は御公儀により、昨年より異国より戻る者は誰でも取り調べねばならぬ。役目の上のことと心得よ」

それから津村さまは、侍たちを乗せた船が、なぜ、長崎にも堺にも寄らず、そのまま月ノ浦に来たのかとまず訊ねられた。侍は、あの船は台湾という支那の島で荷をおろし、そのまま北上してノベスパニヤに戻る船だったと答えた。

その船に宣教師や修道士らしき者はいなかったか、ひそかに途中で日本に上陸した者の気配はなかったか、と津村さまは次々と質問される。

「ございませぬ」

ようやく侍は自分の長い留守の間、藩がどれほどきびしい切支丹禁制を布《し》いたかを御重臣の表情と声とでひしひしと感じた。自分と西とがエスパニヤで切支丹に帰依《きえ》したことを素直に言うべきか否《いな》か、彼は動揺しはじめた。

「ベラスコは如何《いかが》いたした」

「マニラにて、相別れ申しました」

「そのマニラでベラスコは何を致しておったか」

津村さまは執拗《しつよう》にベラスコのことをお訊ねになる。

「ふたたび、日本に参ると申したか」

侍は強く首をふった。ベラスコがメヒコやマニラで洩らした告白を、勿論《もちろん》、はっきり憶えてはいたが、今、口に出してはならぬと思ったのである。

「藩はもうベラスコに用はない。江戸は、切支丹を奉ずることを日本国中、隅々まで禁じられた。切支丹を教え広める者は殿も御領内にお入れにはならぬ。ベラスコも同じである」

侍は額から汗がにじむのを感じた。隣に正座した西の膝《ひざ》が痙攣《けいれん》したように動くのも感じた。

「供の者で切支丹に帰依した者はおらぬか」

「おりませぬ」

侍の声は上ずっていた。

「確かであろうな」

侍はうつむいたまま黙っていた。

「それでよい」津村さまははじめてこの時、微笑された。「お前たちと旅を共にした商人たちは、かの地で切支丹に帰依したそうだが、これは商いの利のため、方便のためゆえ、起請文《きしょうもん》を書かせて許された。だがお前たちは侍である。さればそのこと、とりわけ案じておった」

侍は津村さまの傍らに坐った松木の視線を痛いほど感じた。メヒコを発った時、この男に言われた言葉を彼は苦々しく思いだした。松木は相変らず眼をそらしている。

「殿のお考えも評定所の所存も変ったと思え。藩はもはや南蛮の船を迎え、その利を得ようとは思わぬ。ノベスパニヤと取引きする気持も棄《す》てた」

「では……」と侍はひきしぼるような声を出した。「我らをお使いとされました次第も……」

「時勢が変ったのだ。お前たちの南蛮への長旅はさぞかし辛苦であったろう。が、評定所は今はノベスパニヤに用はない。海を渡る大船もいらぬ」

「では……我らのお役目は……」

「お役目など、もうないのだ」

侍は膝頭が震えるのを怺《こら》えた。怒りの声と呻《うめ》きとが咽喉に出るのを抑えた。口惜しさと悲しみとがこみあげてくるのを手を握りしめて耐えた。自分たちのあの旅がまったく意味がなく、役にもたたなかったのだと津村さまは事もなげに言われる。では何のために自分たちはノベスパニヤの果てしない荒野を横切り、エスパニヤをめぐり、そしてローマにまで渡ったのだろう。ベラクルスの林のなかでわびしく埋められた田中太郎左衛門。田中の死。あれは一体、何だったのだろう。

「私も……」とうつむいたまま侍は、「私も西九助も、そのこと……思い及びませんでした」

「知る筈はあるまい。評定所にもお前らに知らせる手段《てだて》はなかった」

もし誰もいなかったならば、侍は自分たちのなした無意味さを声をたてて嗤《わら》いたかった。その時、彼と同じように拳《こぶし》を膝にあて、うつむいていた西が叫んだ。彼の顔は真青だった。

「愚かにございました、我らは」

「お前たちの咎《とが》ではあるまい」津村さまはいたわるように、「切支丹禁制の御公儀がすべてを変えたのだ」

「その切支丹に、私は帰依いたしました」

西の絶叫に津村さまは突然、顔をあげ、白けた空気が座敷に流れ、沈黙が続いた。松木だけがその沈黙のなかではじめて、眼をこちらにむけた。

「まことか」やがて津村さまは低い声を出された。「それは……」

「本心からではございませぬ」侍はまだ何かを叫ぼうとする西を必死で抑え、「お役目を果すために都合よし、と思うたからにございます」

「長谷倉も帰依したのか」

「はい。だが商人たちと同様、本心からではございませぬ」

津村さまは黙ったまま、鋭い眼で侍と西とを凝視された。やがて彼が供の者に手で合図されると、着座していた一人が、部屋を先に滑り出た。津村さまは立ちあがられ、他の者たちがあとに続いた。衣服が乾いた音をたてた。松木は最後に部屋を出ようとして急に足をとめ、侍をちらと見て姿を消した。

とり残された侍と西とは先程と同じように膝に手をおいたまま、正座していた。部屋のなかは静かで、陽は縁側から板の間にのびている。

「私は……」西は泪《なみだ》を眼にいっぱい溜《た》め、「申してはならぬことを、申してしまいました」

「もうよい。いずれは、御評定所にわかることだった」

(お前が大声で切支丹に帰依したと叫んだ気持は俺にはわかる)そう言いかけて侍は口を噤《つぐ》んだ。自分もまた言いようのない口惜しさと恨みとを、津村さまと津村さまの背後にある御評定所と、御評定所の背後にある大きな力とにぶつけたかったのだ。

「どうなりましょう、これから」

「知らぬ。津村さまがお決めになろう」

「これが……」西は泣き笑いのような顔を見せ、「我らへの恩賞でございましょうか」

(いや、俺たちの運命だったのだ)と侍の心のなかで呟《つぶや》くものがあった。その運命は月ノ浦を船出した時から決っていた。侍はそれを自分がずっと昔から知っていたという気さえした。

与蔵たち供の者を月ノ浦に残し、津村さまの御一行に従って侍と西とは御評定所に旅の経過を報告し、宗門改役に切支丹を棄てる誓詞を出すために出発した。すべて津村さまの御命令によるものである。

殿のお城は彼らが留守の間に拡張されていた。濠《ほり》の周囲には新しい真白な角櫓《すみやぐら》が建ち、九州の名護屋城より移したという大手門がその入口に威圧的にたちふさがってい た。そこをくぐると、刀のように反りかえった石垣と不気味な銃眼を持った壁とが行手を幾重にも遮っていた。建物の一つに侍と西とは入れられた。

板敷の部屋は黒光りしている。昼だというのに暗く物音もせぬ。内部にはただ垂直に近い階段があるほかは空虚《うつろ》である。

「今はこの暗さが」と西が囁《ささや》いた。「辛《つら》く思われます」

「どういう意味だ」

「ノベスパニヤやエスパニヤの建物は、あかるく陽がさしこみ、このお城のようではございませんでした。男も女も笑いながら語っておりました。だが、ここではみだりに話し、みだりに笑うことはできませぬ。殿もどこにおられるのかわかりませぬ」

西は真実、深い溜息を洩らした。

「そして我らは生きている限り、この暗さから逃れられませぬ。この暗さのなかで御重臣は御重臣、御一門衆は御一門衆、寄親は寄親、私のような召出衆は生涯、召出衆として生きるのでございましょう」

「俺たちは、見てはならぬものを……見てしまったのであろう」

そう、これが日本だった。銃眼のように小さな窓しかない壁。窓は来る者を監視するためにあり、あの広い世界を見るためではなかった。侍は白石さまに会いたかった。白石さまか石田さまならば、津村さまのように自分たちをきびしく凝視なさらぬであろう。使者衆としての役目が果せなかった事情《ことわり》もお察しくださり、温かいねぎらいの言葉もかけてくださろう。

だが足音をたてて姿を見せたのは、宗門改役の大塚さまと役人だった。叔父のように瘦せこけたこの年寄りは改めて二人に、なぜ切支丹に帰依したかをお訊《たず》ねになった。

「ノベスパニヤにてもエスパニヤにても、切支丹に帰依いたさねばお役目は捗《はかど》りませぬゆえ」

と侍はくわしく説明した。ベラスコのことも田中の死も語り終え、

「すべてはお役目のためにございました」

と訴えた。

「切支丹のことも表むきにございました。供の者たちも……同じにございます」

「今は毛ほども信心する心はないな」

「信心ははじめより致しておりませぬ」

「起請文にそれを書きしるすがよい。それをな」

大塚さまは二人をあわれむように見て、「それをな」とくりかえされた。役人が小机と紙と筆とを二人の前におき起請文を書かされた。

筆を動かしながら侍は、あの両手をひろげた痩せて醜い男の姿を思い出した。長い旅の間、行く先々の町で、行く先々の修道院で、毎日、毎夜、眼にせねばならなかったあの男。もとよりあの男を信じたことはない。あの男を敬う気持になったこともない。それなのに今、あの男のため、このような迷惑を蒙《こうむ》っている。あの男が自分の運命を変えようとしている。

起請文を書いた後、建物を出て、御評定所のある別の建物に行かされた。だが御重臣たちは一人もお見えでなく、ここではただ三人の役人が事務的に侍と西から旅の話

を聞いただけだった。いたわる気配もなく、労をねぎらう言葉も彼らの口からは出なかった。そう二人を扱うように御評定所から指図されているようだった。

「白石さま、石田さまより、御伝言はありませぬか」

たまりかねて侍が訊ねると、役人はひややかに、承っておりませぬ、お目通りも必要ございませぬと答え、その代り、

「この後は当分、御両名、お交際《つきあい》は御無用と存じます」

それが御評定所の御命令だと伝えた。

「なぜこの西九助と交際《つきあい》、ならぬと申されるのか」

西が拳を握りしめてつめよると、

「かりそめにも、一度、切支丹に帰依した者は、たがいに交わらぬよう、藩は決めております」

うす笑いさえ浮べて役人は言い放った。そして、このまま宿舎に戻り、帰郷することも勝手であると言った。

城中すべて、二人の帰国を迷惑に思い、黙殺していることが、この言葉とこの扱いでよくわかった。御重臣たちが二人を引見することを避けておられるのもはっきりと感じられた。大手門まで見送る者さえ一人もない。小石のように見棄てられたまま侍

と西とは建物を出た。石を敷いた路《みち》に両側から木洩《こも》れ陽がおち、銃眼がつめたくこちらをじっと見ている。この御城内で殿がどこにおられるのか、わからない。二人が帰国したことも御存知ないかもしれぬ。

大手門までの人影のない坂路を、黙々とおりながら、

「黒川の土地か……」

侍は突然、ひとりごちた。このお役目、首尾よく果せば黒川の土地のこと、勘考しようと仰《おお》せられた石田さまのお言葉を思いだしたのである。白石さま、石田さまは自分たちの帰国をもう御存知であろうのに。なぜ御引見くださらぬのだろう。

黒い水を湛《たた》えた濠のそばの宿舎に戻っても、侍にも西にも話しあう気力さえなかった。何もかもがわからない。明日、自分たちは月ノ浦に戻り、そこからそれぞれ供の者を連れて知行地《ちぎょうち》に帰る。

「当分は相会うこともできぬのか」侍は眼をしばたたいた。「が、それが御指図とあらば従わねばならぬ。いずれはわかって頂けるであろう」

「納得できませぬ。御評定所のこのたびのお仕打ち、口惜しゅうございます」

宿舎に戻ったあとも、言っても無駄な言葉と恨んでも仕方のない愚痴とを若い西は夕方まで繰りかえしている。

夜になった。夕食をすませたあとも膝をかかえていじけている西のそばで、侍は燭《しょく》台《だい》の炎をたよりに旅日記をしたためた。ひとつ、ひとつの文字にさまざまな思いが去来し、さまざまな風景やその風景の色彩も匂《にお》いも甦《よみがえ》った。ひとつ、ひとつの文字や行間には尽きせぬ感慨や悲しみがにじんだ。燭台の炎がゆれ、時々、乾いた小さな音をたてた。

客がきた。鳥の影のような客の姿が雨漏りの染《し》みのついた壁に動いた。松木忠作だった。

「別れをな、言いに参った」

この前と同じように眼をそらして松木は壁に靠《もた》れた。眼をそらしているのは、自分が二人と運命を共にしなかったことに拘泥《こだわ》っているためか、あるいは今の二人を見るに忍びないためなのか、わからない。

侍も西も黙っていると、松木は弁解するように、

「これからは、旅のことは何もかもなかったように振る舞うことだ」

「できませぬ」西は恨みを眼にこめた。「御評定所の徒目《かちめ》付《つけ》におなりになったとか。御出世でございますな。我らは松木さまのように上手には世を渡れませぬ」

「西、甘えるな。あのこと、幾度も船中にて教えた筈《はず》だぞ。御評定所では旅についての御意見が分れ、白石さまと鮎貝さまとではお考えも違うている、と繰りかえし戒めておいた。それを聞かなかったのは……お前ではないか」

「白石さまはどうなされている」

横から侍は二人をなだめるように口を入れた。

「まだ筆頭でおられるのか」

「御評定所を去られた。今は鮎貝さまたちが藩を取り仕切っておられる」

「それゆえ我らはこのような扱いを受けるのでございますか。御評定所から、いたわりのお言葉も頂けませんでした」

西は頬をゆがめ更に突っかかった。その西に松木はつめたい黙殺するような眼をむけて、

「それが政《まつりごと》というものではないか」

「政とは何でございます」

「あたらしい御評定所はな、白石さまたちのお考えだったものを総《すべ》て否《いな》まねばならぬ。白石さまの企てられたことは悉《ことごと》く消さねばならぬ。気の毒だが……その企ての徴《しるし》となった者も、たとえ何も知らされなかったにせよ、裁き、否む。それが政の世界だ」

「召出衆《めしだししゅう》の私には……政などわかりませぬ。ただ使者衆になるようにとの御指図に従い……」

うつむいてまた西は両肩を震わしはじめた。松木はそれを見ぬように顔をそむけ、

「なあ、西。今でもお前は使者衆だったと思うているのか。使者衆を装《よそお》わされた囮《おとり》にすぎなかったと、気づいてもおらぬのか」

むしろ、いたわるように呟いた。

「囮とはどういうことだ」

思わず侍は驚きのあまり声をあげた。たじろいだ松木は、

「江戸も藩もあの時――ノベスパニヤとの取引きを第一の目論見《もくろみ》とはしておらなかった。日本に戻ってな、俺はこのことわかって参ったのだが……」

「何を言う」

「聞け。まして切支丹の僧を招く気なども毛頭なかった。江戸が藩を使うて知りたかったのはな、まず大船の造り方、大船の動かし方。大船が渡る海の航路《みち》で、それなればこそあまたの水手《かこ》を商人に交えて乗せたのだ。商人も俺たちもな、そのための囮よ。南蛮人を怪しませぬための囮であるゆえに然《しか》るべき方々ではなく、どこで死のうと朽ち果てようと、一向にかまわぬ身分ひくい召出衆をやはり使者衆に選んだのだ」

「それが政か」と西は狂ったように膝頭《ひざがしら》を拳《こぶし》で打った。「それが御政道と申すものか」

「御政道とはそのようなものだ。今の俺はそう思う。四年前には善きことも、今日に役立たねば、悪として裁かねばならぬ。それが御政道だ。白石さまの御領内富国のお考えはあの折、藩のためには正しかった。だが御公儀が一藩の富むことを悦《よろこ》ばぬ今となっては、白石さまのお考えは悪と変ったのだ。白石さまは御評定所を追われ、その御知行も減らされた。当然のことだ。御政道とはそのようなものだ」

西と同じように侍もまた手を握りしめ、燭台の炎を睨《にら》みつけていた。爪《つめ》が食いこむほど手を握りしめねば、この口惜しさは抑え切れない。あの石田さまの思いやりあるお言葉。石田さまの優しげな笑顔。

「召出衆でも、人間ぞ」

はじめて侍はこの時、傷ついた獣のような呻《うめ》き声をあげた。

「人間ぞ、召出衆も」

「御政道は戦のように烈《はげ》しいものだ。召出衆の悲しみを考えて戦はできぬ」

「殿も……そのお気持か」

御評定所や御重臣がどうであろうと、殿がそのようなお考えを抱いておられると侍は思いたくなかった。侍は遠くからしか殿を見たことがない。殿は侍のような召出衆の手の届かぬところにおられた。だがその殿のために侍の一族、侍の父、侍の叔父は身を粉にして戦ってきた。一族のなかにはその殿のために命を失った者もいる。殿は決してあの両手をひろげたみじめな痩《や》せこけた男のように無力ではない。それらすべてを御存知の筈である。

「殿？」松木はあわれむように呟いた。「殿こそは、政ではないか」

雲が切れ目なく空を覆《おお》い、時折、林が身ぶるいして雨滴を落した。その林のなかで蓑《みの》をつけた百姓が一人、枝を切っていた。

囲炉裏のそばで侍も枯枝を折っていた。傍らで叔父が囲炉裏の火をじっと見つめている。両手で折った枯枝は鈍い音をたてて二つになる。それを囲炉裏のなかに放りこむ。小さな舌のような炎が燃えあがる。

(旅のことは何もかもなかったように振る舞うことだ)

松木忠作が憐《あわ》れむように言った言葉をまだはっきり憶《おぼ》えている。忘れること、すべて無かったと思うこと。たしかにそのほかには、滅入《めい》ったこの心を元に戻すものはない。自分たちが名誉ある使者衆ではなく、ただ南蛮の国々を欺《あざむ》く囮にすぎなかったこと、それを考えても今はどうしようもない。御評定所のなかで白石さまと他の御重臣たちとの確執があり、そして白石さまがお力を失ったこと、御政道とはそのようなものだという松木の言葉を今は侍は納得できた。仕方のないことだと思った。だがあれほど甥《おい》の手柄にすべての期待をかけていた叔父の暗い顔を見ること——それが悲しかった。妻のりくは寂しそうに微笑《ほほえ》んでいるだけである。お城での首尾についても、今後、行末のことについても何も訊ねない。何事もなかったように振る舞ってくれる。しかしそんなりくの優しさがわかるだけに、かえって辛《つら》い時もあった。

「石田さまは……」

ある夜、枯枝を折る侍のそばで叔父はたまりかねたように訊ねた。

「石田さまからは、まだ何のお声もかからぬのか」

「布沢も今は刈り入れにございます。忙しさが終れば、きっとお呼びもございましょう」

寄親である石田さまさえも、侍の帰国以後、何のお達しもくださらぬ。なぜか、この長谷倉の家と関わることを避けておられるようにみえる。与蔵を使いに出し、御挨《あい》摋《さつ》のこと、お目通りのことなどを願ったが、折を見て知らせようという御返事だけが戻ってきた。誰もかれもがよそよそしいなかで、石田さままでが自分を遠ざけておられるとはどうしても思いたくなかった。

（世界は広うございました。しかし、私には、もう人間が信じられのうなりました）

それは、御城下から月ノ浦に戻り相別れた時、こみあげる恨みを抑えるように馬の手綱を両手で強く握りしめて西九助が洩らした言葉だった。怒りのこもったその声が侍の耳に甦ることがある。そう、自分たち二人は、何も知らず、何も気づかず、広い世界を歩かされていたのだ。江戸は藩を使おうとし、藩はベラスコを利用しようとし、ベラスコもまた藩を欺こうとし、ペテロ会はポーロ会と醜く争う、そういう瞞着《まんちゃく》、争いのなかで自分たち二人はあの長い旅を続けていたのだ。

「もしや、石田さまも……」と叔父は力なく呟《つぶや》いた。「我らの家をお見棄《みす》てではないのか」

昔の叔父はこんなに弱々しい声を出さなかった。叔父は囲炉裏のそばで、晩秋の虫のように力なく動いている炎をいつも虚《うつ》ろに見つめる。その体も昔にくらべ、ずっと小さくなった。信じてもいない言葉を侍は懸命に口にして、この年寄りをなだめる。りくはそのそばで眼を伏せ、二人の話を聞いている。彼女はすべての嘘《うそ》を知りながら、嘘をつかねばならぬ夫があまりにあわれなのか、席をたつこともあった。しかし、とみに弱ったこの叔父を一日でも長く生かすためには侍は嘘をつき続けねばならない。黒川の土地、先祖伝来の土地に戻って死ぬことだけが、この老人の痼疾《こしつ》のような欲望なのだ。

こうして叔父とさし向いになるのがあまりに辛い日は、侍は百姓たちにまじって、朝から夜まで何も考えず体を使った。家形《やかた》の周りに塀のように積みあげた薪を背がまがるほど背負い、肩の痛さに耐えながら山路を炭焼き小屋まで運ぶことが、今はただ一つの逃げ路だった。彼のあとを与蔵も同じように股引《ももひき》をはき、薪の山を背負って黙々と従《つ》いてくる。この男が今、どんな思いをしているのか、帰国後、侍は訊ねたことはない。だが訊ねなくても、叢《くさむら》にさびしい金色の陽が落ち、山栗《やまぐり》の実があちこちに転がっている窪地《くぼち》に腰をおろして一息入れる時、だまってじっと一点を見つめている彼の眼差《まなざ》しだけで何もかもわかるのだった。

(この俺よりも)と侍は茸《きのこ》を指でつまみながら考える。(与蔵たちのほうが更にあわれだ)

侍は与蔵や一助、大助のあの旅の労にたいして何も酬《むく》いてやれない。御評定所が長谷倉の家に何の恩賞の沙汰《さた》も与えなかったからである。与蔵たちはひょっとすると、死んだ清八を羨《うらや》んでいるのかもしれぬ。あの男はそれなりの自由は得たのだ。だが与蔵たちは今後、侍と同じように生涯、むかしのままの運命のなかで生きていかねばならない。

秋が次第に深まった頃、やっと石田さまからのお使いがあった。色々と申しつけたきことがあるゆえ目だたぬよう参れ、とのお達しである。

与蔵一人をつれて布沢に出かけた。石田さまの館《やかた》をかこむ濠《ほり》の水は濁り、腐った蓮《はす》や水草がきたならしく浮んでいる。御評定所で力を失った失意のわびしさが、その褐色に色あせた蓮の葉や水草にはっきりと感じられた。

「よう、来た」

咳《せ》きこみながら石田さまは平伏している侍をじっと見つめた。顔をあげた侍は、石田さまも叔父と同じように随分と老《ふ》け、恰幅《かっぷく》のよかった体も痩せられたのを知った。

「さぞ……」しばらく沈黙した後、石田さまは、くたびれたような声で、「さぞ……無念であろう」

こみあげる感情を侍は懸命に抑えた。帰国してはじめて、優しいいたわりの言葉を聞いたからである。声をあげて泣きたかった。無念にございます……その衝動を怺《こら》え、両手を膝についたまま頭をさげていた。

「だが……どうにもならぬ。お前のおらぬ間、藩の取り決めは変り、殿もすべての夢を棄てられた。お前も……黒川の土地のこと、諦《あきら》めてくれ」

覚悟はしていたものの、石田さまからこの宣告を受けた時、叔父の歯のぬけた顔がまぶたをかすめた。

「かりそめにも不服の念、持つではないぞ。このこと、叔父にもはっきり申しきかすがよい。一時にせよ、切支丹《キリシタン》に帰依《きえ》した者の家がそのままゆるされたこと、有難いことと思わねばならぬ」

「あれは、お役目のために……ございました」

俺は切支丹など信心してはいなかった。決して信じようとも思わなかった。すべてお役目のためだったと侍は泪《なみだ》のにじんだ眼だけで必死に石田さまに訴えた。

「だがな、切支丹であるゆえに千松殿、川村殿のお家さえも知行召し上げられたことを思え」

「千松さま、川村さまのお家が」

初耳だった。千松家、川村家は長谷倉の家よりはるかに格式高い血筋である。特に川村家の川村孫兵衛殿は藩内の灌漑《かんがい》、植林に功をたてられ、猿沢、早股、大鉤など三千余石を加増されたお方なのだ。そのお家さえも、切支丹であったため、取り潰《つぶ》されたとは、侍は知らなかった。

「そのこと、心得てな」石田さまはさとすように、「これからはな、ひっそりと生きていくことだ」

「ひっそりと……でございますか」

「そう、目だたずにな。かりにも切支丹と疑われてはならぬ。そしてこのわしもこれからはお前をかばうこともできぬ。むかし殿はこの石田の家を戦の駆引きに使われたが、時勢変れば小石のごとくお見棄てになった。恨みを申しているのではない。殿は政《まつりごと》というものをよう御存知だわ」石田さまは痰《たん》のからんだ声をたてて自嘲《じちょう》するように笑った。「お前も同じではないか。あの年、召出衆の身でありながら南蛮へ向う使者衆として選ばれ、今は目だたずに生きねばならぬ。人と人との間はそのように冷たく、そのようにむごいものであることを、よう考えてな……そのことをお前に言いとうて……今日、呼んだのだ」

うつむいたまま侍は、この寄親の沈んだ声をじっと聞いていた。寄親は侍にではなく、おのれの悲しみと怒りとを抑えるために話しているようだった。

夕暮、布沢を去った。耳には石田さまの嗄《しわが》れた声がまだ残っている。連れてきた与蔵が馬のあとをとぼとぼと従いてくる。ひっそりと目だたずにあの谷戸で生きること、それがこれからの侍の人生だった。

その夜、谷戸に戻ると、何も知らぬ叔父には、ただ南蛮の国々のお話を申し上げてきたと伝えた。本当は石田さまはそれらの国々のこと、旅の模様さえ一言もお訊《たず》ねにならなかったのだ。石田さまだけではなく藩のすべての者がもう遠い国のことなどに興味を失っていた。

「では黒川の土地のことはともかく」叔父は覚悟していたのか、眼をつぶった。「恩賞の沙汰について一言も仰《おお》せにならなかったのか」

「今は、どうにもならぬ。時機を待つよう仰せられました」

叔父の生き甲斐《がい》をたち切ることは侍にはできない。かすかな希望がまだ残されているように言わねばならぬ。嘘は舌に苦かったが、侍はこの言葉を抑揚のない声で言った。喜怒哀楽をあらわさぬ彼の顔がこんな時、役にたった。

皆が寝しずまった囲炉裏のそばで旅から持ちかえった文箱《ふばこ》をあけた。幾度も海の水をかぶり、ノベスパニヤの暑い陽にさらされた文箱である。石田さまの仰せに従って、切支丹の匂《にお》いのする物いっさいを焼き棄てねばならぬ。文箱のなかには、行く先々の修道院で、神父《パードレ》や修道士《イルマン》が思い出に自分の名や旅の安全を祈る言葉を書いてくれた紙や、彼らが祈禱書《きとうしょ》に入れる小さな聖画が入っている。そんな詰らぬものでも帰国すれば女や子供たちが驚き悦ぶと思って、棄てもせずにとっておいたのだ。

侍はそれらの紙と絵とを破り、囲炉裏の灰に投じた。御評定所がこの紙や絵までも疑い、手掛りにするかもしれぬからである。それらの縁がめくれあがり、栗色に変り、やがて小さな炎が動いて消えた。

谷戸の夜はふかかった。谷戸の夜を知らぬ者は、本当の闇《やみ》と闇の沈黙とはわからない。静寂とは音がせぬことではなかった。静寂とは、裏の林の葉ずれの音、時折、聞える鳥の鋭い鳴き声、そして囲炉裏の小さな炎にじっと向きあっている男の影だった。

「世界は広うございました。しかし、私には、もう人間が信じられのうなりました」

西九助の言葉を、囲炉裏の灰を見つめながら、侍は嚙《か》みしめる。「これからはな、目だたずにひっそりと生きていくことだ」石田さまのお言葉も彼は考える。西と石田さまとが、今、この夜、自分と同じように黙然とうなだれている姿も思い浮べた。

文箱の底から、小さな古い紙束が出てきた。ノベスパニヤのテカリの沼のそばで、あの日本人が別れぎわ、そっとくれたものである。髪を辮髪《べんぱつ》にしたあの男はもうインディオたちとあの沼を去ってどこかに行っただろうか。それともあの暑くるしい沼のほとりで息を引き取っただろうか。世界は広かったが、結局、その広い世界でも、この谷戸と同じように人間は悲しみに潰されていた。

その人、我等のかたわらにまします。
その人、我等が苦患《くげん》の歎《なげ》きに耳かたむけ、
その人、我等と共に泪ぐまれ、
その人、我等に申さるるには、
現世《うつせみ》に泣く者こそ倖《さいわい》なれ、その者、天《パライソ》の国にて微笑まん。

その人とは針金のように痩《や》せ、力なく両手を拡《ひろ》げて釘づけにされ、首垂《うなだ》れたあの男だった。侍はまたも眼をとじ、あのノベスパニヤやエスパニヤの宿舎で、毎夜、壁の上から自分を見おろしていたあの男の姿を思いうかべた。今はなぜか昔ほど蔑《さげす》みも隔たりも感じない。むしろあわれなこの男が囲炉裏のそばでつくねんと坐《すわ》った自分のそれに似ているような気さえする。

「その人、現世《うつせみ》に在《ま》します時、多くの旅をなされ、傲《おご》れる者、力ある者はたずね給《たま》わず、ひたすら貧しき者、病める者ばかりを訪《おとな》われ、それらの者たちとのみ語らわした。病める者の死する夜は、傍らに坐り、夜のあけるまでその手を握られて、生き残る者と共に泪ぐまれ……おのれは人に仕えるためにこの世に生れしぞと申され……」

「ここに、長き年月、身を売りて生きる女あり。湖を渡りてその人の来《きた》り給うを聞き伝えり。走り、宿に行き、その人のそばに参り、ひとことも言いあえず、ただ泪、流れるのみ。泪、その人の足をほとほとぬらす。その人、申さるるには、この泪にてすべて足れり。神《デウス》は汝《なんじ》のあわれさ、悲しさを知れり。もはや案ずることなかれと」

鳥が狂ったようにどこかで、一声、二声鳴くのが聞えた。枯枝を折って囲炉裏に放りこむと、小さな炎はけだるそうに身を起し、枯葉をたべはじめた。

侍はあの辮髪の男がテカリの小屋のなかでこの紙に文字を書きつづけている姿を想像した。夜のテカリの沼はこの谷戸の夜と同じように闇ふかいだろう。辮髪の男がなぜこんなことを書かねばならなかったのかは、侍にも漠然とわかるような気がする。あの男は自分だけの「その人」がほしかったのだ。ノベスパニヤの教会で豊かな司祭たちが説く基督《キリスト》ではなくて、見棄てられた自分とインディオたちのそばにいてくれる「その人」がほしかったのだ。「その人、我等のかたわらにましますす。その人、我等が苦患の歎きに耳かたむけ、その人、我等と共に泪ぐまれ……」侍にはこの拙《つたな》い文字を書きつづったあの男の顔が見えるような気がする。

帰国してはじめての冬が近づいてきた。家形を囲む雑木林からは、毎日、枯葉が粉雪のように散っていたが、ある日、気がついてみると、林はすっかり透けて網の目のように銀色の裸の枝が交錯していた。

侍は相変らず与蔵たち下男を連れて山に木を切りに行った。切った木は薪にして家の周りに土塁のように積みあげるか、炭に焼くかがこの谷戸の習わしである。皆と同じように筒袖《つつそで》のハンギリに、股引をはいた彼は一日中、鉈《なた》で枯枝を割り、鋸《のこぎり》で幹を切った。体だけを使えば何も考えずにすんだ。切った枯枝の山を背負い、与蔵たちと家形に戻る時、彼は一歩、一歩、足を動かしながら石田さまのお言葉を呟いた。「ひっそりと目だたずにな、ひっそりと目だたずにな」

仕事の間、侍は思い出したように、黙々と働いている与蔵に眼をやることがあった。谷戸のすべての男たちと同じように喜怒哀楽を見せぬこの男は、主人と顔が合っても無表情にみかえすだけである。だが侍は与蔵の眼に自分と同じ諦めが深く沈んでいるのを知っていた。

この忠実な男にも侍は帰国以来、受けた仕打ちや恨みをうちあけたことはなかった。与蔵もまた何も訊ねはしない。だが侍は彼だけが自分の哀《かな》しみを誰よりも――妻のりくよりも――知っているという気がした。長かった旅の労苦をわかちあった与蔵がそばにいるだけで僅《わず》かだが心が慰められた。

この時期、谷戸では稗《ひえ》のとり入れも大根の収穫もとっくに終り、裸の田畠に馬小屋の敷藁《しきわら》にする枯草の束が照る照る坊主《ぼうず》のような恰好をして立てられていた。やがてその枯草を運べば正月まで炭焼きのほかに大きな仕事はない。

秋じまいといっているそんな最後の仕事がやっと片付いたある日、侍は谷戸の空に白い影が舞っているのを見た。

彼のそばで次男の権四郎が、

「しらどり」

と声をあげた。

「そうだな」

侍はうなずいた。旅の間、この大きな白い鳥の舞うのを幾度となく彼は夢にみた。

その翌日、侍は与蔵を連れ、城山の麓《ふもと》の沼まで山路《やまみち》をのぼった。昔、地侍の小さな砦《とりで》のあったこの丘陵は、枯れた灌木《かんぼく》に覆われ、その一角に沼がひっそりかくれている。沼まで近づくと、四、五羽の小鴨《こがも》が飛びたった。

すべて夢で見たものと同じ光景だった。弱い陽のあたった水面にあまたの小鴨が集まり、笛のような声を出し、嘴《くちばし》と嘴とを触れあっては離れ、列をつくって岸まで泳いでくる。その小鴨の群れから少し離れて暗緑色の首をした真鴨の群れがいる。小鴨とちがってこの鳥は群れをなしては飛びあがらない。一羽ずつ飛びたつのだ。泳ぎながら時折、しらどりはそれら群小の鳥とは別に沼の奥で悠々と泳いでいた。長い首を左右にふって水面に入れる。そして顔をあげた時、その黄色い嘴に銀色の小魚が光った。泳ぎつかれると、岸で羽を大きくひろげ、羽づくろいをしている。鳥たちがどこから来たのか、なぜ、こんな小さな沼を長い冬の居場所として選んだのかわからぬが、旅の途中、力つきて飢え、死んだのもいるのだろう。

「この鳥も」侍は眼をしばたたいて呟《つぶや》いた。「ひろい海を渡り、あまたの国を見たのであろうな」

与蔵は両手を膝《ひざ》の上に組みあわせ、水面をみつめていた。

「思えば……長い旅であった」

言葉はそれで途切れた。この言葉を呟いた時、侍はもう与蔵に何も言うべきことはないように思えた。辛《つら》かったのは旅だけではなかった。自分の過去も、与蔵の過去も、同じように辛い人生の連続だったと侍は言いたかった。

風が吹き、沼の陽のさす水面に小波《さざなみ》が動くと、鴨もしらどりも向きを変えて静かに移動しはじめた。うつむいた与蔵が眼をかたくつぶり、万感の思いを怺《こら》えているのが侍にはよくわかった。彼にはこの忠実な下男の横顔がふと、あの男に似ているようにさえ思われた。あの男も与蔵のように首を垂れ、すべてを怺えているようだった。

「その人、我等のかたわらにまします。その人、我等が苦患の歎きに耳かたむけ……」

与蔵は昔も今も侍を決して見棄《みす》てなかった。侍の影のようにあとを従《つ》いてきてくれた。そして主人の苦しみに一言も口をはさまなかった。

「俺は形ばかりで切支丹になったと思うてきた。今でもその気持は変らぬ。だが御政道の何かを知ってから、時折、あの男のことを考える。なぜ、あの国々ではどの家にもあの男のあわれな像が置かれているのか、わかった気さえする。人間の心のどこかには、生涯、共にいてくれるもの、裏切らぬもの、離れぬものを——たとえ、それが病みほうけた犬でもいい——求める願いがあるのだな。あの男は人間にとってそのようなあわれな犬になってくれたのだ」

自分に言いきかせるように侍はくりかえした。

「そう、あの男は共にいてくれる犬になってくれたのだ。テカリの沼であの日本人が書いた紙にこう書いてあった。あの男が生前、その仲間にこう申した、と。おのれは人に仕えるためにこの世に生れ参った、と」

この時、うつむいていた与蔵がはじめて顔をあげた。そして今の主人の言葉を嚙みしめるように沼に眼をむけた。

「信心しているのか、切支丹を」

と侍は小さな声でたずねた。

「はい」

と与蔵は答えた。

「人には申すなよ」

与蔵はうなずいた。

「春になればな、渡り鳥はここから去るが、我らは生涯、谷戸からは離れられぬ」侍は話題をかえるために笑い声をわざとまじえ、「谷戸は我らの生き場所ぞ」

あまたの国を歩いた。大きな海も横切った。それなのに結局、自分が戻ってきたのは土地が痩せ、貧しい村しかないここだという実感が今更のように胸にこみあげてくる。それでいいのだと侍は思う。ひろい世界、あまたの国、大きな海。だが人間はどこでも変りなかった。どこにも争いがあり、駆引きや術策が働いていた。それは殿のお城のなかでもベラスコたちの生きる宗門世界でも同じだった。侍は自分が見たのは、あまたの土地、あまたの国、あまたの町ではなく、結局は人間のどうにもならぬ宿業《しゅくごう》だと思った。そしてその人間の宿業の上にあのやせこけた醜い男が手足を釘づけにされて首を垂れていた。「我等、悲しみの谷に泪して御身にすがり奉《たてまつ》る」テカリの修道士はその書物《かきもの》の最後にそんな言葉を書いていた。このあわれな谷戸とひろい世界とはどこが違うのだろう。谷戸は世界であり、自分たちなのだと侍は与蔵に語りたかったが、うまく言えなかった。

（日本《ハポン》。迫害の嵐《あらし》が吹き、神に敵意しか持たぬ日本《ハポン》。それなのになぜ私はお前に心ひかれるのか。お前のもとになぜ戻ろうとするのか）

六月十二日、支那人《しなじん》のジャンクに乗って私は一年住んだルソンを出発した。マニラに追放された日本人信徒たちが数名、秘《ひそ》かに必要な金を作ってくれた。その金で私は白蟻《しろあり》の食ったこのジャンクを買い乗組員たちを雇って、ルソンを出発することができたのである。

主イエスがこの私の暴挙をどのようにお考えになられるかはわからない。主のお望みが私の生涯をあのマニラの修道院長の席に結びつけることにあったのか、それとも再度、日本に行って戦うことだったのか、今の私には見通すことさえできない。だが私は確信している。やがて主がその答えをはっきりと示してくださるだろうと。そして主がその答えを示してくださる時、私は温和《おとな》しくすべてに従うだろう。

私は自分のこの行為を暴挙と書いた。切支丹に迫害と弾圧を行っているあの日本にまた戻る。それはたしかに他人の眼から見れば愚挙にちがいない。マニラに追放された日本人たちも私の計画をはじめて聞いた時、首をふってそれを暴挙だと言った。もし上陸して直ちに捕えられれば、何の役にもたたぬ愚かしい行為だと言った。

だがもし私の行為が暴挙であり、愚行ならば主イエスのエルサレム行きもまた暴挙ではなかったのか。主は大祭司カヤパたちに殺されるとお知りになりながら、ユダの荒野から弟子たちの先頭にたってエルサレムに上られた。その時、主は御自分の流される血が人間のために役に立つと思われたからだ。「ひと、その友のために命を棄つるほど、大いなる愛はなし」

私は今、その御言葉を思う。私が命を棄てねばならぬ友とはマニラの修道院のなかで静かに祈っているあの仲間の修道士たちではない。私の友とは雄勝の浜で木屑《きくず》をその襤褸衣《ぼろぎれ》につけて告悔《コンヒサン》を求めてきた男のような日本の信徒たちである。「安心するがい い。もうすぐ誰もがお前の信心を笑わなくなる日が来るだろう」と私は彼に教えた。あの男は今、どこで生きているだろう。私は彼に嘘《うそ》をついた。日本には切支丹が誇りをもって切支丹と言える日は遂《つい》に来なかった。だが私はあの男を忘れてはいない。彼のためにもマニラの修道院で、安穏にミサをあげうつくしい説教をすることはできないのだ。

順調な航海が続く。毎日、私は日本《ハポン》のために祈る。ルソンで別れたあの日本人の使者たちのために祈る。襤褸衣をつけた男のために祈る。今日までの私の半生はあの不毛の国と結びつけられてきた。私はそこに神の葡萄《ぶどう》の樹《き》を植えようとして失敗した。にもかかわらずこの土地は私の土地だ。神のために私が征服せねばならぬ土地だ。不毛の土地ゆえに私はこの日本に心ひかれる。

東に峨々《がが》たる岩の島を点々と見た。波はその岩に高い飛沫《しぶき》をあげて霧となって散っている。この場所を昔、通過したことがある。台湾南端なのだ。やがて我々は琉球《りゅうきゅう》の島々の横を通り、難所として知られている七島列島を通過して、日本の薩摩《さつま》の南に近づくだろう。

航海は相変らず順調である。この数日、私は使徒行伝に書かれている聖ポーロの最後の船旅を思い出している。ポーロは最後の旅でローマでの自分の殉教を予感し、暴君ネロの支配するあの国に死を覚悟しながら向ったのだろうか。使徒行伝はそれを露《あらわ》には書いてないが、私は行間ににじみでるものでポーロが受難とみじめな死とを予感していたような気がしてならないのだ。

若い頃から私は十二使徒たちよりも――たとえば主の愛したもうたペテロよりも――なぜかはるかにポーロに心ひかれてきた。なぜならこの聖者には私と似た烈《はげ》しい性格も、烈しい征服欲も、烈しい情熱もあるからだ。そして私とそっくりの欠点さえあるからだ。彼はその強さと烈しさとのためにペテロをはじめ多くの人を傷つけた。信念のためには十二使徒たちと争うことさえ拒まなかった。その生涯を回顧すると、そこには私とそっくりの長所と欠点とが屢々《しばしば》見つけられるような気がする。しかも事なかれ主義で優柔不断の十二使徒たちをポーロは決して心の底では認めようとはしなかった。それは日本の布教にたいしてすっかり臆病《おくびょう》になっているペテロ会を私が許せないのとそっくりだ。十二使徒たちの仲間はこのポーロに陰険な中傷を浴びせたが、これもペテロ会が私にとった態度によく似ている。そのくせ、結局、使徒たちはこのポーロの努力、すさまじい異邦人への布教のおかげで、教会の力をユダヤの外に拡《ひろ》げることができたのだ。同じようにペテロ会の会士たちがいかに私を弾圧しようと、私が日本の布教に役に立たなかったと、どうして言えるだろう。

使徒行伝の最後に書かれたポーロの説教、とりわけ彼が引用したイザヤ書の美しい言葉を私は今日、甲板の風のなかで幾度も口にした。

この民のもとに行きて、告げよ。
あなたがたは、たしかに耳で聞きはするが決して悟らないのだ。
たしかに眼で見てはいるが、決してわからないのだ。

その耳は遠く、
その眼はつぶっているからである。
その耳で聞き、
その心で悟り、
立ちかえって私に癒《いや》されることのないためである。

一昨日、嵐が我々を追いかけてきた。波は白い牙《きば》をむき出し、泡立ち、風は強く帆綱を軋《きし》ませ、そして空は一面、鉛色で雲の切れ目がない。支那人たちはおそらく七島列島の近くでこの嵐に巻きこまれるだろうと騒いでいた。私は万一の場合に備え、絶対に必要な聖務日禱《にっとう》の本とこの覚書とミサのためのパンと葡萄酒とを小さな包みにして、それだけは身から離すまいと考えていた。

午後の海は更に荒れはじめたので、支那人たちは七島列島の口之島《くちのしま》に避難することに決め、その方向にジャンクの進路を向けた。午後三時頃からすさまじい雨と風とがすべてに叩《たた》きつけはじめた。帆は吹き飛ばされ、ジャンクは波に高く持ちあげられたかと思うと、次には深い谷間におちこむ。我々は海に投げとばされぬために互いに綱で体をつなぎあい、甲板に襲いかかってくる波に耐えていた。

四時間の嵐は、我々のジャンクを翻弄《ほんろう》した揚句、日本の方角に向けて去っていった。ジャンクの舵《かじ》はもう使いものにならなくなっている。我々は闇《やみ》の海のなかをなす術《すべ》もなく朝がたまで漂っていた。そして昨日とはうって変ったような静かな朝が来た時、朝の陽光にきらめく海の向うに口之島がやっと見えた。まもなく日本人たちの漁師が小舟を漕《こ》いで助けに来てくれた。

私は今、その漁師たちの小屋にいる。私を坊ノ津に向う商人だと思いこんだ彼らは食べ物をくれ、着るものを貸してくれた。

嵐のあと、すべてがぬぐわれたような青空である。島は死火山の島で、三つの峰にわかれた巨大な山が眼前にそびえている。火山灰でできたただ一つの小さな浜に三十戸ほどの漁師の家があり、それがこの島のすべての住人だ。ここには日本の役人たちはいない。島民の話によると、年に一度、薩摩から役人たちがくるが、彼らはすぐに琉球に巡察に向うそうだ。

何も知らぬ島民たちは、我々が元気になれば自分たちの舟で坊ノ津まで送ってくれると申し出てくれたが、支那人たちは、ジャンクの舵が修理できそうだと言っている。

(戻りました。口之島を出て四日目、日本《ハポン》を今、眼前にしています。主のために征服すべき日本《ハポン》を)

さきほど円錐形《えんすいけい》の山が東にみえた。小さな富士のような山だ。何という山かわからなかった。海は暑い陽に反射していて、浜も白く人影はない。背後はジャングルのように灌木《かんぼく》で覆《おお》われている。

しばらく浜にそって西にジャンクが移動すると、岬のかげに十戸ほどのみすぼらしい日本人漁師の家が並んでいた。浜には三隻《せき》の舟が引きあげられている。左側に黒い火山岩を積みかさねた石畳と舟つき場がある。ここにも人間の姿はない。まるで疫病《えきびょう》か何かがあって住民がすべて立ち去ったかのようである。

支那人たちはここでおりるように奨《すす》めたが、私は躊躇《ちゅうちょ》していた。しずまりかえったこの集落の気配がなぜか不気味である。漁師の小屋の黒い影のなかに誰かがかくれ、じっと我々の動きを窺《うかが》っている気がしたのだ。その者たちは、見られぬように役人に連絡しにいったようにさえ思われた。私はこういう場合の日本人の狡猾《こうかつ》さと機敏さとを知っていたのだ。

かなりの時間がたった。その間、すべてがまるでこの暑さと沈黙の時間とのなかで凝固したように動かない。ようやく私は上陸の覚悟をきめて支那人たちに告げた。舟が少しずつ舟つき場のほうに動きはじめ、小さな包みを（それは嵐の午後、私がこれだけは身から離すまいと思った品々である）持って私が舟端に立った時、東側の岬のかげから突然、舟があらわれた。旗にはここの領主の紋章が染められ、立ちあがってこちら側を凝視している二人の役人の姿も見えた。

彼らは我々の動きをさきほどから知っていたのだ。私は急いで聖務日禱の本とミサのための葡萄酒の瓶など、見つけられてはならぬ品々を入れた包みを海に落した。私は、坊ノ津に向う商人だが船が難破したまま漂流していたのだ、と言うだろう。

（今、彼らの舟はこちらに向って近づいています。もうすぐ主がお定めくださった私の運命がはっきりと致します。すべて主の御心《みこころ》のままに。天よ、地よ、神に向って悦《よろこ》び、叫べ。御名の栄光をほめたたえ、神への讃美《さんび》を栄光にかがやかせよ……）

神がこの私に何を望まれているかがわかった以上、身を委《ゆだ》ねよう。それは決して弱々しい諦《あきら》めではなく、主イエスが十字架で身をもって示されたあの絶対的信頼なのだから。

私は捕えられた。坊ノ津の役人たちは、私たちにだまされるほど愚鈍ではなかった。商人であるという私の言葉を信じるふりをしながら、詮議《せんぎ》がすむまでという理由で牢《ろう》獄《ごく》に入れた。牢のなかには何人かの切支丹信徒も入れられていて、役人たちは我々の会話をひそかに聞いていたのだ。一人の老いた病人が私にそっと終油の秘蹟《ひせき》を求めた。それがいっさいを発覚させる切っ掛けになった。

私は坊ノ津の牢から出されて鹿児島に連れていかれ、そこで冬まで取り調べを受け、正月に舟で長崎奉行所に連行された。今は長崎に近い大村という場所にいる。静かな海が見える土地だ。

私たちのほかにここにはドミニコ会のバスケス神父と日本人の修道士《イルマン》、ルイス笹田とがいる。我々を閉じこめている獄舎は幅十六パルモ、長さ二十四パルモほどの広さで、丸太で組まれ、指二本がはいるぐらいの格子《こうし》の隅に、番人が出入りする戸があるが、勿論《もちろん》、そこには鍵《かぎ》がかけられている。

取り調べで外に出された時にわかったが、牢獄の周りは先端を鋭く削った杭《くい》で二重に囲まれ、杭と杭との間には茨《いばら》をつめて外部の者が入れぬように作ってあった。この柵《さく》の外側に藁《わら》ぶきの番人小屋、番人頭の家、それに炊事場があった。

炊事場はあっても、毎日の食べ物は米のほか菜一椀《わん》、生か塩漬の大根で、時には塩漬の鰯《いわし》をくれる。散髪や髭《ひげ》をそることも許されないから我々はまるで隠者のような姿をしている。外で洗濯をするのは禁じられているから、不潔そのものだし、とりわけ苦痛なのは用便もこのなかでたさねばならぬことである。そのため、耐えがたい悪臭のなかで、毎日、息をしているのだ。夜になっても手燭《てしょく》ひとつつくれない。

バスケス神父たちから、私が捕えられた以後の宣教師の迫害の模様を聞く。バスケス神父のひそんでいたあたりにも十人の宣教師がかくれているそうである。彼らは少数ながらも追放以前と同じように上司の命令に従って行動することになっていて、その大半は洞穴などにかくれ、たとえ信徒の家で夜を過すことがあっても二重壁を作ってもらい、そこに身をひそめている。

「私もその二重壁のなかで夜を送った」とバスケス神父は教えてくれた。「夜まで眠り、家を出て次の家に行くが、どの家も一晩以上はいないことに決めていた。呼ばれた家にいくとまず病人の罪の告白をきく、そしてひそかに信徒が集まってくると彼らを励まし、罪の許しを与える。それは町の家々の木戸のしまる時刻まで続く」

だがそのように用心しても長崎奉行所のほうも腕をこまねいてはいなかった。大祭司カヤパが主を売ったユダに賞金を与えたように、潜伏司祭や修道士の居場所を密告した者には褒美《ほうび》が与えられ、また逆に部屋や居場所を貸したりその逃亡を手伝った者は極刑に処せられた。切支丹《キリシタン》と発覚した者には棄教を強いるためだけではなく、宣教師の隠れ場所を白状させるためのすさまじい拷問《ごうもん》が加えられた。

「辛かったのは」とバスケス神父は言った。「自分の教え子である日本人信徒さえ信じられなくなったことだった。信じられると思った者でもいつ棄教するかわからない。だから信徒にも私は自分の居場所を打ち明けなかった。打ち明けた翌日、奉行所の役人に襲われた司祭もいたからだ。誰一人も信用できぬ毎日、それが地獄だった」

私は同僚だったディエゴ神父の生死をたずねた。いつも泣きはらしたように眼を赤くした、無能だが善良そのもののディエゴの顔を私は忘れてはいない。

「ディエゴ神父は病死されました」ルイス笹田が教えてくれた。「国外追放のために我々が長崎の近くの福田に集められた時です。墓などはありません。役人がその死体を焼いて海に棄《す》てたのです。日本人の役人は切支丹だった者が少しでも何かを残さぬように灰にして海に棄てるのです」

「私たちもやがて灰にされ、海に棄てられるだろう」

秋の柔らかな光を吸いこむ果実のように、神がくださったこの運命を静かに受け入れよう。私はやがて待っている自分の死をもう敗北とは思わない。日本と戦い、日本に敗れ……私はまたあのビロウドの椅子《いす》に腰かけていた小肥《こぶと》りの老人をまぶたに甦《よみがえ》らせる。あの老人は私たちに勝ったと思ったかもしれぬ。しかし彼には我々の主イエスが大祭司カヤパの政治の世界では敗れ、十字架で殺されながら、その死によってすべてを逆転なされた意味が永久にわからなかっただろう。私を消滅させ灰にして海に投げ棄てれば、片付いたと考えただろう。だがそこからすべては始まるのだ。主イエスの十字架の死と共にすべてが開始され動きだしたように。そして私は日本という泥沼のなかにおかれる踏み石の一つになるだろう。やがて私という踏み石の上に立って、別の宣教師が次の踏み石となってくれるだろう。

闇のなかでルソンで別れた長谷倉や西、そして亡《な》き田中のために祈る。長谷倉や西が今、どこにいて、何をしているかはわからない。彼らが切支丹の信仰を心に多少でも持ったかどうかもわからない。ただあの旅の間、私が彼らに犯したさまざまな過失を——たとえそれが私の善意や信念から出たものにせよ——許してほしいと心から思う気持が毎日つのるばかりである。たしかに私は彼らをおどし、すかし、なだめ、利用した。彼らを切支丹にさせたのもひょっとするとそれを利用するためだったかもしれぬ。彼らは結局、主と関係してしまったのだ。主と関係してしまったこと、それだけが今は私の大きな慰めとなっている。彼らに申し訳ないという痛切な後悔と共に、それでよかったのだという感情もこみあげてくる。なぜなら一度、主と関わった者を主は決して手放し給《たま》わぬからだ。

(主よ、どうか長谷倉や西や田中をお見棄てくださいますな。その代り彼らを利用したわが罪の償いのためにもまた彼らのまことの救いのためにも、私の生命をお召しくださいまし。そしてもし、それが許されるならば、私の画策が彼らの国、日本に光を与えるためだったと理解してくださいますように)

バスケス神父が病に倒れた。牢内の悪臭と粗食とに前から体の不調を訴えていた彼は、三日前から食べ物を吐くようになり起きあがることもできなくなった。薬をくれるように頼んだが、番人は木の根を煎《せん》じたものを入れた土瓶を持ってきただけで医者を呼ぼうともしない。仕方なく私とルイス笹田とがバスケス神父の額に泥水で濡《ぬ》らした手拭《てぬぐい》をのせその熱を鎮《しず》めている。

もし処刑の日が長びけば、遅かれ早かれ私たちも同じように病に倒れるだろう。その運命を受け入れようとしても、時として死の恐怖が鋭い刃のように胸をえぐる。主もまた死の不安に耐えながら時間を過されたのだと私は必死に考える。この頃、その時期におけるイエスの御心をあれこれと考えるのだ。いつ頃からイエスが御自分の死を予感されたのか、そしてどのようにしてそれに耐え給うたのかを思いめぐらせるのだ。

主は御自分の死を弟子たちに予告された。「我には受くべき、死の洗礼《バプティスマ》あり。そが遂げらるるまで、我が苦しみ、如何《いか》ばかりぞや」

「そが遂げらるるまで、我が苦しみ、如何ばかりぞや」この御言葉は主さえも今の私たちと同じような思いをされたことを示している。私はそのためにやっと慰められる。

　だが主はその死を通過されることでこの世界のあたらしい秩序を作られた。人間世界の背後に永遠の秩序を創造し給うた。私もまた主に倣《なら》い、この命をこの日本に捧《ささ》げることによって、この血をこの日本に注ぐことによって、その秩序に加わるのである。

「我、地上に火を放たんと来《きた》れり」

　これも主の御言葉である。（日本《ハポン》よ、私も火を放つために日本に来たのだ。今日まで現世の利や、現世の至福しか望まなかった日本《ハポン》よ。お前ほどそれ以外のものに無関心で無感動な国はこの世界にない。その狡猾さとその智慧《ちえ》をいつも現世の利だけに向けていた日本《ハポン》よ。蜥蜴《とかげ》が餌《えさ》を狙《ねら》うように素早く動く日本《ハポン》よ）

（日本《ハポン》よ、私はその日本に火を放つために来たのだ。今のお前にはこの私がなぜすべてを棄てて舟に乗り、お前のもとに来たのかわかるまい。今のお前にはすべてに失敗した私がただ死ぬためにふたたびお前のもとにあらわれた、その理由がわかるまい。今のお前には主イエスが、火を放つために、敵の待ちうけているエルサレムに姿をみせられ、ゴルゴタの丘で死に給うた理由がわかるまい）

　だが一度、主と関わった者を主はお見放しにならない。（主よ、どうか日本をお見棄てくださいますな。その代り、この国を利用したわが罪の償いのためにもこの国の

まことの救いのためにも、私の生命をお召しくださいまし)

死の恐怖。バスケス神父を看病している昼は、私はすべての運命を受け入れたいと思うが、本当のところ、番人が手燭もくれぬ夜が来て、排泄物《はいせつぶつ》の悪臭がこもったこの闇《やみ》のなかでバスケス神父の呻《うめ》き声を耳にしていると、死の恐怖が胸をえぐる、この胸を、鋭い爪《つめ》で。私は汗をにじませる。血のような汗を。(父よ、思召《おぼしめ》しならば)と私は呻く。(この死の杯を我より、とり除き給え)

死の恐怖。真夜中、バスケス神父が死んだ。それはこの日本に来てドミニコ会の優れた宣教師として神を説きつづけた彼には相応《ふさわ》しからぬみじめな死にかただった。私と修道士のルイス笹田とは彼の獣のような咆哮《ほうこう》と呻きを一声、聞いた。それが彼がこの地上から永遠に別離する最後の声だった。手さぐりで彼の眼をとじ(見えなかったのは有難かった。それは、恨みをこめて大きく見開かれているような気さえした)祈りを唱えた。あのインディオの青年や田中のために唱えたのと同じ祈りを……。

朝がた、番人が筵《むしろ》で神父の死体を包み、運び去った。筵から出た彼の手足は針金のように痩《や》せほそり、垢《あか》にまみれ、泥がこびりついていた。それをルイス笹田と目撃した時、天啓のように私にひらめくものがあった。これが地上の現実なのだ。地上の現実は、いかに誤魔化そうが、美化しようが、垢にまみれ、泥がこびりついたバスケス神父の死体のように悲惨なものなのだ。そして主はその悲惨な現実をお避けにならなかった。主もまた汗と垢だらけのまま死に給うたからだ。そしてその死によってその地上の現実に突如、光を与えられた。

今にして思えば私のすべての挫折《ざせつ》は、主がこの現実を私に直視させるためにお与えになったような気さえする。私の自惚《うぬぼれ》、私の自尊心、私の傲岸《ごうがん》、私の征服欲がいつの間にか美化していたものを粉砕して、地上の本当の姿を見させるためにあったような気さえする。だが主の死がその現実を光で貫いたように、私の死がやがて日本を貫くために……。

バスケス神父は焼かれて灰となり、その灰は海に投げ棄てられるだろう。何人かの宣教師は日本人によってみな同じようにされたのだから。

今日も取り調べがあった。取り調べというより、長崎の宗門奉行所の役人が棄教を(それを日本人は転びという)形式的に奨《すす》めるだけである。だが彼も私たちが転ぶとは考えていないし、こちらもただ首をふるだけだった。だが今日は彼は別のことを調べにかかった。私と同行した長谷倉と西とが、かの地で切支丹に帰依《きえ》したのは、彼らの本心からかどうかを訊《たず》ねてきたのである。私は二人の安全を考えて、

「あの方がたはお役目のため帰依されたのでございます」

「では」と役人はじっと私の眼を見て、「切支丹とは申せぬのだな」

私は黙った。どんな形であれ洗礼を受けた者には、当人の意志を超えて秘蹟の力がはたらく。黙っている私を見て役人は紙に何かを書きつけた。

「なあ……愚かしいと思わぬか」

帰りがけ、役人はあわれむように私の顔をじっと眺めた。

「お前も温和《おとな》しゅうルソンに留まっておればな、切支丹のため、人のため、役にも立ったであろうに……無益《むやく》に捕えられ殺されるためにこの日本に参ったようなものだ。狂気としか思えぬ」

「狂気ではございませぬ」私は微笑して答えた。「思えばそれが私の治せぬ性《さが》でございました。仏僧たちの申すあの業《ごう》のようなものでございました。そう、業だった。そ

んな気がいたします。だが今は神が私の業をこの日本のためにお使いくださったと考えております」

「日本のために」役人は更にふしぎそうに、「どう使ったというのだ」

「あなたさまのお訊ねがもうその答えにございます」私は力をこめて言った。それは彼を説得するためだけではなく自分にもはっきりと言いきかせるためだった。「あなたさまは私の無益な行いを愚かしいと申されました。よく、わかります。だがなぜそのような愚かしい業《わざ》をこの私が知りつつ行ったか。なぜ、狂気にみえることをこの私が承知でやったか。死ぬと覚悟してこの日本に参ったか――いつかお考えくださいまし。その問いをあなたさまやこの日本に残して死んでいくだけでも、私にはこの世に生きた意味がございました」

「合点いかぬ」

「私は生きました……私はとにかく、生きたのでございます。悔いはございませぬ」

役人は黙りこんで去っていった。牢《ろう》に戻る時、番人に海を見せてほしいと頼むと許してくれた。牢を囲む杭《くい》のそばで、私は冬の海を凝視した。

午後の陽を受けて海はきらめいていた。まるい島がいくつか点在していた。舟は見えず、静かだった。それがバスケス神父の墓地であり、他の多くの宣教師の墓地だった。そしてやがては私の墓地となる場所だった……。

初雪が降ると谷戸では塩ぬきの団子を作り、茅《ちがや》を三本さして仏に供える習わしがある。供えた団子は鍋《なべ》で煮て家族でたべる。たべる時、団子を誰よりも早く取り出した者に果報がくるという。家形《やかた》でもりくが女たちを指図して大鍋を囲炉裏にかけた。次男の権四郎が団子をあて、久しぶりに囲炉裏の周りに笑い声が起った。

だがその翌日、石田さまからお使いがあり、御評定所の御沙汰《さた》があるゆえ、慎んで待つようにと知らせてきた。召出衆《めしだししゅう》への城からの御沙汰はすべて直接には参らず、寄親《よりおや》を通して来るのである。

ひょっとして黒川の土地のことではないかと、秋の終りから病床に伏している叔父は相変らず同じことを繰りかえした。それともこのたびの旅の労苦を殿がねぎらってくださるのかと下男を送ってしつこく訊ねてくる。だが侍はなぜか良い知らせとは思えなかった。

数日後、二人の役人が来た。役人が、掃き清められた家形に入り、衣服を改めるため別室に姿を消している間、侍もりくに手伝わせて紋服に着がえ、座敷の端に正座して待った。

上座にあらわれた役人の一人は「御沙汰」とひくい声を出して、御評定所決定の御書状を読みあげた。

「長谷倉六右衛門、南蛮にて切支丹宗門に帰依の事、不屈之段、きつくお咎《とが》めのあるべき処《ところ》、格別の御計らいを以《もっ》て、謹慎の事、仰《おお》せ付けらるるもの也《なり》」

両手を床につき、平伏したまま侍はこのお言葉を承った。承りながら彼は自分が虚《こ》空《くう》を落下していくような気がした。もう口惜しさも起らないほど疲れきっていた。彼はいつもの癖でくぼんだ眼をしばたたきながら、役人の口頭による説明を聞いた。鮎《あゆ》貝《がい》さま、津村さまの御慈悲により、謹慎は谷戸の外に出てはならぬことだけにする。そして年に一度、切支丹を棄《す》てたという誓詞を御評定所に差し出さねばならぬと役人はつけ加えた。

「胸中、お察し申す」

役目がすむと役人たちは義務的に慰めの言葉をかけた。そしてその一人が馬に乗る時、そっと教えてくれた。

「内密だがな、松木忠作からの伝言がある。ベラスコが薩摩にて捕えられた由《よし》、江戸から御評定所に通知があったのだ。その知らせさえなければ、かかる厳しい御沙汰もなかったやもしれぬ」

「ベラスコ殿が」

その時も侍は眼をしばたたいただけだった。

「ただ今は長崎奉行所に送られ、大村にて他の伴天連《バテレン》と入牢《じゅろう》しているそうな。まだ転んではおらぬと聞いた」

役人が引きあげたあと、彼は紋服のまま夕闇の忍びよった座敷に坐《すわ》っていた。火の気のない座敷はつめたかった。侍は役人の言葉を思いだし、あの傲岸な、自尊心の強い南蛮人が転ぶ筈《はず》はない、あの男ならどんな責苦や拷問《ごうもん》にもおのれを棄てる筈はない、と考えた。

（そうか、日本に来たのか……）

それはルソンで別れた時からもうわかっていたことだった。あの南蛮人の烈《はげ》しい情熱が静かな平穏な生活に耐えられる筈はなかった。そしてその烈しい情熱は旅の間、幾度となく侍や田中や西を傷つけた。その旅の間、侍はあの男が日本人の自分たちとは違った南蛮の人間であることをいつも感じ、長い間、親しむことができなかった。

かすかな気配を感じた。顔をむけると、廊下にりくが坐っている。夕闇のなかでりくの肩が震えて、こみあげる感情を必死で怺《こら》えている。

「案ずるな」彼はやさしく妻に声をかけた。「長谷倉の家が絶えなかったことと与蔵たちにはお咎めのなかったことは、有難う思わねばならぬ」

その日から侍は皆が寝しずまったあとも一人、枯枝に動く炎を見つめることが多くなった。西はどうしているだろう。同じ御沙汰を受けたであろうが、もとより何の連絡もない。つぶった眼にはその西たちと馬を並べて横切ったノベスパニヤの光景がひとつ、ひとつ通りすぎていく。燃える円盤のような太陽、竜舌蘭《マゲイ》やサボテンのはえた荒野、山羊《やぎ》の群れ、辮髪のインディオたちが耕していた畠《はたけ》。まことに自分はあのような光景を見たのだろうか。夢をみていたのではないだろうか。そしてまだ夢のなかにいるのではないだろうか。彼が泊った修道院の壁にはいつも、あの醜い、痩せこけた男が両手をひろげて首垂《うなだ》れていた。

(俺は)と侍は枯枝を折りながら思った。(大きな海を二つわたり、王に会うため、エスパニヤまで出かけた。それなのに王には会えず、あの男ばかり見させられた)

その時、侍は南蛮の国々であの男が「主」と呼ばれていることをふと思いだした。

だがこんな男がなぜ主とか王とか呼ばれるのかは、旅の間中、遂《つい》にわからなかったのだ。わかったことは運命が彼を現実の王ではなく、谷戸にも時折、物乞《ものご》いにくる浮浪者に似たあの男にめぐりあわせたことだけだった……。

正月、謹慎の身だったが元旦《がんたん》を祝った。谷戸ではどの家も握り飯に箸《はし》を突きさしたものを籠《かご》の中に並べて仏壇の前におくが、侍の家形ではそのほか、年神さまに餅《もち》をそなえ、オタテギといって束にして真中に小松をさした薪を入口に飾るのが代々の習慣だった。

本家の彼の家には分家、別家の者が祝いをのべにくるのも慣わしだが、今年は事情ゆえにとりやめにした。いつもなら必ず顔をみせる叔父も病気のためにあらわれない。ただ元服した勘三郎が大人っぽく正月の挨拶《あいさつ》をして侍を悦《よろこ》ばせた。

だがそれでも正月は正月だった。屋根の雪、軒の氷柱《つらら》から滴《したた》りおちる水がたのしげに音をたて、権四郎が竹馬にのって遊んでいる声が馬小屋のあたりからきこえた。

時折、銃声が遠くから谷戸に反響してくる。正月だけは渡り鳥を撃つことを藩が許しているので勘三郎が沼に百姓を連れて行ったらしい。銃声の反響はいつまでも谷戸のなかに残る。

百姓が獲《と》った鴨《かも》を持ってきた。土間に放りだされた数羽の鴨にまじってあのしらどりが一羽いた。

「しらどりは撃つなと申したに」

侍は勘三郎を呼んで叱《しか》った。旅の間、おのれの身に重ねてこのしらどりの夢をみたことを思いだしたからである。

しらどりの体は既に硬直してわずかに臭気が漂っていた。とりあげるとその腹部の白い羽毛が二つ、三つ、土間に雪のように舞いおちた。赤黒い血と泥とが首をよごしている。それは長い首をあの男のように力なく侍の両手から垂らしていた。眼には灰色の膜が覆《おお》っている。なぜか侍はこの時も自分の不吉な運命を想《おも》った。

一月の終り、叔父が死んだ。分家に駆けつけて見ると叔父の体は子供のように小さくなり、その頰肉もすっかり削《そ》げていたが、穏やかだった。そのどこからもあの黒川の土地への執着は消えたようにさえ侍には思われた。

残雪の覆った白田の道をガンバコと呼ばれる棺を真中にして葬《とむら》いの行列が山の麓《ふもと》まで続いた。父もそこに埋めた墓地にガンバコを入れ、雪と泥とのまじった黒土をかぶせた。侍は寄親の石田さまに使いをやり叔父の死を知らせた。

谷戸の凍《し》み雪の上を風が泣くような声をあげて吹きぬける夜が続いた。その時、石田さまから急にお使いがあった。叔父が死んだ時も御評定所に遠慮されてか、労《いたわ》りの言葉もくださらなかった。寄親から俄《にわ》かにお声がかかったのは謹慎が解けたからではないかとりくは言い、侍もふと、そんな気さえした。谷戸の外に出てはならぬという御評定所の決定があるにもかかわらず、石田さまは供一人を伴い布沢に参るよう、特に指図されたからである。

このたびも与蔵を連れ布沢に向った。路《みち》はさむく、時折、鉛色の雪空からうすら陽のさすことはあっても、林から風に吹かれた粉雪がたびたび彼らの顔にあたった。あつい氷のはった川にそって馬を進めながら、侍はこの路を幾度、往復したろうかと思った。公役《くやく》の御指図を受けた時、黒川の土地戻しの嘆願書を出した時、その土地を諦《あきら》めよと言われて重い心を抱いて帰った時。さまざまな思い出のしみこんだ路である。そしてそのいずれの時にも、与蔵と共にこの路を通った。

侍は時折、馬上からふりかえって黙々とうしろに従《つ》いてくる与蔵の姿をみた。この土地で角巻と言われる合羽《かっぱ》を着た与蔵はあの長かった旅の時と同じように彼から離れなかった。「冷えるのう」と侍はいたわりをこめて下男に声をかけた。

布沢に着いた時、風はあったが、空は晴れていた。晴れた空の下、白い山脈《やまなみ》が遠くまで連なり、見わたす限りの畠は凍み雪に覆われていた。ここは谷戸と違って耕すべき土地は広く、水の利もよいのだ。

石田さまの館《やかた》の濠《ほり》は凍っていた。雪をずっしりとかぶった藁屋根《わらやね》の軒から白い歯のような氷柱がさがっている。与蔵を庭に残し、侍は控えの間の板敷で長い間待った。

「六か」

石田さまはかすれた声をかけて上座に坐られると、

「もろもろのこと無念であったろう。折をみて墓参りもしたいと思うておる。だがな、長谷倉の家の絶えなかったことだけでも良しと思わねばならぬぞ」

(私が何をしたのでございますか)声は咽喉《のど》まで出かかったが侍は抑えた。口に出しても無駄なことだった。

「お前の罪咎《つみとが》ではない。運がわるかったのだ。藩がな……」

石田さまはそこでお言葉を切り、

「藩がお前をそのように扱わねば……申し開きができのうなってな」

石田さまは鼻をつまらせて、

合点がいかず、面をあげて侍は恨めしげに寄親を眺め、

「申し開きと申されますと」

「江戸への申し開きだ。江戸は今、何かと口実を設け、次々と大藩をとり潰《つぶ》しにかかりおる。殿が関東より逃げて参った切支丹を長い間留めおかれたことも、ベラスコの望みを容《い》れノベスパニヤへの御書状に切支丹の僧を馳走《ちそう》すると書かれたことも、江戸は今となって責めたてて参っておるのだ。藩はしかとした申し開きをせねばならぬ」

侍はつめたい床に両手をついたまま声も出なかった。ひとしずくの大粒の泪《なみだ》が落ちた。

「お前はな、政《まつりごと》の変り目に運わるう巻きこまれた」

溜息《ためいき》をつき、鼻をつまらせて石田さまは、

「口惜しかろう。お前の口惜しさはこの老人が誰よりもわかっておるぞ」

面をあげたまま、侍は石田さまのお顔を凝視した。やさしげな声、やさしげな顔に嘘《うそ》を感じた。老人の表情にも、つまった鼻声や殊更《ことさら》らしい溜息にも嘘を感じた。この方には何ひとつ、自分の無念さ、口惜しさはわかっていないのだ。わかったふりをしているだけだ。

「だがな、六。長谷倉の家門は決して絶やさぬぞ。それだけは御評定所も鮎貝さまもお許しくださった」

石田さまは先程と同じお言葉を強い調子でくりかえされた。

「勘三郎のこともな……充分、心くばりを致すゆえ……」

侍には老人がなぜ急にそのお言葉を口にされたのか不審だった。

「恨むなよ」

「恨みなど…… いたしませぬ」

「あたらしい御沙汰がある」

重荷を放り棄てるように一気にそう告げると、石田さまはよろめくように立ちあがって姿を消された。足音がした。そして、いつぞや谷戸に来た御評定所の役人があらわれた。

「御沙汰」

いつぞやのように平伏した侍の頭上で役人の声は聞えた。

「邪宗門に帰依《きえ》したる故《ゆえ》、再吟味致すに付、このまま評定所に出頭致すべく……」

障子をしめた廊下で何人かの男が息をこらしているのが侍にはわかった。それはもし侍がその御沙汰にかくされたものを感じ、逆上した場合、彼を捕えるために待っている男たちだった。

妻と勘三郎とに宛《あ》てた手紙を書き終え、頭髪を少し切ってその手紙に入れた。そして彼のそばで待っている石田さまの御用人に頼んだ。

「小者の与蔵をよんでくだされ」

用人が部屋を出ると彼は膝《ひざ》に手をおいて眼をつぶった。御評定所の役人と石田さまは奥の別室におられるに違いないが、館のなかは静かだった。

時々、藁ぶきの屋根から重みに耐えかねた雪が滑り落ちる音がする。その鈍い音が消えると、静寂は更に深まった。

「お前はな、政の変り目に運わるう巻きこまれた」耳にはさきほどの石田さまのお声がまだはっきりと残っていた。「口惜しかろう。お前の口惜しさはこの老人が誰よりもわかっておるぞ」

そして役人はこの間と同じように最後につけ加えた。

「お役目とは申せ、辛《つろ》うござる」

侍は身じろぎもしなかった。この館のなかは奇妙に静かだが、彼の心には何らかの感情を起す気力も失《う》せていた。再吟味。再吟味など口実にすぎなかった。弁明も釈明も既に津村さま、大塚さまに幾度も申しあげた。「藩がお前をそのように扱わねば、江戸に申し開きができのうなった」石田さまが言われたお言葉も耳に甦《よみがえ》ってくる。すべては初めから決っており、その決った轍《わだち》の上を自分は動かされていく。暗い虚空のなかに落されていく。

雪が屋根できしみ、また滑り落ちた。その音は侍に帆綱の軋《きし》む音を思い出させた。帆綱が軋み、白い海猫が鋭い声をあげて飛びかい、波が船腹にぶつかり、大きな海に向って出帆したあの瞬間、あの瞬間から運命はこうなると決っていた。長い旅は彼を今、運ぶところまで運ぼうとしている。

与蔵がいつの間にか雪の庭に正座してうつむいていた。彼は用人からすべてを知らされたにちがいなかった。眼をしばたたきながら侍はしばらくこの忠実だった下男をみつめ、「今日までの苦労……」

と言って咽喉をつまらせた。

与蔵は主人が今日までの苦労を忝《かたじけ》ないと言ったのか、今日までの苦労が恨めしいと呟《つぶや》いたのか、聞きとれなかった。そしてその主人が、用人と立ちあがる気配を頭上で感じた。

侍は屋根のむこうに雪が舞うのを見た。舞う雪はあの谷戸のしらどりのように思えた。遠い国から谷戸に来て、また遠い国に去る渡り鳥。あまたの国、あまたの町を見た鳥。あれが彼だった。そして今、彼はまだ知らぬ別の国に……。

「ここからは……あの方がお供なされます」

突然、背後で与蔵の引きしぼるような声が聞えた。

「ここからは……あの方が、お仕えなされます」

侍はたちどまり、ふりかえって大きくうなずいた。そして黒光りするつめたい廊下を、彼の旅の終りに向って進んでいった。

処刑執行の日が決った。前日、ベラスコと修道士のルイス笹田とは特に許されて番人の監視のもとに体を清め、あたらしい獄衣に着がえた。番人の言葉を借りると、それも奉行所の「格別の御慈悲」ということだった。垢《あか》だらけの体は痩《や》せほそり、肋骨《ろっこつ》もういている。最後の夜の食事にも、その格別の御慈悲によって、いつもの菜一椀《わん》のほかに腐ったような一匹の魚が加えられた。最後の食事というのは、番人の説明によると、処刑の朝は囚人に朝食を与えない決りになっているからだった。囚人のなかには恐怖のために刑場で胃袋のものを吐く者もいるからである。

「望みはないか」

と言われ、ベラスコもルイス笹田もあたらしい紙をくれるように願い出た。それぞれに遺書を書くためである。格子《こうし》からさしこむ薄暗い光のなかで、ベラスコがルソンの修道院の同僚宛にしたためた遺書は次の通りである。

「今、刻一刻と最期《さいご》の時が迫ってくるのを感じている。日本――岩だらけのこの不毛の地に愛の雨をふりそそぐ神に祝福あれ。そしてあなたたちも私の罪を許してほしい。私は生涯にわたり、あまりに多くの過《あやま》ちを犯した。効果の充分あげられない人間が一挙に物事を解決しようとするように、私は今、殉教を待っている。天において神の御旨が行われるように、日本の道なき土地にも御旨の行われんことを。司祭として神が与え給《たも》うた任務を充分、果しえなかったことを許して頂きたい。私の虚栄心、私の傲《ごう》慢《まん》さのため、あなたたちを幾度か傷つけたことも忘れて頂きたい。あなたたちが主の小麦畠《こむぎばたけ》のよき働き手として成果をあげ、我らすべてを天主の栄光のなかで結びあわせ給わんことを」

遺書をしたためながらベラスコは心の底から、自分の虚栄心と傲岸とが、今日まで無数の人間を傷つけたこと、そしてその償いのためにも自分は明日の苦しみに耐えねばならぬのだと思った。

遺書を番人に手渡した頃、いつものように夕闇《ゆうやみ》と寒さとが少しずつ牢《ろう》に忍びこんできた。明日の同じ時刻、この牢には自分たちはもう存在せず、ここはがらんとして、今と同じように夕闇がやってくるのだと思うと、ベラスコはふいに自分が侮辱されているような気さえした。

ルイス笹田と祈っていると、牢舎の奥から急に足音がして、格子の扉が開いた。蠟《ろう》燭《そく》の火影に番人の魚のように平べったい顔が浮びあがった。

「入れ」

番人の声に身をかがませて大きな影がひとつ、不器用にもぐりこんできた。そして二人にむかってラテン語で、

「主の平安《パクス・ドミニ》」

と囁《ささや》いた。

夕闇のために囚人の顔や姿は見えなかったが、彼の周りから今日までの二人と同じような臭気が漂ってきた。

「パードレですか」

彼は嗄《しわが》れた声で、ペテロ会のパードレ、カルバリオだと名乗った。

「鈴田の牢におりました。明日、この私もお二人と共に処刑されます」

彼は長崎の近くに潜伏していたのを、昨年の暮に捕えられ、大村と長崎との間にある鈴田の牢から、明日の死刑のために移されたのだと言った。

闇のなかでベラスコは微笑していた。いつも相手を見くだす時のあの微笑ではなかった。相手がペテロ会の神父であるということが何の恨みも怒りも起さないのにふと気づいて思わず微笑したのである。あの旅の間、彼を陥《おとしい》れるため、あらゆる讒訴《ざんそ》を行い、彼の計画を妨げたペテロ会。そこにいるのはその会の神父であるのに、憎しみではなく、懐《なつ》かしささえ感じる。自分たちは明日、死をわかちあうのだという感情が、すべてを洗い流したのかもしれなかった。明日の大きな死にくらべれば、怒りや憎しみは取るに足らぬものにちがいなかった。

「私は……」彼は自分の名を言った。「パードレ、ベラスコだが」

と、カルバリオ神父は黙りこんだ。ベラスコの名も過去も、むかし聞かされたらしいのがその沈黙でわかった。

「心配なさるな」ベラスコはやさしくいたわった。「もう何も思ってはおりませぬ。明日、我々は同じ国にいるでしょう」

彼はカルバリオ神父に、できるなら自分の罪の告白を聴いてほしいと頼んだ。そしてその臭気の漂う体のそばに跪《ひざまず》いた。自分の声がルイス笹田にはっきりときこえることはわかっていたが、それももう気にはならなかった。

「私の傲慢さと虚栄心とは今日まで多くの人を歪《ゆが》め、傷つけて参りました。私は神の御名《みな》をかりておのれの虚栄心をみたそうとしたのです」

「私は神の御意志を自分の意志と混同いたしました」

「私は神を憎んだこともあります。神の御意志が私の意の通りでなかったために」

「私は神を否《いな》んだことさえあるのです。神が私の意志を無視されたために」

「私はおのれの征服欲と虚栄心とに気づかず、それを神のためだと自惚《うぬぼ》れていたのです」

カルバリオ神父は口臭を吐きかけながら、戒めの言葉をかすれた声で唱え、最後に十字を切った。

「もう安心なさい。平和に行きなさい」

その声を聞いた時、ベラスコはあの雄勝《おがつ》で告悔《コンヒサン》を聴いた男の横顔を思い出した。あの男が今、どこでどうしているかわからないが、自分はあの男に嘘をついたまま死んでいくのだ。その嘘の償いのためにも自分は死なねばならなかった。告悔を終えたにもかかわらず、彼の心は平和ではなかった。

真夜中、ルイス笹田が突然、泣き声をたてはじめた。今夜も死の恐怖に襲われたのである。いつものようにベラスコは笹田の細い手を握り、この苦しみをすべて我に与え給え、と懸命に神に祈った。カルバリオ神父もその笹田のそばに跪いて、震えながら泣いているこの青年のために祈ってくれた。やがて少しずつ、牢のなかが白みはじめた。処刑の朝が来た。

朝。

晴れていたが風は強かった。彼らが牢獄から引き出された時には既に牢舎の庭には槍《やり》と銃とを持った足軽が並び、大村藩の紋幕が風に鳴っていた。幕の前では何人かの藩士が床几《しょうぎ》に着座していたが、そのなかに奉行所から来たこの前の役人もまじっていた。

床几から立ちあがった彼が三人に名を名乗らせ、上司らしい男に腰をかがめて何か囁くと、年輩の小肥《こぶと》りの男が刑の申し渡しを書いた紙をひろげ読みあげた。風がつめたい。遠くに見える海が寒そうに白く泡立っている。申し渡しがやっと終ると番人たちが三人を取り囲んで両手を縛った。首にも縄をかけたが、これはそれほど、きつくない。

行列が出発した。役人たちは馬で、囚人と番人たちと足軽衆とは徒歩で、蜜柑畠《みかんばたけ》をぬう路《みち》をおりていく。農婦が手をやすめ、驚いたようにこちらを見ている。

「主は我等のために十字架につけられ《クルチフィクスス・エッティアム・プロノビス》」

坂路をよろめきながら急にカルバリオ神父が歌いはじめた。

「十字架を忍び給いし方よ《クルチェム・パッスス》」

役人も番人も彼が歌い続けるのを放っておいた。

蜜柑畠をおりると大村の町になった。藁《わら》ぶき屋根の家が並んだ路の両側では、籠《かご》を背負った男や子供をだいている女が放心したように一行の通りすぎるのを眺めている。ベラスコは時折、彼の体に倒れるようによろめいてぶつかるルイス笹田を励ました。

「もうすぐ……もうすぐ、すべてが終る。主が待っておられる」

藁ぶき屋根の家が尽きるまで見物人の列も続いたが、

「主よ、彼等を許し給え」

とカルバリオ神父はこの聖句で歌うのをやめた。

「彼等はその為《な》せしことを知らざるなり」

町が終った辺りから風が急に強くなった。湾の波が荒れていた。小舟は一隻《せき》も出ていない。風よけに植えられた貧弱な松の群れが小人のようにゆれ動いている。

遠くに竹矢来が見えた。竹矢来の周りにも銃を持った足軽衆の一隊が整列している。このあたりが放虎原《ほうこんばる》とよばれ、大村藩の処刑場だった。

ベラスコは海を直視して、貝殻と海草の残骸《ざんがい》がきたなく散らばった砂浜を歩いた。風は彼の額にぶつかった。湾の遠くに柔らかくうす紫色の針尾島の山々がみえたが、こちらの波は渦巻いて霧のような水煙を小島の岩にかぶせている。外海はそこだけ明るく陽がさして拡《ひろ》がっている。これがベラスコたちの見る最後の日本の風景だった。

竹矢来が開かれた。行列が止った。海風に曝《さら》されて死を待つ囚人の顔はいずれも唇まで血の気が失せている。竹矢来の真中に藁と薪とを足もとにつみ重ねた三本のあたらしい杭《くい》がうちこまれ、まるで背の高い執行人のように直立していた。

番人たちが改めて三人の両手を縛りなおしていると、奉行所のあの役人が近づいてきた。

「なあ、転ぶ気持はまだないか。これが最後ぞ」

二人の宣教師は強く首をふり、ルイス笹田は少し黙ったあと断った。

うなずいて役人は二、三歩、歩きかけ、ふと思いだしたようにベラスコのそばに戻ってくると、

「実はな、内密ではあるが、お前と南蛮の国に参ったあの長谷倉と西と申すものは、切支丹ゆえ、お仕置きとなったぞ」

眼を見すえて告げた。

と、黙っていたベラスコの鉛色の唇に嬉《うれ》しげな微笑がうかび、

「ああ」その唇から声が洩《も》れ、カルバリオ神父を振りむいて叫んだ。「私も彼らと同《タント・ヨ・コモ・エリ》じところに行ける《ヨス・ポデモス・イール・アリャ》」

三人は「主の祈り」を口をそろえて唱えながら一列になって杭まで歩いた。その三本の杭は遠くから彼らを見つめ、じっと待っていた。一人、一人をその前に並べると、番人たちがその体をしっかりと縛りつけた。風の音が強い。

「往生ばせえよ」

縛りおえた番人はそう叫ぶと四方に散った。その間、役人たちは風を避けて竹矢来ちかくでこれらの作業を眺めていた。

足軽の一人が松明《たいまつ》を持って杭の足もとにつみ重ねた薪と藁とにひとつ、ひとつ火をつけた。風にあおられ炎が烈《はげ》しく動き、煙がたちのぼった。流れる煙のなかで、

救《リ》え《ベ》か《ラ》し《メ》・われを《ドミネ》
終《デ》り《モ》な《ル》き《テ》・死《エ》か《テ》ら《ルナ》

それぞれの祈りが大きく聞えたが、火勢が一段と高くなった瞬間、まずルイス笹田が、次にカルバリオ神父の声が突然やみ、ただ風の音、薪の崩れる音が聞えた。最後にベラスコの杭を包んだ白い煙のなかから、ひとつの声がひびいた。

「生きた……私は……」

火勢が長い時間をかけて鎮《しず》まるまで役人と番人たちとは遠くで寒そうに立っていた。火が消えたあとも囚人の姿の失《う》せた杭が三本、弓なりに反ってくすぶっていた。番人は骨と灰を集めて菰《こも》に入れ、石をつめて海に棄てにいった。

浜を襲う泡立った波が、番人の流した菰を呑《の》みこみ、ぶつかり、退いていく。幾度もそれがくりかえされると、何事もなかったように冬の陽が長い浜辺にさし、風の音のなかで海が拡がっている。竹矢来のなかにはもう役人や番人の姿はなかった。

解説

——『侍』における事実と真実

ヴァン・C・ゲッセル

一六一三年十月二十八日、支倉《はせくら》六右衛門（一五七一—一六二二）が月の浦港から日本をあとにしたその日から、彼は外国での経験を記録した日記をつけはじめる。彼の死後しばらくは、この日記は東北地方の彼の領地内に保管されていたが、やがて、この旅にかかわるほとんどすべての資料と同様、これもまた藩当局の手によって紛失せしめられたか、あるいは抹殺されてしまった。このことは我々にとってきわめて大きな損失といえる。支倉のこの日記こそ、一六一三年のあの旅をめぐる数多くの謎《なぞ》に光を投げかけうる唯一《ゆいいつ》信頼できる資料であったのかもしれないのだから。

実際、この使節団についてこれまでにわかっていることはあまりにも少なく、日本や西洋の歴史家たちは、ともにこれについてはほとんど無視してきたのだった。二次的な資料ならば、マドリッドやローマにかなり豊富に残っているけれど、この旅のそもそもの動機は何であったのか、その決定的な疑問はいまだに答えられていない。一六一五年八月から一六一六年一月まで、使節団一行に通訳として同行したイタリアの記録係、シピオーネ・アマチが、のちに『Historia del Regno di Voxu』という題でこの旅の記録をあらわしてはいるものの、彼が自分の目で見た事実以外の報告については、信用するわけにはいかないのである。この旅が実現するまでに起きたもろもろの事件の詳細や、出発して最初の二年間の出来事などは、セビリヤ出身の野心的なフランシスコ派の神父からアマチが聞き書きしたものだった。そしてこの神父が航海についての自分の記憶をアマチに口述したときの気持の中には、単に真実の解明より以上のものがたしかにあったのである。

本書におけるベラスコのモデル、ルイス・ソテロ神父（一五七四—一六二四）は、遠藤の描く策にたけた熱狂家のイメージと、どこからどこまでそっくりであったようである。ソテロが、日本で行ってきた布教の努力についてアマチに述べた誇張した報告は、彼自身、みずからその代理たらんとした『あのひと』よりもはるかに説得力のある、成功した伝道者としてみせている。そんなわけでソテロの話は文字どおりにうけ入れるわけにはいかないから、この使節団がそもそも何ゆえ結成されたのか、日本の支配者である徳川家康と、支倉の藩主である伊達《だて》政宗《まさむね》とが、ともに手に入れようと望んだものは何だったのか、さらにどんなわけで支倉が使節団長として選ばれたのか、こうした疑問への答を決定するのはあくまで我々自身の意志にまかされているわけである。

この点において、本書はまず、きわめて巧みに作りあげられたフィクションであるとともに、歴史的仮説としてみた場合も価値ある仕事といえる。『侍』は、同じ著者による前作『沈黙』があえて試みなかったやり方で、細心なまでに史実に忠実であろうとする。本書中、支倉についての記述は、そのほとんどすべてが事実である（戦いに参加したことがなかったという点だけを除いて）。実際、悲しいかな、彼について我々の知っていることは、ほかにほとんどないのである。

松田毅一《まつだきいち》をはじめ、日本の歴史家たちによる念入りな研究のおかげで、我々は支倉が伊達藩鉄砲隊の一員であったこと、そして東北地方の比較的小さな土地の領主であったことを立証することができる。けれども、このほかに彼について記録が語るのは、百人をこえる日本人と四十人ほどのスペイン人船乗りの乗り組んだ『サン・フワン・バプティスタ』号の甲板上に彼があらわれて以後のことなのである。

船は一六一四年一月二十八日にアカプルコに到着する――皮肉にも、家康があの悪名高いキリシタン追放令を発布したのとほぼ同じ時期であった。この禁止令こそ日本における布教活動の終結のはじまりとなったのである。支倉と彼の従者たちの行動は、彼等がノベスパニヤ（メキシコ）に到着したあとですら、はっきりつかめていない。アマチは、七十八人の日本人がメキシコ・シティで洗礼をうけたとのソテロの報告を、感動的な表現で伝えているが、同地の教会の記録をみてもそうした事件に触れた記述は一切見当たらないのである。『Historia』はさらに、使節団の一行がノベスパニヤでの道中、いかに熱烈な歓迎をうけたか記述している。だが、この有頂天ともいえる公式記録の仕掛人であるソテロ本人は、同時に送ったスペイン国王宛《あて》の手紙の中で、使節たちがあらゆる方面から冷ややかな扱いをうけている旨《むね》、不満を述べているのだ。

一六一四年六月十日にベラクルスを出航した二十人ほどの日本人グループは、大西洋を渡ったおそらく最初の日本人であったろう。使節団についての資料が、かなり確かなものとなるのは、彼等がヨーロッパに着いてからのことである。ソテロの故郷セビリヤで、使節たちは真実あたたかく歓迎された。スペイン国王フェリペⅢ世に拝謁《はいえつ》もした。（この際、支倉は典型的な日本的礼法にしたがって、次のように述べている——暗黒の地を去り、キリスト教国家の光明に浴することができ、自分は『我が国民中、最も名誉を得たる者』と思うと——）二月十七日、支倉は国王の個人付司祭の手で洗礼をうける。そして永遠の都市ローマに着いたときには、ローマの貴族・元老院議員の称号を与えられた。スペイン政府はしかしながら、イエズス会宣教師たちから、使節団の真の目的に疑惑ありとした、怒りにみちた報告書を受けとっていたため、使節団の要求に対して納得のゆく回答をうち出すことはできなかった。使節団はほぼ十カ月スペインで難儀な生活を送ることになる。

ついにソテロは、この窮状を脱するには法王と会うしかないと考えた。一六一五年十一月三日、使節団は法王パウロV世に拝謁する。この会見自体は手のこんだものであったけれども、具体的な成果はほとんど得られなかった。ソテロは望んでいた日本の司教職に任命してもらうことができなかったし、ノベスパニヤと日本の間の通商問題は、巧妙にそらされた。法王は、フランシスコ派の宣教師たちをさらに何人か日本に送りこむことに同意したけれど、日本における情勢がいよいよ暴力的な様相を帯びているとのニュースが入るに及んで、この約束はすぐに反古《ほご》となってしまった。

遠藤は、この旅の最後の部分を劇的効果を狙《ねら》って短かくつづめている。現実には使節団は一六一七年夏までヨーロッパにとどまった。もっとも、彼等がその間、そこで何をしていたのかは不明である。一六一八年七月、使節たちの乗った船がマニラに到着したとき、徳川幕府からは彼等に対し、追って通知があるまで同地に留まるよう命令が出された。一六二〇年、カトリック教会のインド顧問会議はソテロにノベスパニヤにもどり、そこで宣教の仕事をするよう命じてきた。同年、支倉はついに故国にもどる許可を得る。その日本は、数年前彼があとにした国からすさまじいばかりの変貌《へんぼう》をとげていた。キリスト教は、組織的に、しかも残虐《ざんぎゃく》に息の根をとめられつつあったし、それからわずか数年もたたないうちに幕府は大部分の外国との通商を禁止し、いかなる日本人も国外に出ることを禁ずる処置をとるに至る。支倉たち使節団の目的は、彼の留守の間に完全に放棄されていたのである。主人より与えられた役目をより忠実に果たすべく、彼が改宗したキリスト教は、危険な邪教とみなされるようになっていた。そして支倉自身、十七世紀日本の敵意にみちた孤立主義社会の中で、その存在自体が癇《かん》にさわるような、異分子になっていたのである。

支倉が自分の領地に戻ったことを記したのち、日本の公式記録は沈黙におちいる。彼の晩年について、従来いわれているところはさまざまである。単なる方便として信奉していたキリスト教の信仰を、彼がよろこんで捨てたというもの。自分の新しい信仰を捨てなかったがために、死を申しつけられたというもの。さらにはまた、公式にはその異国の宗教を否認したものの、ひそかにこれを礼拝しつづけていたという説もある。これらのうち、どれが真実なのか決定する手段はない。ただ、支倉の孫が書いたとされる一通の手紙が、遠藤の好奇心をさそったことはまちがいない。この手紙によれば、一六四〇年、徳川幕府は支倉の次男の権四郎がひそかにこの禁制の宗教儀式をとり行っているのを発見したという。こうした事態を放置していたかどで、支倉の長男勘三郎は切腹を命ぜられたのであった。

この手紙が本物かどうかは別として、そこに含まれる興味ある示唆《しさ》は、遠藤の手による歴史の再構築をさらに一層おもしろいものとする。一六二二年、支倉の死の年、ソテロは変装して日本にもどった。一六二四年八月二十五日の彼の殉教は、本書が述べている通りである。これら二人の男の死は、彼等の生と同様、キリスト教の本質は官僚主義的な布告などによって決定されるのではなく、あらゆる信仰者それぞれの個人的な切なる思いによって決められるのだという、著者の根本的な命題を肯定している。

一九八〇年春『侍』が発表されるや、この小説は批評家たちからあまねく絶賛をあび、ひろく読者をひきつけた。遠藤はこれで日本で最も重要な文学賞のひとつ、野間文芸賞をとっている。だが、この本について批評家たちの言っていることを読んでみると、多くの日本人はこの小説を、魅力的な歴史冒険小説以上のものとしてはみていないと感じざるをえない。

私には、読者も批評家もともに、的をはずしているように思えてならない。遠藤にとって事実とは結局、個人や事件をめぐるより実在的でない真実ほどには心を魅《ひ》きつけるものではない。『沈黙』におけるロドリゴの物語が、本書ほど厳密に史実にもとづいてはいないにしろ、より広い意味で間違いなく『真実』であるのとちょうど同じように、長谷倉の人生を解釈した遠藤のこの物語もまた、ひとりの人間が心の中でたどった精神の航海を描いた真実の記録なのである。この小説に現実の旅行記のみを期待する読者たちは、文字どおり途方にくれることだろう。

この小説で著者の関心がもっぱらどこにおかれていたか、それは執筆にとりかかったときに心に描いていた題名に、如実《にょじつ》に示されている。本書は当初、『王に会った男』という題になるはずであった。長谷倉が——事実においても、フィクションにおいても——地上の何人もの王と対面する機会を得たことを考えると、この題名はまことにふさわしいものといわねばならない。けれども、王たちとのこうした会見はすべて実のない、失望にみちたものであった。長谷倉と仲間の武士たちは、肉体の世界で打ち負かされ、屈辱をうけ、失敗者として日本に戻ってくる。だが長谷倉が、絶望と、おそらくは死の深淵《しんえん》の前に立つとき、彼はさらにもうひとりの王と出会う。彼の傷をいやすことのみを求める王、みずからもまた『人々から軽蔑《けいべつ》され、拒まれ』てきた王その人であった。長谷倉がこの哀れな王と出会い、うけいれるときはじめて、彼自身の悲しみも耐えられるようになるのだ。

このみじめな、けれども同情にあふれたキリストのイメージは、遠藤の文学においてはごく親しいものである。これこそ、ロドリゴに対して踏絵に足をかけるように促した、あの同じ許しにみちたキリストである。ただ『侍』が、他の彼の作品にくらべて異なっている重要な点は、ベラスコの抱くキリスト教の概念と侍の抱く概念とを直接対立させていないことだ。『沈黙』においては、西洋の神父たちは、みずからの信仰の文化的装飾をはぎとってはじめて、キリストの真の性質をつかむことができた。『侍』ではしかし、著者は信仰と文化の問題についてそれほど教条的な姿勢をとっていない。ここではベラスコは、いったんみずからのプライドを捨て去るや、理性的かつ攻撃的な信仰をもって、栄光あるキリストを礼拝し、仕えることを許されているし、彼の殉教は、そのダイナミックな西洋的信仰の純粋な反映として描かれている。これに反し、長谷倉は、ほとんど受け身の形でイエスとのまじわりを受け入れている。彼の信仰は根本的に非理性的であり、完全に内面的なものだ。長谷倉の死の、あのおぼろげな、かすんだ輪郭もまた、ベラスコのそれとはことなった——けれども確かさにおいては同じ——信念にふさわしい象徴である。本書の中で遠藤は、このふたりの男に対して、天国という永遠のやかたにすわるべき席を与えているのである。

もし長谷倉の挫折《ざせつ》と最終的な信仰の目覚めが、イエスへの拒否とその最後の勝利という命題のもうひとつの典型であるとするならば、それはまた遠藤にとって、より個人的なものを意味してくる。本書が発表されたとき、ある対談の中で著者はこう言っている。

――この小説は僕の私小説みたいなものなんだよ。僕は戦後最初の留学生で、あの戦争のあと初めてヨーロッパへ行ったでしょう。三十五日間のかなり苦しい船の旅でね。海の描写などは、やはりあのときの体験を織りこんでいるし、さっきから話しているような現在の僕の心境は、長谷倉の生き方、死に方の中に投影しているしね。――

（「波」一九八〇年四月）

本書はヨーロッパへの航海という単なる外面的な次元をこえて、さらに自伝的である。地球をめぐって旅をする自分に、つねにつきまとってくるように見える十字架を見て、長谷倉の味わう不可解さと、強い反感さえも含む感情は、著者が若い時代の自分の中に見出《みいだ》すものと異質ではない。『侍』の中で、長谷倉がマドリッドで洗礼を受ける場面があるが、これは十一歳のとき遠藤自身が体験した洗礼の儀式を、不気味なまでに正確に再現したものである。長谷倉と同じく、遠藤もまた、みずからの意志でキリスト教を選んだのではなかった。最初は押しつけられたものであり、しばらくの間はこれに対してきわめて距離をおいていたのであった。人生の航路のさまざまな試練をへて、やがて『王に出会う』地点まで彼が連れてこられたとき、はじめて彼は、本書の主人公のように、もはや外国の宗教としてでなく、あくまでも自分一個人の宗教としてこれをうけいれるに至ったのだった。あるレベルで、本書は信仰へとむかったその旅の物語である。

『侍』に究極的な生命を吹きこんでいるのは、遠藤と長谷倉との親近感であり、著者と作中人物の生が、イエスのそれとまざりあい、からみあっている点である。本書は多くの点で著者がそうあってほしいと望んだ通りの作品である――東と西、信仰と不信、熱情と黙従、これらをむすびあわせつつ、多くの豊かなメロディをつむぎ出す一大交響曲だ。そしてこの音楽的作品における出演者たちが、それぞれ異質の伝統を背負いつつ、完全にことなる楽器をかなでているにもかかわらず、最後に出来上ってくるリフレインはあくまで澄みわたり、しかもこれが最も大切なことなのだが、みごとに調和して響きわたっているのである。

（昭和六十一年五月、カリフォルニア大学助教授）

この作品は昭和五十五年四月新潮社より刊行された。

遠藤周作著
白い人・黄色い人
芥川賞受賞

ナチ拷問に焦点をあて、存在の根源に神を求める意志の必然性を探る「白い人」、神をもたない日本人の精神的悲惨を追う「黄色い人」。

遠藤周作著
海と毒薬
毎日出版文化賞・新潮社文学賞受賞

何が彼らをこのような残虐行為に駆りたてたのか？ 終戦時の大学病院の生体解剖事件を小説化し、日本人の罪悪感を追求した問題作。

遠藤周作著
留学

時代を異にして留学した三人の学生が、ヨーロッパ文明の壁に挑みながらも精神的風土の絶対的相違によって挫折してゆく姿を描く。

遠藤周作著
母なるもの

やさしく許す〝母なるもの〟を宗教の中に求める日本人の精神の志向と、作者自身の母性への憧憬とを重ねあわせてつづった作品集。

遠藤周作著
彼の生きかた

吃るため人とうまく接することが出来ず、人間よりも動物を愛し、日本猿の餌づけに一身を捧げる男の純朴でひたむきな生き方を描く。

遠藤周作著
砂の城

過激派集団に入った西も、詐欺漢に身を捧げたトシも真実を求めて生きようとしたのだ。ひたむきに生きた若者たちの青春群像を描く。

遠藤周作著
悲しみの歌

戦犯の過去を持つ開業医、無類のお人好しの外人……大都会新宿で輪舞のようにからみ合う人々を通し人間の弱さと悲しみを見つめる。

遠藤周作著
沈黙
谷崎潤一郎賞受賞

殉教を遂げるキリシタン信徒と棄教を迫られるポルトガル司祭。神の存在、背教の心理、東洋と西洋の思想的断絶等を追求した問題作。

遠藤周作著
イエスの生涯
国際ダグ・ハマーショルド賞受賞

青年大工イエスはなぜ十字架上で殺されなければならなかったのか――。あらゆる「イエス伝」をふまえて、その〈生〉の真実を刻む。

遠藤周作著
キリストの誕生
読売文学賞受賞

十字架上で無力に死んだイエスは死後〝救い主〟と呼ばれ始める……。残された人々の心の痕跡を探り、人間の魂の深奥のドラマを描く。

遠藤周作著
死海のほとり

信仰につまずき、キリストを棄てようとした男――彼は真実のイエスを求め、死海のほとりにその足跡を追う。愛と信仰の原点を探る。

遠藤周作著
王国への道
―山田長政―

シャム（タイ）の古都で暗躍した山田長政と、切支丹の冒険家・ペドロ岐部――二人の生き方を通して、日本人とは何かを探る長編。

北杜夫著
夜と霧の隅で
芥川賞受賞
ナチスの指令に抵抗して、患者を救うために苦悩する精神科医たちを描き、極限状況下の人間の不安を捉えた表題作など初期作品5編。

北杜夫著
どくとるマンボウ航海記
のどかな笑いをふりまきながら、青い空の下を小さな船に乗って海外旅行に出かけたどくとるマンボウ。独自の観察眼でつづる旅行記。

北杜夫著
どくとるマンボウ昆虫記
虫に関する思い出や伝説や空想を自然の観察を織りまぜて語り、美醜さまざまの虫と人間が同居する地球の豊かさを味わえるエッセイ。

北杜夫著
どくとるマンボウ青春記
爆笑を呼ぶユーモア、心にしみる抒情。マンボウ氏のバンカラとカンゲキの旧制高校生活が甦る、永遠の輝きを放つ若き日の記録。

北杜夫著
楡家の人びと
（第一部〜第三部）
毎日出版文化賞受賞
楡脳病院の七つの塔の下に群がる三代の大家族と、彼らを取り巻く近代日本五十年の歴史の流れ……日本人の夢と郷愁を刻んだ大作。

北村薫著
おーなり由子絵
月の砂漠をさばさばと
9歳のさきちゃんと作家のお母さんのすごす、宝物のような日常の時々。やさしく美しい文章とイラストで贈る、12のいとしい物語。

吉行淳之介著

原色の街・驟雨

芥川賞受賞

心の底まで娼婦になりきれない娼婦と、良家に育ちながら娼婦的な女――女の肉体と精神をみごとに捉えた「原色の街」等初期作品5編。

吉行淳之介著

夕暮まで

野間文芸賞受賞

自分の人生と〝処女〟の扱いに戸惑う22歳の杉子に対して、中年男の佐々の怖れと好奇心が揺れる。二人の奇妙な肉体関係を描き出す。

島尾敏雄著

出発は遂に訪れず

自殺艇と蔑まれた特攻兵器「震洋」。出撃指令が下り、発進命令を待つ狂気の時間を描く表題作他、島尾文学の精髄を集めた傑作九編。

島尾敏雄著

死の棘

日本文学大賞・読売文学賞
芸術選奨受賞

思いやり深かった妻が夫の〈情事〉のために神経に異常を来たした。ぎりぎりの状況下に夫婦の絆とは何かを見据えた凄絶な人間記録。

安岡章太郎著

海《かい》辺《へん》の光景

芸術選奨・野間文芸賞受賞

精神を病み、弱りきって死にゆく母――。精神病院での九日間の息詰まる看病の後、信太郎が見た光景とは。表題作ほか、全七編。

安岡章太郎著

質屋の女房

芥川賞受賞

質屋の女房にかわいがられた男をコミカルに描く表題作、授業をさぼって玉の井に〝旅行〟する悪童たちの「悪い仲間」など、全10編収録。

安部公房著　壁
戦後文学賞・芥川賞受賞

突然、自分の名前を紛失した男。以来彼は他人との接触に支障を来し、人形やラクダに奇妙な友情を抱く。独特の寓意にみちた野心作。

安部公房著　砂の女
読売文学賞受賞

砂穴の底に埋もれていく一軒屋に故なく閉じ込められ、あらゆる方法で脱出を試みる男を描き、世界20数カ国語に翻訳紹介された名作。

安部公房著　箱男

ダンボール箱を頭からかぶり都市をさ迷うことで、自ら存在証明を放棄する箱男は、何を夢見るのか。謎とスリルにみちた長編。

安部公房著　方舟さくら丸

地下採石場跡の洞窟に、核シェルターの設備を造り上げた〈ぼく〉。核時代の方舟に乗れる者は、誰と誰なのか？　現代文学の金字塔。

安部公房著　カンガルー・ノート

突然〈かいわれ大根〉が脛に生えてきた男を載せて、自走ベッドが辿り着く先はいかなる場所か——。現代文学の巨星、最後の長編。

安部公房著　飛ぶ男

安部公房の遺作が待望の文庫化！　飛ぶ男の出現、2発の銃弾、男性不信の女、妙な癖をもつ中学教師。鬼才が最期に創造した世界。

阿川弘之著
春の城
読売文学賞受賞

第二次大戦下、一人の青年を主人公に、学徒出陣、マリアナ沖大海戦、広島の原爆の惨状などを伝えながら激動期の青春を浮彫りにする。

阿川弘之著
雲の墓標

一特攻学徒兵吉野次郎の日記の形をとり、大空に散った彼ら若人たちの、生への執着と死の恐怖に身もだえる真実の姿を描く問題作。

阿川弘之著
山本五十六
新潮社文学賞受賞（上・下）

戦争に反対しつつも、自ら対米戦争の火蓋を切らねばならなかった連合艦隊司令長官、山本五十六。日本海軍史上最大の提督の人間像。

阿川弘之著
米内光政

歴史はこの人を必要とした。兵学校の席次中以下、無口で鈍重と言われた人物は、日本の存亡にあたり、かくも見事な見識を示した！

阿川弘之著
井上成美
日本文学大賞受賞

帝国海軍きっての知性といわれた井上成美の戦中戦後の悲劇——。「山本五十六」「米内光政」に続く、海軍提督三部作完結編！

大岡昇平著
俘虜記
横光利一賞受賞

著者の太平洋戦争従軍体験に基づく連作小説。孤独に陥った人間のエゴイズムを凝視して、いわゆる戦争小説とは根本的に異なる作品。

大江健三郎著
死者の奢り・飼育
芥川賞受賞

黒人兵と寒村の子供たちとの惨劇を描く「飼育」等6編。豊饒なイメージを駆使して、閉ざされた状況下の生を追究した初期作品集。

大江健三郎著
われらの時代

遍在する自殺の機会に見張られながら生きてゆかざるをえない〝われらの時代〟。若者の性を通して閉塞状況の打破を模索した野心作。

大江健三郎著
芽むしり 仔撃ち

疫病の流行する山村に閉じこめられた非行少年たちの愛と友情にみちた共生感とその挫折。綿密な設定と新鮮なイメージで描かれた傑作。

大江健三郎著
性的人間

青年の性の渇望と行動を大胆に描いて波紋を投じた「性的人間」、政治少年の行動と心理を描いた「セヴンティーン」など問題作3編。

大江健三郎著
空の怪物アグイー

六〇年安保以後の不安な状況を背景に〝現代の恐怖と狂気〟を描く表題作ほか「不満足」「スパルタ教育」「敬老週間」「犬の世界」など。

大江健三郎著
見るまえに跳べ

処女作「奇妙な仕事」から3年後の「下降生活者」まで、時代の旗手としての名声と悪評の中で、充実した歩みを始めた時期の秀作10編。